U0154568

文史哲學集成

董忠司著

江永聲韻學評述

文史哲出版社印行

文史哲學集成 ⑲⑧

江永聲韵學評述

著 者：董 忠 司
出 版 者：文 史 哲 出 版 社
登記證字號：行政院新聞局局版臺業字〇七五五號
發 行 所：文 史 哲 出 版 社
台北市羅斯福路一段七十二巷四號
郵撥〇五一二八八一二彭正雄帳戶
電話：三五一一〇二八
印 刷 者：文 史 哲 出 版 社

定價新台幣六二〇元

中華民國七十七年四月初版

江永聲韻學評述 目次

第一章 前言

一

十多年前，在研究初唐的反切時，爲了研究工作的需要，曾注意到古今中外的語音分析學。發現西洋語音學確實有它科學而精密的一面，但是那只是近幾世紀的事。在中國，稱爲「等韵」的這門學問，就是發生於中國本土的漢語語音分析學，至少已有千年的歷史了。在清代初葉，江永實在是最深入瞭解漢語語音分析學的一個人。他不僅懂得，還進一步的運用到古韵研究上面來，並且還寫成書來教導後人，幾乎成爲清代聲韵學者的導師。

讚譽江永的人，或稱其「博通古今」「稽考精審」（註一），或稱其爲治漢學者之先河（註二），或稱「其學自漢經師康成後，罕其儔匹」（註三），或稱其兼重宋學（註四），或美爲「一代通儒」（註五）。這些話都說得對，如果能把江永的著作和行誼深入研究，應該能得到證明，但是江氏學問博大，很難做到。代替的辦法是取其一部份來研究，最好是他的聲韻學。但很少能從他晚年最自信也最有成就的聲韻學來探索的。不僅很少這麼做的人，甚至還由於一己的偏弊，誤解或忽視了江氏的原意。如江氏的古四聲說，上古四十七韻部說、四聲八調說、數韻同一入說、反切法……等等，都未得到應有的待遇，對於江永學術的本質與貢獻，也因此而認識不清了。這就是爲什麼本書要不顧愚鈍來替江永申說的原因。

二

江永，字愼修，安徽婺源縣人。其先世蓋梁昭明太子之後，避侯景之亂，移新安，因姓江氏。後江姓遍皖南各縣，而愼修之先祖居婺源東鄉江灣市。他的曾祖父名國鼎，祖父名人英，都不做官。父親名期，是諸生。先生六歲就外傅，和一般追求功名的孩童一起學習參加科學求取功名的世俗之學。他讀書，每天可以背誦好幾千字。有一天，偶然看到明代邱璿的大學衍義補，書中徵引了許多周禮的文字，覺得很有興趣，便向藏書家借鈔了一本周禮，日夜不停的諷誦。然後又進一步研讀十三經注疏，再擴大到古今制度、鍾律、天文、聲韻、輿地，無不探賾索隱，測其本始。二十一歲時是縣學生，三十四歲補廩膳生。四十一歲因爲曾經有感於朱熹晚年研究禮學時，編寫了一部儀禮經傳通解，沒有寫完，後來雖然有黃氏楊氏繼續修纂，但是還有很多闕漏。因此就廣摭博討寫了一部八十卷的禮經綱目。五十五歲時，曾經援引春秋傳豐年補敗之義，告訴鄉人，於是和鄉人共同設立「義倉」，自是一鄉之民，不知有飢色。六十歲時，由於同郡程編修恂的延聘，偕同友人一起到北京。三禮館總裁方苞自以爲擅長於經學，曾經舉冠禮昏禮方面好幾個問題相與駁難，先生從容對應，非常周詳，方苞因此折服。另外吳編修紱對三禮也有深入研究，也曾經和他討論周禮，有疑問的地方，經過先生詳細解釋，都得到了滿意的答案。這一年，他還完成了七政衍、金水二星發微、冬至權度、恆氣注歷辨、歲實消長辨、歷學補論、中西合法擬草七書，各一卷。六十二歲爲歲貢生，成近思錄集註十四卷。十月，江西學政金公德瑛招爲諸生校閱文字。六十五歲前後，程、吳諸君子已歿，先生痛失益友，家居寂然。正逢清廷崇獎實學，命大臣貢舉通曉經術的大儒。當時婺源縣知縣陳公有子在京城做大官，想把先生所著的書呈獻給皇帝，以推薦先生進京爲官。先生自顧頹然欲老，自謙無復可用；又由於昔日京師故舊大多不在，更加悲愴，便寫信給戴震說：「馳逐名場，非素心也。」堅持數十年來不做官的原則，專心於爲學術而奉獻的工作，一直到老，撰寫了許多傳世的著作。乾隆二十七年三月十三日卒於家，年八十二歲。（註六）

所著有周禮疑義舉要七卷，禮記訓義擇言六卷，深衣考誤一卷，儀禮釋宮增註一卷，禮書綱目八十八卷、儀禮釋例一卷、群經補義五卷、算學八卷續一卷、律呂闡微十卷、律呂新論二卷、春秋地理考實四卷、鄉黨圖考十一卷、讀書隨筆十二卷、古韵標準四卷、四聲切韵表四卷、音學辨微一卷、河洛精藴九卷、推步法解五卷、七政衍、金水二星發微、冬至權度、恆氣注曆辨、歲實消長辨、曆學補論、中西合法擬草各一卷，近思錄集注十四卷，考訂朱子世家一卷。合計二十七種。（註七）

先生娶汪氏，子二人，長子逢聖早卒，次子逢辰。孫三人，朝陽、朝伸、錦波。曾孫二人，廷珍、廷聘。（註八）

先生弟子衆多，而戴震、金榜、程瑤田尤得其傳，其他若汪梧鳳、汪肇龍、鄭牧、方矩等，皆有名於時。先生諸弟子，學風都相近。金榜專治三禮，有禮箋十卷、詳稽制度。程瑤田之學在名物度數，有通藝錄、宗法小記、儀禮喪服足徵記、釋宫小記、考工創物小記、聲律小記、九穀考、釋草小記、釋蟲小記，完全是其師的路數。汪肇龍少孤貧，游江門之後專力治經，對於爾雅、說文，以及水經地理、步算、鍾律、音韵、器數、名物之學，無不博綜群籍，考據精審，而於三禮，功夫尤深，這也不出江先生的學術範疇。而戴震的學問，在江門中特爲博大，與先生最爲相似，而或有超越之勢。（註九）

江先生和戴震的關係，約有三種說法：張穆、魏源、王國維等人說戴東原早年師事愼修，而晚年稱江先生爲「吾郡老儒」，是爲背師（註一〇）。胡適先生以爲戴東原對江先生，自師事之後，一生敬禮無缺，所謂「吾郡老儒」者，是一種尊稱（註一一）。許承堯、余英時、鮑國順等人（註一二），彌縫於前二說，謂江戴二人誼在師友之間，未嘗著籍稱弟子。竊以爲戴震確爲江先生之弟子，有若干資料可證：

1.江愼修先生善餘堂書札中有答戴生東原書一通，又答甥汪開岐書說：「休寧戴生東原震頗敏悟，始來謁余，亦持字母減字之說，余痛斥之，與之長書力辯（按：指答戴生東原書），彼乃折節自知其非，抄余四聲切韵表，心悅之至，今猶不能辨等。以戴生之明敏，終不能辨等，韵學遂半塗而止。」云云，明明是說戴東原是江先生的弟子。（註一三）

2.王昶是戴震的朋友，其戴東原先生墓誌銘說：「余之獲交東原，蓋在乾隆甲戌之春……若東原之敦善行、精經誼，余雖不獲企其少分，而定交之久，與知東原之深，莫如余也。」（註一四）可以證明二人相交相知甚深，而王昶的江愼修先生墓誌銘說：「余友休寧戴君東原，所謂通天地人之儒也，常自述其學術實本之江愼修先生。」所謂「本之」，不是就是師生關係嗎？又說：「先生（按：指江愼修先生）弟子著籍甚衆，而戴君及金君榜，尤得其傳。」正面說是「著籍」弟子，許、余、鮑三家之說，恐不免有誤（註一五）。

3. 盧文弨在河洛精蘊序說：「向者吾友戴東原，在京師嘗爲余道其師江愼修先生之學，而歎其深博無涯涘也。無使輶之便，竟不及其在日一親炙之。」（註一六）盧氏親耳之聞，應可相信，江戴之爲師生，此爲有力之證據。

4. 乾隆二十七年，江先生卒於家，戴震便撰其事略狀上之續文獻通考館、史館，戴震所作江先生永事略狀一文中處處稱江愼修爲先生，禮敬之誠，溢于言表。（註一七）

5. 戴震除到處譽揚江愼修先生之外（註一八），又曾在總校四庫全書時，盡取江愼修先生二十種寫之，這種實在是弟子推崇其師的學術所做的事。（註一九）

6. 戴震早年亦字「愼修」，後因江先生字愼修，而廢棄不用，改字東原。（註二〇）

從這些證據看來，江戴二人有師生的關係是非常明確的。江先生與戴東原初見面是在乾隆十五年，時江先生七十歲，戴東原二十八歲。洪榜戴先生行狀說：

「時郡守何公，常以月某日，延郡之名人宿學，講論經義於書院之懷古堂。婺源江先生永治經數十年，精於三禮及步算、鐘律、聲韻、地名沿革。博綜淹貫，巋然大師。先生一見傾心，因取平日所學就質正焉。江先生見其盛年博學，相得甚歡。一日舉歷算中數事問先生曰：「吾有所疑，十餘年未能解決」。先生請其書，諦觀之，因爲剖析比較，言其所以然。江先生驚喜，歎曰：「累歲之疑，一日而釋，其敏不可及也。」先生亦嘆江先生之學，周詳精整。時先生同志密友，郡人鄭牧、汪肇龍、程瑤田、方矩、金榜六七君，日從江先生、方先生從容質疑問難。蓋先生律曆聲韵之學，亦江先生有以發之也。」（註二一）

許承堯說：

「汪容甫爲（汪）梧鳳墓志云：『江、戴二人孤介少合，君獨禮致諸其家。』是江亦館汪氏。先生（按：指戴震）與江蹤跡之密殆無逾於此時。」

可見在初識之後，又同館於汪氏，前後來往約在四年左右。當時金榜、程瑤田、汪肇龍等既皆爲江先生之弟子無疑，戴震當亦爲其弟子。戴震當時學問已略具規模，而聲韵學相當生疏，以善餘堂書札中的答戴生東原書而觀，戴東原的審音之學正是江氏敎導他的。所以戴東原對江先生是非常尊敬的，今江氏學術被後人周知，戴氏讚譽、和寫入四庫全書，其功最大，而所謂「吾郡老儒江愼修永」的話，正是尊敬的話。

從江先生的著作看來，他不是專事考據的人。他研究古音，不僅詳考三百篇和諧聲偏旁，還配合上審音之學和方音之歧異。他研究經學，不專主考據，亦兼重義理，所以有近思錄集註和四書典林之著作。總之，他是兼具漢、宋二學的通儒。可惜，他的善於考據，人多知之；

他的盛推宋學，便多有忽略不知的。他曾說：

「道在天下，亘古長存。自孟子後一線弗墜，有宋諸大儒起而昌之，所謂爲天地立心，爲生民立道，爲去聖繼絶學，爲萬世開太平，其功偉矣。其書廣大精微，學者所當博觀而約取，玩索而服膺也。……朱子嘗謂『四子，六經之階梯，近思錄，四子之階梯。』……晚學小生，幸生朱子之鄉，取其遺編，輯而釋之，或亦先儒之志。」（註二二）

他的兼重漢宋的路線，後來便由戴東原繼承了。江先生著作深廣詳整，論者多説他博洽精審。（註二三）甚至以爲其學足以「參天地人之奥」（註二四），而譽之爲通儒了。

不以江先生爲專門考據的人，是今日學者漸漸覺悟的事。首先是錢穆（註二五），説得最明白的是勞思光，他説：

「戴氏以外，數乾嘉之學之代表人物，當自戴氏之前輩江永開始，再及於段玉裁、王念孫、王引之諸人。蓋戴段二王即乾嘉之學之中堅，而江永又其先導也。……江永號愼修。其治學時，惠氏之『漢學』始興，故時人常誤以爲江氏所治亦屬『漢學』。實則江氏非株守家法一流，故能賞識戴東原，東原亦以師禮事之，江氏研禮甚精，方苞吳紱等皆以此推之。然其影響最大者則在於音韻之學。著作中有『古韻標準』、『切韻表』、『音學辨微』三書，皆能超邁前人；其評亭林之『音學五書』，雖認爲其學在毛西河毛稚黃等人之上，然亦知顧氏只長於考證而於音韻之理本身未能深解，故謂顧氏『考古之功多，審音之功淺』也。……江氏對音理之研究，以『音學辨微』爲代表之作。而其『引言』中則謂：『鄉曲里言，亦有至是；中原文獻，亦有習非；不止爲佔畢之用已也。』觀此可知江氏固已視音韻研究爲一獨立學科，非僅視爲考古訓詁之事矣。……不以求『復古』爲目的，而只以獲得對古代之客觀知識爲目的，正是乾嘉學風之主要精神方向或特色；而江氏如此明言之。則江氏之應作爲乾嘉學風之代表人物，由其治學態度中已可得確據，不待訴之於江戴淵源也。」（註二六）

勞氏的話說得很明白，他已經看到江先生不僅考古，還講究音理，不求復古而主客觀認知；但是他還沒看到江氏之崇宋學，以及江先生之爲天地人三才之通儒。此外，我們還可指出，江先生爲學又主分析，主推本，因爲分析，所以他建立了清代罕見的語音分析學；因爲他推溯源本，所以建立起聲韻學的理論架構。這種有分析的自覺，又能醞構理論的學者，恐怕也是中國學術思想史上值得特別重視的吧！

清代的學者，皖南一地實多，儼然成一學派。江愼修承歙縣黃生扶孟、宣城梅文鼎等人之後（註二七），而集其大成，與友人汪紱同崇宋學，而弟子多得其博考一端，故與惠棟並爲清代漢學之先河。其高徒戴氏再傳而爲段玉裁、王念孫，派別特盛，江永實爲宗師。

尚書秦蕙田曾取江先生推步法解入五禮通考，又於詔修音韻述微時，命江南督臣檄取先生所著的四聲切韻表、古韻標準、音學辨微等韻書三種，進呈貯館，以備采擇。戴震亦於校理四庫書時，盡取江先生書二十種，藏於秘府，今四庫全書收其書十三種，存目三種（註二八）。乾隆五十一年，江南鄉試，以論語鄉黨篇命題，考生中主江先生鄉黨圖考的說法的，都能中式，因此海內士人更加看重他的學問。朱筠督學安徽，舉江先生從祀朱子於紫陽書院，其學之受重如此。（註二九）

總而言之，江愼修先生乃醇然通儒，自幼至老，略無嗜好，所嗜者讀書與著書而已。論學主博覽而重分析，能從客觀材料中歸納出理論，乾嘉學風之形成，江先生實爲先河。讀其書，可以見到他博通三禮，春秋等經術、旁及古今制度、天文曆算、鍾律、輿地、聲韻，兼倡宋學，所言每多識斷，實在是百年難得一見的學者。對於他的學問，後人很難全面去探討，但他的聲韻學，由考古到審音，由等韻而古音，能釐析精微，偶述音韻理論，由此一瓢可以得其神味。蓋聲韻學是他晚年學術的精華，想瞭解江愼修，可以從他的聲韻學入手。

三

關於江愼修先生的聲韻學，可以從四聲切韻表、古韻標準、音學辨微三書，與善餘堂書札中答戴生東原書、答甥汪開岐書等資料得知，其中最重要的還是江氏聲韻學三書，書札之言除間有精語外，大多已見於三書中。

本書第二章概述江氏聲韻學三書之內容，建構江氏的聲韻學體系之後，依著書先後敍述之。首先敍述四聲切韻表的內容梗概，指出此書凡例六十二條，多有切中韵學肯綮之語，辨析毫釐，兼顧今古，然後條分横列，四聲相從，各統以母，别其音呼，註以反切，定爲二十六表，表末復列出所用反切上字，名爲「切字母位用字」。次述古韵標準之梗概，指出其書善於甄别材料之時代，分析其緒，比合其類，綜以部居，緯以今韻。例言十四條，是古韵學之簡論，對於前乎江氏的古韵學家，有獎崇，有駁正，除表示江氏之識見精審外，也等於發表了他自己的古韵研究法。例言之後是詩韵擧例，詩韵擧例之後，便分四卷，依四聲分列上古韵部，計平上去三聲各十三部，入聲八部，本章中還替江氏整理出「江永古韵韵部與廣韵韵目對照表」。末述音學辨微的梗概。指出音學辨微的著作動機，歸納其書之章節爲六大類：論聲調、調聲母、論等呼、論反切、提出音學理論、評論諸家等韵說等，並依其書之章節，一一略述其要旨。

本書第三章是「江永的聲調論」。分四節敍述：第一節爲「平仄論」，指出江氏分辨平仄的觀點有五，不可輕易說他的平仄論是空洞無物的。第二節爲「四聲八調論」，指出對江氏的聲調說不可誤以爲他只承襲舊「四聲」說，而要強調他在四聲中各分清濁而有「八調」的卓見，並詳引古今資料以證之。第三節爲「古聲調論」，指出歷來以爲江氏不分四聲是錯誤的，正正相反，江氏是嚴分上古四聲的，只是發現四聲可以通押而已。第四節爲「濁上轉去說」，指出江氏「濁上轉去」的音變觀。

本書第四章是「江永的聲母論」，分五節敍述：第一節爲「字母源起說」，力證江氏「反切之學已寓字母之理」的說法。第二節爲「字母位定字無定說」，指出江氏頗知三十六字母之代字，只表示「音値」而已，故提出「位」字，用「第一位」、「第二位」……的名稱來澄清讀者的概念。第三節爲「聲母的清濁」，指出江氏憑他清晰的語音分析能力，細分聲母的清濁爲七類，並評論其「最清——次濁」的相配。第四節爲「聲母的發送收與別起別收」，指出江氏「發、送、收」的淵源與修訂，並略述其困難。第五節爲「三十六字母的音讀」，基於江氏審音能力的精妙，習知方音的是非，以及指陳發聲部位、方法的明晰，試蒐討江氏有關字母音讀之各種資料，參酌黃侃、王力、陳新雄諸家的解說，力探江氏口吻中三十六字母之音讀，而以國際音標表出。

本書第五章是「江永的韻母論（一）」。江氏的韻母論可分「今韻」與「古韻」兩部份來敍述，次章論「古韵」，本章論「今韵」。第一節爲「韵部與韵類」，陳述江氏依二百零六韵而再細分爲一百零四韵類。第二節爲「開合論」，指出江氏的開合觀已經和今人相同。第三節爲「四等論」，駁「江氏四等洪細乃依字母而言」的說法，指出江氏之洪細是依細介音的有無與元音的弇侈而言，而以分辨有困難，故教人辨別四等時，可從字母着眼。第四節爲「數韵同一入與入聲有轉紐」，指出「入聲有轉紐」是「數韵同一入」的條件，並詳論「數韵同一入」的整理途徑與音理，並列出〔數韵同入相承分配表〕而批評之。第五節爲「江永一百〇四韵類等呼標註表」，是本章所述內容的總整理。

本書第六章爲「江永的韵母論（二）」。本章主要在討論江永的古韵學，但在第一節之前，論及江永的上古聲母觀，發現他已經有「今音輕脣、古音重脣」的主張，並且已經懂得用諧聲偏旁來證明此說，並指出這個說法比錢大昕「古無輕脣音」說，早了約五十年。第一節爲「江永對吳、揚、陳、毛、顧的批評」，列舉江氏對前賢的看法，並藉以表現江氏對古韵研究一些顛撲不破的學說。第二節爲「江氏的詩韵舉例」，指出詩經用韵之例式，江氏爲清代第一人，即使是後儒的詩韵例，也好不了多少，而詩經韵例之研究本身亦有基本的困難所在。第三節爲「江氏的古韵分部和收字」，指出江氏研究上古韵部，於考古之精審外，加上音理的參酌，分上古韵部爲平上去三聲各十三部，入聲八部。並略據各本加以校訂，列出

〔江永上古四十七韻部收字切語表〕，以窺江永上古韻部的大概。第四節爲「江永上古韻部的特點」，指出其特點有：以四聲分部、四聲可以通押、以序數爲部名、比顧氏多出三部（眞以下十四韻、侵以下九韻各析爲二、魚模一部而虞韻之一部隨侯入幽而不併入蕭）、運用審音工夫於古韻、數韻同一入、提出「方音偶借」說，並強調江氏頗知上古韻母的研究只能存古，無法復古。

本書第七章是「江永的等韻學與反切之學」。第一節爲「三十六字母的等位合圖」，用圖表來指出江永四聲切韻表上字母出現的位置，並比較其與韻鏡之異同。第二節爲「韻部、韻類、與韻鏡的異同」，以比較表指出江氏韻類的特點。第三節爲「韻圖編排」，指出江氏韻表不同於宋元韻圖之處，並敍述其韻表若干特別的措施。第四節爲「歸字納音」，指出四聲切韻表四千零五十八音節的依據、反切的承改、諧聲偏旁的四聲相承，並略舉韻表中的小疵。第五節爲「江永論反切之法」，指出江氏反切之法有淺深三層次，陳澧切韻考得其第二層次。而清代學者罕有達到江氏的最高層次的，江氏反切法的最高層次，是反切上字有分四等而異用的現象。第六節略微討論了江氏的〔反切上字常用字等第表〕。最後附論江氏的類隔音和說與借韻轉切法，指出借韻轉切法遠源於「歸三十母例」，近源於韻鏡、四聲等子、與三十六字母切韻法。

第八章是「餘論」，強調了江愼修先生聲韻之學常運用的分析法、和各地方音，謂江氏已能採用「最小差別法」來解說聲韻學的問題，能博取方音以求得古代的音讀、能發現音變理論、語音發展理論、語音整齊觀。至於江氏「圖書爲聲音之源」說，固爲江氏各種理論的最形而上的，但是附會河圖洛書、陰陽五行，是無法以客觀經驗加以分析、證實的理論。

【附註】

註一　見清史列傳二百六十八江永本傳。

註二　見清儒學案卷五十八愼修學案。

註三　見戴震江愼修先生事略狀。

註四　見錢穆中國近三百年學術史第八章。

註五　江藩漢學師承記江永。

註六　關於江永的生平，以上綜會各家而寫成，勞苦倍至，另有江永生平著述簡譜之作，此不錄。材料有：戴震江愼修先生事略狀（戴東原集）、王昶江愼修先生墓誌銘（清朝碑傳全集）、錢大昕江先生永傳（潛研堂文集）、清史江永傳、安徽先賢傳記教科書初稿江永傳、清儒學案愼修學案、漢學師承記江永、清學案小識、劉大櫆江先生傳（海峯先生文集）、余廷燦江愼修永傳（存吾文稿）、清史列傳、國朝耆獻類徵、國朝先生事略、清代七百名人傳、清儒樸學列傳、梁啓超近三百年學術史、錢穆近三百年學術史、勞思光中國哲學史、余英時戴東原與江愼修（在論戴震與章學誠一書中）、許承堯戴東原先生全集序、洪榜戴先生行狀等。

註　七　此二十七種是參考諸家所述而得，各家多有差參。

註　八　見王昶江愼修先生墓誌銘。

註　九　見清儒學案愼修學案、錢穆中國近三百年學術史。

註一〇　見余英時論戴震與章學誠外編之一。

註一一　見制言半月刊第七期。

註一二　見碑傳集卷五十。

註一三　見前引書卷一百三十三。

註一四　見河洛精蘊卷首序。

註一五　見碑傳集卷一百三十三。

註一六　見錢大昕潛研堂文集卷三十三與戴東原書、王昶江愼修先生暮誌銘、盧文弨河洛精蘊序……等。

註一七　見王昶江愼修先生墓誌銘、四庫全書總目。

註一八　見許承堯戴東原先生全集序。

註一九　見洪榜戴先生行狀，錄於華正書局戴震文集。

註二〇　同註一八。

註二一　見近思錄集註序。

註二二　見清史列傳二百六十八。王昶江愼修先生墓誌銘等。

註二三　參見王昶前引文、與盧文弨河洛精蘊序。

註二四　見中國近三百年學術史第八章。

註二五　節錄自勞思光中國哲學史（三下）第八章。

註二六　見安徽先賢傳記教科書初稿江永傳、錢穆中國近三百年學術史上冊。

註二七　江永所著書，收入四庫全書的有十三種：周禮疑義舉要、儀禮釋宮增註、深衣考誤、禮記訓義擇言、禮書綱目、春秋地理考實、羣經補義、鄉黨圖考、律呂闡微、律呂新論、古韵標準、近思錄集註、算學。收入存目的有：儀禮釋例、四聲切韵表、考訂朱子世家。

註二八　參見王昶江愼修先生墓誌銘、錢大昕江先生傳等。

第二章　江永聲韻學三書的梗概

江愼修先生的生平與著作，已經略述於前一章。由前一章，我們知道江氏之學，先有所成的是禮學，四十一歲所撰的禮經綱目爲其代表，除禮學以外，聲律、地輿、古今制度等學漸次開花結實，而四書義理之學也不偏廢，有律呂闡微、近思錄集註、四書典林可證。當江氏七十八歲完成春秋地理考實之後，心力便專注到聲韻學上了。

據顧亭林音學五書之後，江氏完成了他聲韻學的三部有名的重要著作——四聲切韻表、古韻標準、音學辨微。顧氏的聲韻學偏重在古韻上面，江氏則將聲韻學的研究觸角，伸延到今音、等韻、以及方言之學。後人看來，江氏的著作也許不算豐富，但是就清初以前的聲韻學者而言，江氏的研究層面最廣，也最精深。

江氏的聲韻學見解，除了見於四聲切韻表、古韻標準、和音學辨微而外，還可以從他的善餘堂書札中看到。善餘堂書札見錄於制言半月刊（註一），包含答戴生東原書、答甥汪開岐書、再答汪燦人先生書等三封信，共四千五百七十二字（註二）。其中第三封信專論律呂問題，其餘二封信都討論聲韵學。

答戴生東原書主旨在指正戴震聲韵學之疏陋，以爲師的態度，客觀的教誨他。書信中提到三十六字母的主導地位，聲韵學的大要（七音、清濁、發送收等）、南北方音與字母疑混、並論及聲韵學之重視分析，是一篇論析精微的重要信札。答甥汪開岐書與上一封的內容略有重複，論三十六字母之不可增減，論鄉音之疑混，論五十音，論聲調與清濁等；其中述及戴震爲其弟子，爲重要的史料；又論及聲韵學之貴神解，深慨知音者稀，其言皆值得參考。

答戴生東原書與答甥汪開岐書都是考察江氏聲韵學的重要資料，但是要窺探江氏韵學之體系，仍然要以古韵標準、四聲切韵表、和音學辨微爲主，因爲筆之於書者，畢竟是體大思精，何況音學辨微一書的著作時間，比善餘堂書札更晚，更有其重要性。

江氏的聲韵學三書，著作的先後是：一、四聲切韵表，二、古韵標準，三、音學辨微，證據在古韵標準例言和善餘堂書札中，江氏說：

「接來札道及音韵一事，……此事愚生平頗有心得，所著有古韵標準、四聲切韵表二書，又有音韵辨微一書，方屬稿而未成書也。」（註三）

又說：

「余既爲四聲切韵表，細區今韵，歸之字母音等，復與同志戴震東原，商定古韵標準

四卷、詩韵舉例一卷，於韵學不無小補焉。」（註四）

上二段話，前一段所謂「音韵辨微」一書，殆未寫成書以前暫定的書名，殆即今日所傳「音學辨微」一書。後一段話所說的「詩韵舉例」，並未獨立成書，而附在古韵標準之卷首。這二段話，前一段話可以證明音學辨微一書完成的時間最晚，後一段話可以推定四聲切韵表成書較早。因此，我們可以看到四聲切韵表和音學辨微重複之處，往往是音學辨微較詳審而可以爲江氏之定論。

四聲切韵表、古韵標準、音學辨微三書，形成了江愼修先生的聲韵學體系，不可分割。所以江氏在他的書中常常把這三書並提而論，除前兩段話以外，還有：

「今爲三百篇考古韵，亦但以今韵合之，著其異同，……今韵之有條理處，別有四聲切韵表、音學辨微二書明之。」（註五）

所謂「爲三百篇考古韵」是指江氏所著古韵標準而言，論古韵而不遺今韵，是從古今的觀點來建立聲韵學體系。江氏又說：

「余有四聲切韵表四卷，以區別二百六部之韵；有古韵標準四卷，以考三百篇之古音，茲音學辨微一卷，略舉辨音之方，聊爲有志審音，不得其門庭者，導夫先路云爾。」（註六）

這一段話是從研究與學習聲韻學這個觀點來說明三書的先後。我們可以用下表來表示江永聲韻學體系與其三書的關係：

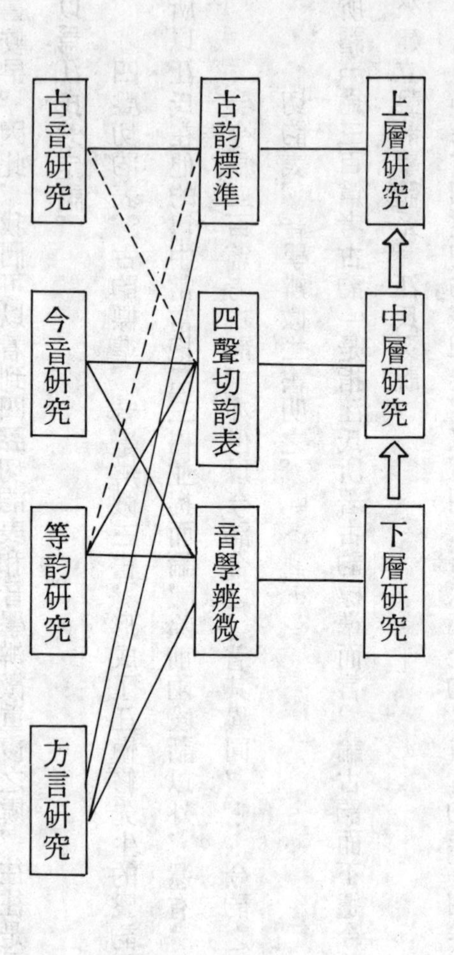

瞭解了江氏的聲韻學體系之後，我們先來看看江氏聲韻學三書的梗概，再分章討論他的聲調論、聲母論、和韻母論等聲韻學觀點。

一、四聲切韻表的梗概

江愼修論學頗重分析，於聲韻學更是如此。他曾說：「蓋愚意主分析，吾友主合併，是以齟齬而不相入。」（註七）又說：「吾輩讀書窮理，皆辨析毫釐，聲音一事，愈細愈精，豈可厭昔人音切之精細，而從我之粗疎者爲是乎？然欲辨析毫釐，亦正不易。」（註八）這些話告訴我們聲韵之學是重視分析的，爲了說明分析的結果，也爲了矯正若干韵圖妄併變亂的錯誤，江氏便作了四聲切韵表一書。他說：

「字典、音韵闡微皆有等韵圖，等列分明而音韵未備。字彙載横直二圖，師心苟作，音韵淆訛，直圖删易母位，變紊七音，尤爲紕繆。此表依古二百六韵，條分縷析，四聲相從，各統以母，別其音呼等列，字之切即註本字下，開卷了然，學者由此研思，音學庶無差舛。」（註九）

今所見四聲切韵表，約有以下十種：

1. 應雲堂刊本（註一〇）
2. 貸園叢書本（註一一）

3. 木犀香館刊夏燮校正本（註一二）
4. 粤雅堂叢書本（註一三）
5. 荔牆叢刻汪曰楨補正本（註一四）
6. 富晉書社本（註一五）
7. 安徽叢書景江氏韻書三種本（註一六）
8. 音韻學叢書本（註一七）
9. 叢書集成景貸園叢書本（註一八）
10. 百部叢書集成景貸園叢書本（註一九）

以上計十種版本，其中6.7.9.8.4.五本，在四聲切韻表研究中曾經討論過（註二〇），書中說：「據以上所論，五種版本，以富春書社影印本爲優，其次安徽叢書本、音韻學叢書本，叢書集成本較差，尤以粤雅堂叢書本最差。」這些話大抵本之於夏燮、嚴式誨、和胡樸安。

夏燮說：

「四聲切韻表刻于周氏貸園叢書中，爲羅有高所校，譌錯脱落；又其人音學全未入門，妄爲舉正，……歙汪孝廉龍重刻本較爲詳善。」（註二一）

嚴式誨說：

「是書則以蜀中先有休寧趙君少咸刊本，……頃得北京景印應雲堂本後附夏嗛父校正十餘事，取校趙君所改正者，此本多不誤。……羅臺山氏校語冗贅無當，此本無之，尤覺心目爲清。」（註二二）

胡樸安說：

「粵雅堂本誤字、奪字、衍字約二百餘，可見粵雅堂本校勘之疏。」（註二三）

諸家所言皆是，四聲切韵表研究曾因諸家說而取上述五種版本互校（註二四），可以參見。所欲申說者，除上述五種本以外，荔牆叢刻汪曰楨補正本可以暫置而不論，因爲汪氏由於聲韵學基本觀點和江永每多歧異，所以所補正的，已非江氏原意。夏氏校本已見收於音韵學叢書本中，叢書集成與百部叢書集成本所收實即貸園叢書本，貸園叢書本如果除却羅有高之注，實亦與各本優劣相半。何況貸園叢書本刊於乾隆五十三年，乃四聲切韵表最早刊本，上距江氏成書年代僅二十九年，實在値得特別重視，故本書所據四聲切韵表是以應雲堂藏本、貸園叢書本、和音韵學叢書本爲主。

四聲切韵表一書，以韵表爲主，而韵表之前有「凡例」，韵表後面有「切字母位用字」表。今分別摘要述之於後：

一、凡例：凡例共有六十二條，字少的，一條只有十個字，如第十九條和五十七條（註二五）；字多的，一條多到六百八十四字，如第三十條。這六十二條凡例，縱論以廣韵爲主的今音和等韵，兼及古韵，大抵先論聲母，後論韵母，論聲母者十九條，餘皆論韵母。大抵因爲四聲切韵表本以表列韵母爲主旨，故宜先詳論韵母之開合洪細與入聲等問題，至於聲母，則詳論於音學辨微一書中。凡例的內容是這樣的：

㈠凡例第一條：敍述本表撰著之原因，乃有感於當時韵圖或有未備，或師心苟作，故「依古二百六韵，條分縷析，四聲相從，各統以母，別其音呼等，本字之切即註本字之下。」這也是本書書名的由來。

㈡凡例第二、三條：敍述七音三十六字母爲本書之綱領，亦爲用以總括一切有字之音。

㈢凡例第四條：敍述濁聲母及其流變。

㈣凡例第五條：敍述四等之別以洪細分，而辨等之法要從字母上去着手。

㈤凡例第六、七、八、九條：敍述一、二、三、四等所見之字母。

㈥凡例第十、十一條：敍述四等、字母、與韵之安排。

㈦凡例第十二至十九條：敍述由字母辨別等第之法。

㈧凡例第二十條：敍述四聲、韵部、與韵類，合四聲則本表有一百零四個韵類。

㈨凡例第二十一條：敍述分析韵類所依之三端，一以開口合口分，二以等分，三以古今音分。

㈩凡例第二十二至二十五條：敍述韵之開合。一論二〇六韵之中，或一韵單屬開口或合口，或兩韵一開一合，或一韵而兼有開合。一論開合與開齊合撮四呼之關係。一論雙唇鼻音韵尾與雙唇入聲韵尾之韵，屬開口。一論方音中之開合相混。

㈩㈠凡例第二十六條：敍述韵部和四等之關係。

㈩㈡凡例第二十七條：敍述音韵之古今流變。

㈩㈢凡例第二十八、二十九條：敍述二〇六韵中四聲之韵、各聲調韵部數目不相同（平聲五十七部、上聲五十五部、去聲六十部、入聲三十四部），並指明其緣故。

㈩㈣凡例第三十條：敍述韵書入聲配陽聲、顧炎武以入聲配陰聲，其實入聲有轉紐而數韵可共一入也。

㈩㈤凡例第三十一、三十二條：敍述「數韵同一入」一事，謂：「必審其音呼，别其等第，察其字之音轉，偏旁之聲，古音之通，而後定其爲此韵之入。」

㈩㈥凡例第三十三至五十七條：分别討論諸韵「數韵同一入」之相配。詳見「數韵同一入」節。

㈩㈦凡例第五十八條：敍述反切之法與韵表之關係。

(十八)凡例第五十九條：敍述切韻表中凡舊有類隔切者一用音和。

(十九)凡例第六十條：敍述切語大抵本舊韻書。

(二十)凡例第六十一條：敍述切語上字之嚴者三四等不混。

(二十一)凡例第六十二條：敍述稀僻俚俗不論也。

二、韻表：凡例之後便是韻表，在韻表之前，江氏尚有數句話綴於表前，他說：「此表爲音學設，凡有音之字，悉備于此，審音定位，分類辨等，幾番易稿，乃成定本，學者熟玩，音學可造精微，切字猶其麤淺也，江永書。」此小段文字，用字不多而意蘊深矣！其有功於後學者，實在値得表彰。

四聲切韻表之爲韻表，縱列韻類等第四聲，横列字母。直行三十六（註二六），横列四欄（註二七），每欄分列四聲之字，如附圖一。

等呼		韻	見	溪	羣	疑	端	透
二等開口呼		夬轄	鞨古鎋	楬枯轄		齾牛轄		
二等合口呼	齒頭一等	夬轄	夬古邁 刮古刹	快苦夬		刖五刮	錣丁刮	
一等合口呼		灰賄隊没	瑰姑回 頠姑罪 憒古對 骨古忽	恢苦回 顝口猥 塊苦對 窟苦骨		嵬五回 隗五罪 磑五對 兀五忽	堆都回 [illegible]都罪 對都隊 咄當没	推他回 腿吐猥 退他內 突他骨
一等開口呼	正齒二等	咍海代德	該古哀 改古亥 槩古代 裓古得	開苦哀 愷苦亥 欬苦槩 克苦得		皚五來 騃五亥 礙五概	懛丁來 等多改 戴都代 德多則	胎湯來 [illegible]他亥 貸他代 忒他德

定	泥	知	徹	澄	孃	邦	滂	並	明
		哳 陟轄	蠆 丑犗			敗 北邁 捌 百鎋		唄 薄邁	邁 莫話 帓 莫鎋
			[illegible] 丑刮						
隤 徒回 錞 徒猥 隊 徒對 腯 徒骨	捼 奴回 餧 奴罪 內 奴對 訥 內骨					杯 布回 背 補昧 不 逋没	醅 鋪杯 琣 普罪 配 滂佩 啍 普没	裴 薄回 琲 部浼 佩 蒲昧 勃 蒲没	枚 謀杯 浼 毋罪 妹 莫佩 没 莫勃
臺 徒哀 待 徒亥 代 徒耐 特 徒得	能 奴來 乃 奴亥 耐 奴代 螚 奴勒					㤳 布亥 北 博墨	啡 匹愷 覆 匹北	倍 薄亥 踣 蒲北	𥟖 莫亥 默 莫北

非	敷	奉	微	精	清	從	心	邪	照
				嗺臧回	催倉回	摧祖回	膗素回		
				摧子罪	璀取猥	罪祖賄			
				晬子對	倅取内		碎蘇内		
				卒臧没	猝倉没	崒昨没	窣蘇骨		
				裁祖才	猜倉才	才昨哉	顋桑才		
				宰作亥	采倉宰	在昨宰	諰息改		
				載作代	菜倉代	在昨代	塞先代		
				則子德	墄七則	賊昨則	塞蘇則		

四聲切韻表 十二

日	來	喻	影	匣	曉	禪	審	牀	穿
			喝 於邁	轄 胡瞎	瞎 許轄			砦 士邁 鏩 鉏轄	嘬 楚快 剎 初轄
				話 戶快 咶 下刮			刷 數刮		
	雷 魯回 磊 魯猥 纇 盧對 硉 盧沒		隈 烏恢 猥 烏賄 𩲡 烏對	回 戶恢 瘣 胡罪 潰 胡對 齕 下沒	灰 呼恢 賄 呼罪 誨 荒內 忽 呼骨				
	來 落哀 唻 來改 賚 洛代 勒 郎德		哀 烏開 靉 烏亥 愛 烏代 餩 乙得	孩 戶來 亥 胡改 瀣 胡概 劾 胡得	咍 呼來 海 呼改 黑 呼北				茝 昌亥

若以每四面，始見終日，做爲一圖，則共有二十六圖，每圖四韻類，合計一百零四韻類，今將此二十六圖一百零四類之大概，製成簡表於左：

第一圖

一等合口呼		東董送屋
三等合口呼	正齒有二等字齒頭四等喻母四等	東董送屋
一等合口呼		冬　宋沃
三等合口呼	舌頭齒頭匣母喻母四等	鍾腫用燭

第二圖

二等	牙音重脣喉音開口呼舌上正齒半舌合口呼	江講絳覺
三等開口呼	正齒有二等字喻母四等　此類古通歌哿箇	支紙寘
三等開口呼	齒頭四等牙音重脣有四等字影喻母四等	支紙寘昔
三等合口呼	齒頭四等　此類古通戈果過	支紙寘

第三圖

三等合口呼	正齒有二等字齒頭四等牙喉有四等字	支紙寘昔
三等開口呼	正齒有二等字舌頭齒頭四等牙音重脣喉音有四等字	脂旨至質
三等合口呼	正齒有二等字齒頭四等喉音有四等字	脂旨至術
三等開口呼	正齒有二等字齒頭四等喉音有四等字	之止志職

第四圖

三等開口呼	三等合口呼	三等合口呼	三等合口呼
		正齒有二等字齒頭喻母四等	
微尾未迄	微尾未物	魚語御藥	虞麌遇藥

第五圖

三等合口呼	一等合口呼	四等開口呼	四等合口呼
正齒有二等字齒頭喻母四等此類古通侯厚候尤有宥			
虞麌遇燭	模姥暮鐸	齊薺霽屑	齊　霽屑

第六圖

三等開口呼	三等合口呼	一等開口呼	一等合口呼
牙音重脣有四等字齒頭喻母四等	正齒有二等字齒頭四等喻母有四等字		
祭　薛	祭　薛	泰　曷	泰　末

第七圖

二等開口呼		佳蟹卦麥
二等合口呼		佳蟹卦麥
二等開口呼		皆駭怪黠
二等合口呼	舌頭一等	皆怪黠

第八圖

二等開口呼		夬轄
二等合口呼	齒頭一等	夬轄
一等合口呼		灰賄隊沒
一等開口呼	正齒二等	咍海代德

第九圖

三等合口呼		廢月
三等開口呼	正齒有二等字牙音有四等字齒頭喉音四等喉音有三等字	真軫震質
三等合口呼		真軫質
三等合口呼	正齒有二等字牙音齒頭喉音四等	諄準稕術

第十圖

二等開口呼	三等合口呼	三等開口呼	三等合口呼
		正齒二等	
臻櫛	文吻問物	殷隱焮迄	元阮願月

第十一圖

三等開口呼	一等合口呼	一等開口呼	一等開口呼
元阮願月	魂混慁沒	痕很恨	寒旱翰曷

第十二圖

一等合口呼	二等開口呼	二等合口呼	二等開口呼
	舌頭一等	舌頭一等	
桓緩換末	刪潸諫黠	刪潸諫黠	山產襇鎋

第十三圖

二等合口呼	四等開口呼	四等合口呼	四等開口呼
	此類古通眞軫震	此類古通眞軫震	
山轄	先銑霰質	先銑霰	先銑霰屑

第十四圖

四等合口呼	三等開口呼	三等合口呼	四等開口呼
	正齒有二等字牙音重脣喻母有四等字齒頭四等	正齒有二等字牙音喻母有四等字齒頭四等	此類古通尤有宥韵中之通侯厚候者
先銑霰屑	僊獮線薛	僊獮線薛	蕭篠嘯錫屋

第十五圖

四等開口呼	三等開口呼	二等開口呼	一等開口呼
	牙音重脣喉音有四等字齒頭四等		
蕭篠嘯錫	宵小笑藥	肴巧效覺	豪皓號鐸

第十六圖

一等開口呼	一等開口呼	一等合口呼	三等開口呼
此類古通侯厚候			
豪皓號沃	歌哿箇曷	戈果過末	戈

第十七圖

三等合口呼	二等開口呼	二等合口呼	二等開口呼
	舌頭一等　此類古通歌哿箇	此類古通戈果過	此類古通模姥暮鐸
戈	麻馬禡麥	麻馬禡麥	麻馬禡陌

第十八圖

二等合口呼	三等開口呼	三等開口呼	三等開口呼
此類古通模姥暮鐸	舌頭齒頭喻母四等	齒頭喻母四等　此類古通魚語御藥	齒頭喻母四等
麻馬禡陌	麻馬禡	麻馬禡昔	陽養漾藥

第十九圖

三等合口呼	一等開口呼	一等合口呼	二等開口呼
正齒三等			此類古通唐蕩宕鐸
陽養漾藥	唐蕩宕鐸	唐蕩宕鐸	庚梗敬陌

第二十圖

二等合口呼	三等開口呼	三等合口呼	三等開口呼
此類古通唐蕩宕鐸	此類古通陽養漾藥	此類古通陽養漾	舌頭半舌一等正齒二等
庚梗敬陌	庚梗敬陌	庚梗敬	庚梗敬陌

第二十一圖

三等合口呼	二等開口呼	二等合口呼	四等開口呼
			舌上正齒影母半舌三等
庚梗敬	耕耿諍麥	耕麥	清靜勁昔

第二十二圖

等呼	附注	韻
四等合口呼		清靜勁昔
四等開口呼		青迥徑錫
四等合口呼		青迥徑錫
三等開口呼	正齒有二等字齒頭喻母四等	蒸拯證職

第二十三圖

等呼	附注	韻
三等合口呼		職
一等開口呼		登等嶝德
一等合口呼		登　德
三等開口呼	此類古通之止志職	尤有宥屋

第二十四圖

等呼	附注	韻
三等開口呼	正齒有二等字齒頭喻母四等	尤有宥屋
一等開口呼	正齒有二等字	侯厚候屋
四等開口呼		幽黝幼屋
三等開口呼	正齒有二等字齒頭四等喉音有四等字	侵寑沁緝

第二十五圖

一等開口呼	一等開口呼	三等開口呼	四等開口呼
覃感勘合	談敢闞盍	鹽琰豔葉	添忝添帖
		正齒有二等字齒頭四等喉音有四等字	

第二十六圖

三等開口呼	二等開口呼	二等開口呼	三等開口呼
嚴儼釅業	咸豏陷洽	銜檻鑑狎	凡范梵乏

此二十六圖，每面十行，四面一圖，每圖四欄，每欄四韵，平上去入相承（無相承之韵則缺）。其四欄，分別爲四韵系（註二八），每圖四韵系，以第一圖而論，計有「東一等」「東三等」「冬」「鍾」等四韵系，此韵系之排列似尚有某種韵母相近之關係；但是第二圖有「江」「支三等開口」「支三等開口」（此爲另一類見凡例第五十二條）「支三等合口」

四韻系，便無法看出其必須並列一圖的理由。這種看不出並列一圖之理由的圖譜，在四聲切韻表中很多，可見江氏在書列出二十六個圖，並沒有什麼用意，只是分析出各韻的韻類之後，依照廣韻韻部先後之次，一欄一欄的排列下來而已。

三、切字母位用字表：在二十六個韻圖的後面，附有「切字母位用字」表，表名之下，江氏說：「此皆表所用者，其未用字，見他切韻書者，做此可知。」這些話告訴我們此表收字之範圍，其語中之意，似乎告訴我們，如果本「切字母位用字」表不夠用時，可以據其他韻書做作。

表中列舉三十六字母，每字母先標明見於何等，次加一小圈，圈下依四等分列切語用字，例如：

「見一二三四等○公工姑沽古各一等佳格二等居俱拘几紀蹇九舉三等稽堅頸規吉四等」

此表又見錄於音學辨微辨翻切一節中，略有不同，並註明其四等之通用情形。

二、古韻標準的梗概

古韻標準之為書，是由於江氏看到明朝古韻學家的疏舛（註二九），又有見於顧氏善於考古而昧於審音，因此酌取前賢優點，參以己見而寫成。江氏說：

「細考音學五書，亦多滲漏，……古音表分十部，離合處尚有未精，其分配入聲多未當，此亦考古之功多，審音之功淺，每與東原嘆惜之。」（註三〇）

此外，亦有見於方音、古音之不能無流變，而詩韻之足以爲準則，江氏說：

「古豈有韻書哉？韻即其時之方音，是以婦孺猶能知之協之也。時有古今，地有南北，音不能無流變。音既變矣，文人學士騁才任意，又從而汩之，古音于是益淆訛，如棼絲之不可理。三百篇者古音之叢，亦百世用韻之準，稽其入韻之字，凡千九百有奇。同今音者十七，異今音者十三，試用治絲之法，分析其緒，比合其類，綜以部居，緯以今韻，古音犂然。其間不無方語差池，臨文假借，按之部分，間有出入之篇章，然亦可指數矣。以詩爲主，經傳騷子爲證。詩未用而古今韻異者，采它書附益之。標準既定，由是可考古人韻語，別其同異。又可考屈宋辭賦、漢魏六朝唐宋諸家有韻之文，審其流變，斷其是非，視夫泛濫羣言，茫無折衷，槩以後世淆訛之韻爲古韻者，不有間乎？」（註三一）

由這段話，我們可以知道古韻標準一書著作的動機，和該書內容的大要。

這本書，由於江氏之弟子戴東原的推薦，曾被收入四庫全書中，除了四庫全書之外，由於甚見重於學林，所以還有多種版本：

1. 貸園叢書本（註三二）
2. 墨海金壺本（註三三）
3. 守山閣叢書本（註三四）
4. 木犀香館刊本（註三五）
5. 粵雅堂叢書本（註三六）
6. 安徽叢書本（註三七）
7. 彙刻音學本（註三八）
8. 音韻學叢書本（註三九）
9. 叢書集成初編景貸園叢書本（註四〇）

以上九種版本，以貸園叢書本爲各本之祖，且刊行時間僅次於四庫全書本。故本文論及江氏古韻標準，以四庫全書本、貸園叢書本爲主，而參以音韻學叢書本。

江慎修先生古韻標準一書，是專爲探求上古韻部而作的。其書取詩經三百零五篇的韻脚，「試用治絲之法，分析其緒，比合其類，綜以部居，緯以今韻。」（註四一）除了分合詩經韻脚以外，還拿經、傳、楚辭、諸子等書中韻語做爲旁證（註四二），間引魏晉以後之韻語。

是書多引顧炎武之説，頗有評訂。因爲顧書具在（註四三），故未完全列出詩經的韵譜，以簡省篇幅。這部書分爲例言、詩韵舉例、平聲十三部一卷、上聲十三部一卷、去聲十三部一卷、入聲八部一卷，分述如左：

一、例言：例言是全書的凡例，也是全書的梗概。文淵閣四庫全書本古韵標準的例言有十二條，一千五百二十二字；音韵學叢書本與貸園叢書本的古韵標準例言有十四條，兩千一百一十一字（註四四）。後者除了多出兩條外，第十二條，尚多了「且音之流變……服其心哉」等一百二十四字。今據音韵學叢書本古韵標準例言述其要略：

例言第一條：謂語音因古今南北而變，故宜考詩經的韵脚，得其部居，以爲標準。

例言第二條：評論宋吴棫、明楊愼二家的古音學。（註四五）

例言第三條：評論明陳第的古韵學。

例言第四條：評論清顧炎武的古韵學，謂「已傾倒其書，而不敢苟同。」蓋其「離合處尚有未精，其分配入聲多未當，此亦考古之功多，審音之功淺。」（註四六）

例言第五條：論離合今韵以求古音之法。

例言第六條：論四聲。

例言第七條：論叶韵。

例言第八條：論朱子詩經集傳之叶韻。

例言第九條：論顧氏詩本音改正舊叶之誤。

例言第十條：論詩韵之旁證。

例言第十一條：論今韵與古韵。

例言第十二條：駁論顧炎武「今音行而古音亡」之説。

例言第十三條：論研究古韵，止能考古存古，非能使之復古。

例言第十四條：論今韵與古韵之分韵宜嚴，然後通其可通。

總而言之，例言十四條是古音學通論一類的文字，其自敘整理詩韵，條分縷析，縱論諸家古韵學，旁及今韵，率皆平實中肯之言。

二、詩韵學例。上古音韵部的建立，是立基在詩經的韵脚上，可是在上古韵部未整理出來以前，要辨認那些詩句的末句是否韵脚，並不是一件容易的事。江愼修在列出上古韵部之前，先指明詩韵之例，就是希望先確定詩經的詩歌用韵形式，利用這些詩經用韵之例，來確定何者是韵脚，再進一步觀察、歸納這些韵脚的押韵情形。江氏在詩韵學例標目下夾行小註説：「韵本無例，變動不居，衆體不同，則例生焉。不明體例，將有誤讀韵者，故先舉此以發其凡，自是古韵可求。其非韵者，亦可不致強叶誤讀矣！」

江永的詩經韻例列在「古韻標準卷首」（註四七），是分析相當周密的著作，共有廿二個韻例，現在摘錄其綱要於左：

（一）連句韻——含「連兩句」「連三句」「連四句」「連五句」「連六句」「連七句」「連八句」「連九句」「連十句」「連十一句」「連十二句」等十一分例（註四八）。

（二）間句韻——含「間一句」「間二句」二分例，間多句而遙韻者別見後。

（三）一章一韻。（原註：有後章仍用前章韻者。）

（四）一章易韻。

（五）隔韻。

○以上體例之常，不可枚舉，以下體例之變，詳舉以證。（註四九）

（六）三句隔韻。

（七）四聲通韻——原註：說見例言。帝歌以「熙」韻「喜、起」，五子之歌首章以「圖」韻「下、予、馬」，已有此體。

（八）三句見韻。

（九）四句見韻。

（十）五句見韻。

(十一)隔數句遙韻。

(十二)隔韻遙韻。

(十三)隔章尾句遙韻。

(十四)隔章章首遙韻。

(十五)分應韻。

(十六)交錯韻。

(十七)句中韻。　　(二十)頌無韻之句。

(十八)疊句韻。　　(二十一)雅無韻之章。

(十九)雅無韻句。　　(二十二)頌無韻之章。

三、古韻韻部：江氏的古韻分爲平聲十三部、上聲十三部、去聲十三部、入聲八部，合計四十七部，分隸於四卷。其每部之內容有：

1.先列韻部之名。如「平聲第一部」「上聲第三部」等是。

2.次列廣韻韻目。如「平聲第一部」的次一行有「韻目一東〇二冬〇三鍾〇四江」等。如果有一個韻而分屬兩部的，便說「分某韻」，如「平聲第三部」的次一行便有「九魚〇分十虞〇十一模〇分九麻」「分十虞」表示只取廣韻十虞韻的一部份字，他皆仿此。苟有韵本不通而有字當入此部者，便說「別收某韵」，如「平聲第四部」下有「別收八微」「別收十六蒸」等字。苟有四聲異者，便說「別收某聲某韵」，如「平聲第四部」下有「別收上聲十三軫」等。

3. 次爲「詩韵」。舉詩經韵脚之字，依該部之廣韵韵目的先後來排列，而再參照廣韵每韵中字之先後來排定詩經韵脚之字。每字之下，注以切語，討論音讀，並於必要的地方附有辯駁之語。有的字還分列出「本證」和「旁證」，「本證」舉詩經用韵爲證，「旁證」舉經傳、楚辭、子史爲證。

4. 次列「補考」：補考者，江氏自注說：「詩未入韵之字，有當考者補之。」所收之字，大抵亦依廣韵韵目與韵部中收字先後而排列。

5. 末有「總論」：總論是最重要的一部份，通論一部之字的古今方俗之流變，往往能運用審音知識，逐字探索、比論諸家古韵之說、詳其韵部分合。

江氏於每部之中，大多能夠就此五項來敍述。其中，平聲韵部之「總論」，討論詳密，而上、去、入聲則大多與相配的平聲韵部同其分合，故其「總論」率多省略。

古韵標準一書裏的韵部，許多學者多說是「十三部」，實際上，江慎修自己分爲平聲十三部、上聲十三部、去聲十三部、入聲八部，合計四十七部，分隸四卷。如果替他作一個古韻和廣韻韻部對照表，便可以瞭解他的古韻韻部的大略了。現在把這個表，排列在後面：

江永古韻韻部與廣韻韻目對照表

江永古韻韻部	廣韻韻目	備註
平聲第一部	一東、二冬、三鍾、四江。	
平聲第二部	五支、六脂、七之、八微、十二齊、十三佳、十四皆、十五灰、十七咍、分十八尤、別收二十三魂、別收八戈、別收去聲八未、別收去聲十六怪。	
平聲第三部	九魚、分十虞、十一模、分九麻。	
平聲第四部	十七眞、十八諄、十九臻、二十文、二十一殷、二十三魂、二十四痕、分一先、別收二仙、別收二十八山、別收八微、別收十二齊、	

	別收十五青、別收十六蒸、別收上聲十六軫、別收去聲三十二霰。	
平聲第五部	二十二元、二十五寒、二十六桓、二十七删、二十八山、分一先、二仙、別收二十五願。	
平聲第六部	三蕭、四宵、分五肴、分六豪。	
平聲第七部	八戈、分九麻、分五支、別收上聲四紙、別收去聲五寘。	
平聲第八部	十陽、十一唐、分十二庚、別收上聲三十六養、別收去聲四十一漾、別收去聲四十二宕、別收去聲四十三映。	
平聲第九部	十二庚、十三耕、十四清、十五青。	
平聲第十部	十六蒸、十七登、別收一東。	

平聲第十一部	分十八尤、十九侯、二十幽、分十虞、分三蕭、分四宵、分六豪、別收上聲四十五厚。	
平聲第十二部	二十一侵、分二十二覃、分二十三談、分二十四鹽、別收一東、別收去聲五十六㮇。	
平聲第十三部	分二十二覃、分二十三談、分二十四鹽、二十五添、二十六嚴、二十七咸、二十八銜、二十九凡。	以上屬卷一。
上聲第一部	一董、二腫、三講。	
上聲第二部	四紙、五旨、六止、七尾、十一薺、十二蟹、十三駭、十四賄、十五海、分四十四有、分四十五厚、別收十六軫、別收十七準、別收十九隱、別收二十八獮、別收三十四果、別收平聲十四皆、別收去聲七志、別收去聲十	

	八隊、別收去聲四十九宥。
上聲第三部	八語、分九麌、十姥、分三十五馬、別收四十五厚、別收平聲一東、別收去聲九御（註五〇）。
上聲第四部	十六軫、十七準、十八吻、十九隱、二十一混、二十二很、分二十七銑、別收二十阮。
上聲第五部	二十阮、二十三旱、二十四緩、二十五潸、二十六產、分二十七銑、二十八獮、別收十四賄。
上聲第六部	二十九篠、三十小、分三十一巧、分三十皓。
上聲第七部	三十三哿、三十四果、分三十五馬、分四紙。
上聲第八部	三十六養、三十七蕩、分三十八梗。

上聲第九部	分三十八梗、三十九耿、四十靜、四十一迥。	
上聲第十部	四十二拯、四十三等。	
上聲第十一部	四十四有、四十五厚、四十六黝、分九麌、分二十九篠、分三十一巧、分三十二皓、別收五旨、別收去聲五十候。	
上聲第十二部	四十七寑、分四十八感、分五十一忝。	
上聲第十三部	分四十八感、四十九敢、五十琰、分五十一忝、五十二广、五十三豏、五十四檻、五十五范。	以上屬卷二。
去聲第一部	一送、二宋、三用、四絳。	
去聲第二部	五寘、六至、七志、八未、十二霽、十三祭、十四泰、十五卦、十六怪、十七夬、十八隊、	

	十九代、二十廢、分四十九宥。
去聲第三部	九御、分十遇、十一暮、分四十禡、別收五十候、別收入聲十九鐸。
去聲第四部	二十一震、二十二稕、二十三問、二十四焮、二十六慁、二十七恨、分三十二霰、分三十三線、別收三十一襉、別收四十三映、別收四十五勁。
去聲第五部	二十五願、二十八翰、二十九換、三十諫、三十一襉、分三十二霰、分三十三線。
去聲第六部	分三十四嘯、三十五笑、分三十六效、分三十七號。
去聲第七部	三十八箇、三十九過、分四十禡。

去聲第八部	四十一漾、四十二宕、分四十三敬。	
去聲第九部	分四十三敬、四十四諍、四十五勁、四十六徑。	
去聲第十部	四十七證、四十八嶝。	
去聲第十一部	分四十九宥、五十候、五十一幼、分十遇、分三十四嘯、分三十七號、別收三十六效、別收入聲二沃。	
去聲第十二部	五十二沁、分五十六㮇。	
去聲第十三部	五十三勘、五十四闞、五十五豔、分五十六㮇、五十七釅、五十八陷、五十九鑑、六十梵。	以上屬卷三。
入聲第一部	一屋、分二沃、三燭（註五一）、分四覺、	

	別收二十三錫、別收去聲五十候。
去聲第二部	五質、六術、七櫛、八物、九迄、十一沒、分十六屑、分十七薛、別收二十四職。
去聲第三部	十月、十二曷、十三末、十四黠、十五鎋、分十六屑、十七薛。
去聲第四部	十八藥、十九鐸、分二沃、分四覺、分二十陌、分二十一麥、分二十二昔、分二十三錫、別收去聲九御、別收去聲四十禡。
去聲第五部	分二十一麥、分二十二昔、分二十三錫、別收三燭。
去聲第六部	分二十一麥、二十四職、二十五德、別收一屋、別收去聲七志、別收去聲十六怪、別收

	去聲十八隊、別收去聲十九代、別收平聲十六咍、別收二沃。	
去聲第七部	二十六緝、分二十七合、分二十九葉、分三十二洽。	
去聲第八部	二十七合、二十八盍、分二十九葉、三十帖、三十一業、分三十二洽、三十三狎、三十四乏。	以上屬卷四。

以上合計四聲四十七部。

在這四十七部中，平上去三聲之韻部，都用「一、二、三、四……」爲部名，故其相配相承之跡非常明顯。至於入聲，究竟與之相配的平上去聲是什麼，江氏並未明顯指出，只在入聲第一部的「總論」中說：

「入聲與去聲最近，詩多通爲韵；與上聲韵者，間有之，與平聲韵者少，以其遠而不諧也。韵雖通，而入聲自如其本音。顧氏於入聲皆轉爲平、爲上、爲去，大謬，今亦

不必細辨也。」（註五二）

這些話似乎也沒有正面告訴我們，到底入聲八部和那些平上去的韻部相承。但是，既已說「入聲與去聲最近」，又在每部若干字之下，指明「去入爲韻」，且多有依諧聲偏旁而考其音讀與韻部之說，吾人可以進一步探索出江氏入配平上去之本意，何況江氏尙有四聲切韻表一書在，四聲之相承與夫數韻共一入者，已經明顯的陳列在該書的表格上了。

三、音學辨微的梗概

向楚音學辨微敍曰：「（江愼修）晚年寫定音學辨微一卷，詔示審音從入之塗，茲編其粲然者也。」（註五三）此言明指音學辨微爲審辨音讀的專著，而撰著的動機，正爲意在明告以入門之途徑。但是，江氏晚年撰此入門之書，實不僅這一個動機，從他的音學辨微引言一文，可以發現四個動機：

一、感於方音之是非：江氏音學辨微引言說：「夫聲出於口，自始生墜地，伊伊嚶嚶，萬國皆同，及其長而累譯不能相通。居平原者氣恆同，或千里百里而稍變；處山谷者氣彌異，或數十里而已殊，爲鴂舌，爲嘵音，亦甚樊然淆亂矣！……雖五方水土有剛柔輕重，風氣有南北偏隅，吳越或失之濁，秦晉或失之濁，而以二合之音切定一字，則字有定音，能通直音之窮，能辨毫釐之差。而明者更因三十六位以櫽括乎殊方之音，鄉曲里言亦有至是，中原文獻亦有習非，不止爲佔畢之用已也。」（註五四）地域之殊遠，有方音之異，取方音而校以切韻音系或等韻書，則此地彼地或各有是非，故江氏於書中各章多引方音以參驗，其中尤以第六章「辨疑似」引論正音與各地方音之是非，辨析最爲詳細。而凡所引之方音是非，皆意在匡謬正俗，故音學辨微曰：「……各處方音不同，惟明者自悟。又有讀書舛錯不依正音，或由鄉俗習非，或由塾師誤授，諷誦既熟，終身難移，是在有志者勿憚改耳。」（註五五）

二、深慨傳人之難得：江氏音學辨微引言說：「夫人聲本出自然，等韻一事，非甚幽深隱賾不可探索者，余年近八十，遊轍稍及南北，接人不爲不多，何以談及音學者，如空谷足音，未易得而聞也？及門欲講此學者，質有敏有魯，大率囿於方隅，溺於習俗，齒牙有混而不知，脣舌有差而難易，辨濁辨清，辨呼辨等，能通徹了了者實亦難其人也。」（註五六）聲韻之學，剖析毫釐，等呼輕重，學者常常目爲天書，無心研探者比比皆是，有志者又多苦於不得其門，得其門者，或有魯鈍敏智之異。然而，示人以方法門徑，必有助於學者，其指點愈審密，則鈍者或將轉爲敏銳，此殆江慎修先生作書的深意，後之學者宜思及此。

三、悲乎音學之不明：江氏音學辨微引言說：「自唐以後，宋元明以迄於今，立言垂世者，率皆淹貫古今，著述等身。而言及音學，如霧裏看花，管中窺豹，又不肯循其故常，師心苟作，議減議併，議增議易，斷鶴續鳧而不恤，失伍亂行而不知。甚者若張氏之正字通，全懵於音韻源流，自撰音切，迷誤後學，貽譏大方，則音學何可不講也。」（註五七）江氏欲循故常而非其師心苟作，不思音學於承古之外，尚須應時而作，故反切等韻之學亦可依時音而新製，不必皆爲承襲古書，其說略有可議。然而不論襲古與新製，或承古而輕以增删，或創新而雜以舊跡，不能謹守樊籬而致混淆者，所在多有；其他昧於音韻原理與淵源流變者，亦非少數。江氏有見於此，頗欲講明聲韻之學，斯有音學辨微之作。

四、建立音學體系：江氏的聲韻學撰著，在古音學方面，有古韻標準一書；在今音（廣韻）學方面，有二百零六部整理結果的四聲切韻表（註五八）；在等韻學方面，除了四聲切韻表以外，尚有倍受讚譽的音學辨微。古音、今音、等韻三部分組成了傳統的聲韻學，所以，江氏音學辨微一書之撰寫，實乃與其餘二書，合成江氏之聲韻學體系，故江氏在音學辨微引言說：「余有四聲切韻表四卷，以區别二百六部之韵；有古韻標準四卷，以攷三百篇之古音；兹音學辨微一卷，略舉辨音之方，聊爲有志審音，不得其門庭者導夫先路云爾。」（註五九）從江氏此引言似乎可以得知此音學辨微之成書，比古韻標準與四聲切韻表遲，而與古、四二書分别敍述不同之内容，而相輔相成。由另一觀點而言，音學辨微爲初學入門之書，讀此書可以瞭解聲韻辨析之方，與字母清濁等呼四聲之系統。四聲切韻表一書則爲進一步之研究，學廣韻一書，繹理其字母與韻類，列成譜表，以爲探索古今方國語音之基礎。至於古韻標準一書，乃綜理詩經用韻之字（註六〇），離合今韻以成者（註六一），這種古音的研究工作，是以今音的研究做基石的，所以，從研究與學習聲韻學的觀點來看，從音學辨微、而四聲切韻表、到古韻標準，是由基礎到樓頂的三本書，是自成一個體系的。

江愼修音學辨微一書的成書年代，據江氏所撰該書的「引言」，是在「乾隆己卯仲春」，相當於西元一七五九年二月，時江氏七十九歲。音學辨微一書之版本計有：

1. 借月山房彙鈔本（註六二）
2. 澤古齋重鈔本（註六三）
3. 式古居彙鈔本（註六四）
4. 指海本（註六五）
5. 木犀香館刊本（註六六）
6. 熊刻四種本（註六七）
7. 安徽叢書本（註六八）
8. 嚴氏音學本（註六九）

9.音韻學叢書本（註七〇）

10.叢書集成初編本（註七一）

11.百部叢書集成本（註七二）

諸本，其中借月山房彙鈔本爲諸本之母，而最通行者爲音韻學叢書本，今據此二本而論（註七三）。此書除起首向楚音學辨微敍、書末嚴氏所附黄廷鑑三十六字母辨與嚴式誨的跋語以外，都是江氏原著之内容。不分卷，有引言、一辨平仄、二辨四聲、三辨字母、四辨七音、五辨清濁、六辨疑似、七辨開口合口、八辨等列、九辨翻切、十辨無字之音、十一辨嬰兒之音、十二論圖書爲聲音之源、附録一榕村等韻辨疑正誤、附録二皇極經世韻附、附録三康熙字典等韻辨惑，共有十六篇。此諸篇，大抵依照由淺易到深難的次序來編排。今爲便於省覽計，試分成六大類，再依次撮述其大要：

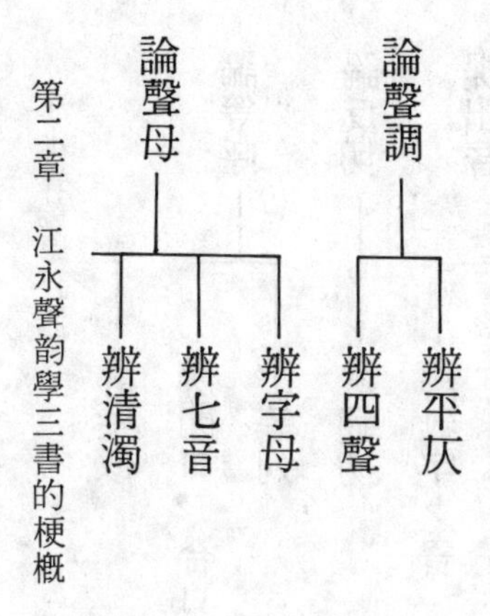

辨疑似

- 論等呼
  - 辨開口、合口
  - 辨等列
- 論反切
  - 辨翻切
- 提出音學理論
  - 辨無字之音
  - 辨嬰兒之音
  - 論圖書爲聲音之源
- 論諸家等韻說
  - 榕村等韻辨疑正誤
  - 皇極經世韻附
  - 康熙字典等韻辨惑

茲再分述於後：

一、辨平仄：江氏於此節申述兩個重點：一爲平仄之辨。他以爲「平」是平聲、陽、音長、音空、如擊鐘鼓；而「仄」是上去入聲、陰、音短、音實、如擊土木石。二爲平仄之重要。他以爲詩賦駢體對偶都要辨平仄，就是散文也必須平仄相間，讀起來才和諧。（註七四）

二、辨四聲：此節敍述三事，一爲四聲之始辨及其與五音之關係，二爲四聲與方音之關係，尤其是上去之變，三爲入聲有轉紐，一字或轉三、四聲。

三、辨字母：此節中江氏謂字母之理，原已寓於反切之中，字母爲切字之本原，又可辨五方之音，學者宜精研之。繼則列出三十六字母，分別註明其切語、四聲何屬、所屬韵部、等呼、與位次。然後再三戒告學者不可以方音、時音譏議三十六字母之非。

四、辨七音：此節中，江氏首先列出牙音、舌頭音、舌上音、重唇音、輕唇音、齒頭音、正齒音、喉音、半舌音、半齒音等「十音」，每音配以字母，並用四個字說明其發音之部位和方法，而說：「右牙、舌、唇、齒、喉，並半舌、半齒爲七音。」又說：「每類下各標四字，所以爲審音之的。」末述「發聲」「送氣」「單收」「別起」「別收」等發音方法，和喉音之分爲重輕深淺。

五、辨清濁：此節中，江氏分九端述之：（註七五）

1.表列出三十六字母之清濁。

2.釋清濁。

3.分清濁爲最清、次清、次濁、又次清、又次濁、濁七類。

4.辨平聲之清濁。

5.字母用仄聲者，可轉爲平聲以審之。

6. 論五音中四位三列者，二、三相對爲清濁，五位三列者，二、三相對爲清濁，四、五相對爲清濁。
7. 論羣、定、澄、並、奉、從、牀、與邪、禪、匣諸濁紐之轉變。
8. 論入聲之清濁。
9. 論不知辨仄聲之清濁者。

六、辨疑似：江氏既已在前三節論述字母之正確讀法，又感於：「人或拘於賦禀，囿於風土，習於方言，不能一一中的，則當辨其疑似，以矯其偏。」（註七六）故舉三十六字母之各地訛變，而一一指明，冀學者得其正音。江氏所辨的疑似之音，實在都是聲母，未及於韵母。從這些辨論之語，我們不僅可以知道正音與方俗之音，還可逆推出江氏獲得三十六字母讀音的秘密，其法與今日憑方音來擬測古音的方法相當一致。江氏在本節中討論了：

1. 疑母和喻母
2. 疑母和來母
3. 疑母和影母
4. 泥孃來疑四母
5. 泥母和孃母
6. 知徹澄和照穿牀
7. 舌頭音和舌上音
8. 知徹與照穿、澄母和牀母
9. 非母和敷母
10. 微母和喻母

11. 輕唇音和重唇音　　12. 邪母和從母

13. 邪母和心母　　14. 牀母和禪母

15. 照穿牀審和精清從心　　15. 影母呼如疑母

16. 來泥之辨　　17. 日母與禪母

等字母，大體而言，容易因時因地而變的字母，江氏已經採用他自己廣博的方言知識而分辨清楚了。

七、辨開口合口：江氏在此節中，首先由唇之形狀來分別開口與合口，他說：「合口者吻聚，開口者吻不聚。」以爲韻書（註七七）中之韻部，有全合無開的，有全開無合的，有兩韻一開一合的，而大多是一韻而兼開合二類，唯江韻一韻之中，牙唇喉音爲開口呼，舌齒半舌爲合口呼。節中並列出所有韻目，各舉一見母字，而分別其開合。並略示方音之開合淆混之處。

八、辨等列：近世學者於辨四等時，多舉江永之說法，江氏四等之說，詳於此節中。此節中，首先指出四等之別爲：「一等洪大，二等次大，三四皆細，而四尤細。」然後說：「辨等之法，須於字母辨之。」所以就列出「等列圖」與「等位圖歌」，以詳細說明字母與四等之關係。

九、辨翻切：此處江氏所謂「翻切」，即是「反切」。首明反切之法，次明反切之重要，三論音和與類隔，四則進論反切法之有寬嚴，五則列出「常用反切上字表」（註七八），末則說明「借韵轉切」之法。

十、辨無字之音：江氏見三十六字母之中，或清濁相對，或獨清獨濁，換言之，或有音而無字。因「合有字無字，共得五十位，符大衍之數，亦出於自然也。」（註七九）故作「五十音圖」，並略評邵雍皇極經世、潘耒類音之非。

十一、辨嬰童之音：此節謂人始生時，有喉音影喻二母，及稍長，漸漸發展出脣音、舌音、牙音、齒音。然而能言之後，由於五方風土的不同，言語習俗之異，天下方音很少能具備三十六字母的。

十二、論圖書爲聲音之源：此節所謂「圖書」是「河圖」和「洛書」。江氏以五行與河圖洛書來解釋聲韵學上的若干現象，可以看成是江氏語音學的理論根據。依此五行之說，江氏解釋了「圖書者聲音之源也」，牙、喉、唇、舌、齒、半舌、半齒等七音中字母之不齊、以及五行與「最清」「次清」「又次清」「次濁」「最濁」之關係。並舉「字母配河圖」一圖，以見「陰陽五行變化之妙」（註八〇）。

十三、榕村等韵辨疑正誤：李光地榕村別集等韵辨疑中明列三十六字母，分別清聲濁聲。

但是：「……較諸家清濁不分、妄意增減者有間矣。其間分注南北，改易脣齒先後，不能無差。」所以舉李氏之言而一一駁正他。

十四、駁皇極經世之誤：李氏之等韻辨疑末句以「來」母配端透定泥、以「日」母配照穿牀審禪，並且說：「皇極經世改之是也」。因此於其等韻辨疑後，附錄「皇極經世韻附」一文，並以小字加注。江氏既然不同意來母入舌音、日母入齒音，便取皇極經世而駁正之。每四句一析論之，對於「不當分」「不當混」者，一一指出。江氏說：「（邵子）……欲其配作四十八聲，皆以四相偶也，然調之不能有其音，書之不能有其字，其爲贅設也必矣！」甚至說皇極經世之說「不可爲典要」。

十五、康熙字典等均圖辨惑：康熙字典卷首有等韻一卷，內有等韻圖三種，江氏謂前二圖出自一人之手，後一圖出自另一人。前二圖凡次清最濁之字多混，而且混淆最厲害的是在平聲部份，江氏說：「夫平聲清濁至易辨也，而圖之誤偏在平聲，可怪也，……故前圖宜去不宜存之以滋惑也。」前二圖即內含四聲音韻圖、與明顯四聲等韻圖，此二圖於濁母群定澄並奉從牀諸母之歸字，確如江氏所言，甚有淆亂。至於後圖，即等韻切韻指南，江氏說：「大抵指南圖得之爲多，學者唯觀此圖可也。」但是仍以爲未臻至善，因此他又說：「欲求詳悉，當於四聲切韻表考之。」

【附註】

註　一　見制言半月刊第七期，計十一頁。

註　二　答戴生東原書一千七百三十七字、答甥汪開岐書一千六百五十三字、再答汪燦人先生書一千一百八十二字。

註　三　見答甥汪開岐書。

註　四　見古韻標準例言第一條。

註　五　見前引書例言第十一條。

註　六　見音學辨微引言。又四聲切韻表凡例第三條說：「……審音辨似，別有音學辨微詳之。」

註　七　見答戴生東原書。

註　八　同前引文。

註　九　見四聲切韻表凡例第一條。

註一〇　應雲堂刊本有乾隆戊申（五十三年）汪龍跋語。

註一一　爲貸園叢書初集所收，乾隆五十四年周永年竹西書屋用益都李氏刊版重編。

註一二　爲咸豐元年沔陽陸氏木犀香館刊本，江氏韻書三種之一。

註一三　爲粤雅堂叢書初編第四集所收，道光光緒年間南海伍（崇曜）氏刊本。

註一四　此爲同治光緒間烏程汪氏刊本。

註一五　爲民十九年北平富晉書社影印應雲堂藏本。

註一六　此爲民國二十一年～二十五年安徽叢書第三期所收，景江氏韵書三種本。

註一七　此爲民國二十三年音韵學叢書初編所收，嚴式誨用當塗夏氏校本刊於成都賁園。民國五十五年台北廣文書局重刊。

註一八　此爲民國二十五年叢書集成初編所收。

註一九　此爲民國五十三年～五十九年台北藝文印書館景貸園叢書本。

註二〇　四聲切韵表研究係爲稿本方式影印發行，爲傅兆寬撰，未標明出版地與出版時間，約作於十年前的台北市。

註二一　見夏燮述韵卷十五第十五葉。

註二二　見音韵學叢書本四聲切韵表嚴式誨後記。

註二三　見安徽叢書本四聲切韵表胡樸安校刊記。

註二四　見傅著四聲切韵表第一章第五節。

註二五　所謂「第〇條」，不是江氏原有，原書未標明次第，是本論文代爲編次。第十九條說：「凡半舌一二三四皆有之。」第五十七條說：「緝合九部無歧韵，可勿論。」見貸園叢書本四聲切韵表葉四下和葉十八下。

註二六　所謂直行三十六，未計入每圈起首說明等呼、七音、韵目諸行。

註二七　所謂四欄，未計入字母一橫行。

註二八　所謂「韻系」，是一組四聲相承之韻。如：東、董、送、屋四韻，四聲相承，爲一「韻系」，稱爲「東韻系」；又如：江、講、絳、覺四韻，四聲相承，亦爲一「韻系」，稱爲「江韻系」；以此類推。

註二九　見古韻標準例言第二、三、四條。

註三〇　見前引書例言第四條。

註三一　見前引書例言第一條。

註三二　同註一一。

註三三　在墨海金壺經部，清張海鵬嘉慶二十二年刊。

註三四　在守山閣叢書經部，道光二十四年金山錢熙祚用墨海金壺本重編。

註三五　同註一二。

註三六　同註一三。

註三七　同註一六。

註三八　爲渭南嚴氏彙刻音學書之一，民十五年覆貸園叢書本。

註三九　此爲民國二十三年音韻學叢書初編所收，民國五十五年台北廣文書局重刊。

註四〇　同註一八。

註四一　引自古韻標準例言第一條。

註四二　引自前書例言第一條和第九條。

註四三　顧炎武有音學五書，包括音論、詩本音、易音、唐韻正、古音表等，此外還有韻補正一書。

註四四　見貸園叢書本古韻標準葉八下～十上。

註四五　宋吳棫字才老，有關聲韻學之著作有：韻補、毛詩補音、楚辭釋音，明楊愼字用修，有轉注古音略、古音叢目、古音略例。

註四六　詳見古韻標準例言。

註四七　各本皆在「卷一」「卷二」「卷三」「卷四」之外，另有「古韻標準卷首」一回，列在例言之後。

註四八　例之下再細分，暫名爲「分例」，此名稱非江氏所立，乃本書暫定。

註四九　本書只述其梗概，省其例。

註五〇　此「別收去聲九御」六字，「韵目」無，「詩韵」有，據「詩韵」補。

註五一　原作「濁」，據廣韵改爲「燭」。

註五二　見四庫本古韻標準卷四葉三下。

註五三　見音韵學叢書本音學辨微敍葉一下。

註五四　見同前引書引言葉一上。

註五五　見同前引書六辨疑似葉十八下。

註五六　見同前引書引言葉一下～二上。

註五七　見同前引書引言葉二上。

註五八　古韻標準例言第一條說：「余既爲四聲切韻表、細區今韻，歸之字母音等。」云云，可知四聲切韻表是爲整理今音（廣韻）而作。

註五九　見音學辨微引言葉二上～葉二下。

註六〇　見古韻標準例言第一條。

註六一　見前引書例言第五條。

註六二　爲嘉慶十七年張海鵬輯刊，第三集六種之一。

註六三　爲道光三年上海陳璜用借月山房彙鈔刊版重編本。

註六四　爲道光二十六年金山錢熙祚用借月山房彙鈔刊版重編。

註六五　爲前一本刊者錢氏子培讓、培杰續輯本。

註六六　同註一二。

註六七　爲民國五年豐城熊氏刊本。

註六八　同註一六。

註六九　爲民十一年嚴式誨彙刻音學書之一，用江氏墨本刊。

註七〇　同註三九。又同前一本。

註七一　民國二五年刊，景借月山房彙鈔本。

註七二　民國五十三年～五十九年藝文印書館景借月山房彙鈔本。

註七三　諸本有異者，隨文附見，或以小註說明。

註七四　凡此後所敍述，皆節引或轉述自音學辨微一書，非有必要，不再加註。

註七五　分爲九端者，不是江氏書中原有，是本書代爲整理的。

註七六　見音學辨微葉十四上。

註七七　此處江氏未說明是何種韻書。見前引書葉十八下。

註七八　此表名稱是代擬的，江氏原書未定名。

註七九　見前引書葉二十七下。

註八〇　見前引書葉三十下。

第三章　江永的聲調論

一、平仄論

溯自沈約宋書謝靈運傳論所說的『昂』與『低』、『浮聲』與『切響』（註一），和劉勰文心雕龍聲律篇所說的：『凡聲有飛沈』（註二），已將漢字之字音分爲兩類（註三）。齊梁而後，四聲八病廣爲文士所共識，分爲平與上去入二類，至唐代中葉以後，始有平仄之名（註四）。平和仄，至少從西元第六世紀便已經是漢語裏詩詞曲賦騈散中，聲調上最低限度的差別，也就是最簡化的聲調分類。但是，也許由於各地方音的殊異，也許由於聲調記錄上的困難，平仄二類分別的憑藉，歷代的記錄相當缺乏。所以講究審音的江永便試圖教人去分辨。江永的音學辨微說：

「音有平上去入，分而爲二：一爲平，一爲仄。『平』字平聲之濁，舉濁以該清；『仄』字入聲之清，舉入以該上去。平聲爲陽，仄聲爲陰。平聲音長，仄聲音短。平聲音空，仄聲音實。平聲如擊鐘鼓，仄聲如擊土木石：音之至易辨者也。稍爲指示，童子能知，亦有白首猶茫然者。升高自下，當自辨平仄始。」（註五）

又說：

「詩賦駢體，固須辨平仄，即時文對偶，亦必平仄調，方有聲響，散文亦必平仄相間，音始和諧，陰陽之理也。」（註六）

在這兩段話裏，江永分辨平仄的觀點有五：

聲調二分法 / 觀點	平	仄
①包含的聲調種類	平聲（含清、濁）	上去入（含清、濁）
②以陰陽來分	陽	陰
③以長度來分	長	短
④以聲音的內容來分	空	實
⑤以打擊的器物聲來分	擊鐘鼓	擊土木石

右表中，第一個觀點是就平仄二類所包含的內容來分別，這種分別是一般常見的說法，並無任何特色，但是也是最沒有爭議的說法。江永此處與人不同的是「平聲之濁」「入聲之清」「舉濁以該清」這些地方，需要了解江氏對聲調的整個觀點才行。江氏對四聲當然是接受的，但是四聲是一種調類，實際的調值，可能由於聲母的清濁，而再細分，平聲有清濁，上去入三聲亦各有清濁，說法本章第二節。「平」字於廣韵爲下平聲庚韵符兵切，符屬奉紐，類隔更改爲音和則爲並紐，是濁聲，所以江氏說是「平聲之濁」，而「舉濁以該清」。「仄」字於廣韵爲入聲二十四職韵阻力切，阻屬莊母字，是清聲，所以江氏說是「入聲之清」，而「舉入以該上去」了。如果江氏要說得清楚一點，似乎應該說：「舉入之清，以該入聲之濁與上聲去聲之清濁。」

第二個觀點就傳統的「陽」「陰」二分法來分別指稱「平」「仄」。有人也許立刻要批評爲玄虛之說，以近代人的平仄四聲的知識，可能非常不滿意於這種說法，因爲陰陽只是一種代號，只告訴我們有此二分，而並未指出音讀。但是，陰陽既然是傳統學術上兩分法的一組相對的符號，江氏也許只是說：聲調上平仄兩分，好比易經上的陽陰二分，是基於中國人常用的思維方式。平仄的錯綜和陰陽的錯綜一樣，是形成和諧的方法，所以才說：「……亦必平仄相間，音始和諧，陰陽之理也。」

第三種觀點以音讀的長度來分別平仄，這是比較有實質內容的說法。可惜江氏沒有說明這「長」「短」是普通的字音，還是美讀或音樂上的分別。如果「長」是指「可以曼聲拉長」，「短」是指「無法曼聲拉長」，類似王力的平仄長短律說（註七），那麼這個說法似乎是可接受的。但是，江氏並未特別說明是指音樂上的分別，我們只能說江永可能是就一般字音而言。以普通字音而論，仄聲包含上去入三聲，入聲一定是一種促調，比平上去三聲皆較短促，所以要分出長短的話，最好以「長」來指稱平上去三聲調，以「短」來指稱入聲調。但是，江永卻不是這麼分的，他是用「長」「短」來指稱「平」「仄」。江永這個說法是有根據的。顧炎武音論卷中說：

「其重其疾則爲上、爲去、爲入，其輕其遲則爲平，遲之又遲，則一字爲二字。」（註八）

又說：

「平聲最長，上去次之，入則絀然而止，無餘音矣。」（註九）

江氏可能據顧氏說法而來（註一〇）。問題是，顧氏以「疾」「遲」分四聲爲二，而以「最長」「次之」「絀然而止」分四聲爲三，尚且未以簡化而不顧實際，江氏則逕以長短分派平仄，雖然略有道理，但是必然會有抹煞「上」「去」兩聲和「入」聲之實際殊異的毛病。這是江氏比不上顧炎武的地方。

但是，只用「長」「短」二分的觀點來看待平仄，實在是有他的優點的，至少可以簡馭繁，而達到便於分析運用的目的。王力先生曾說：

「中國近體詩中的『仄仄平平』乃是一種短長律，『平平仄仄』乃是一種長短律。」（註一一）

謝雲飛先生也說：

「平仄律的形成，是因爲漢字的聲調具有音律上的兩種長處，一是音長，一是音高。從漢字音韵的發展歷史來看，平聲字的『音長』一般上都比仄聲字長，因此平仄的配合，也就構成了詩律中的『長短律』和『短長律』，同時因爲構成漢字聲調的是『音高』的升降變化，因此詩律中的平仄變換，也就構成了極爲優美的『高低律』，平仄的變換既兼有『長短律』及『高低律』兩種音律節奏，所以漢語詩歌的優美也就絕非其他語言的詩歌音律所可比擬的了。」（註一二）

這一段話雖然以爲平仄也有音高音低的不同，但是「長」「短」之爲平仄的重要因素實不容否認，所以周法高先生便從唐初梵漢對譯的現象，加上關中方言四聲的長短來證明過平仄是平長仄短（註一三），後來丁邦新先生雖認爲周說證據不夠充分（註一四），然而平聲音長這一點恐怕還是不容否認的，至少在詩歌吟誦和音樂譜詞上，平聲確實比較易於引聲拉長，這一點是詩樂二端皆公認的。

第四個觀點和第五個觀點應該合併來看，後者是前者的說明。鐘鼓二物都是中空的，用擊打鐘鼓的聲音來說空的具體聽覺；土、木、石三物都是結體紮實的，用擊打土木石的聲音來說明「實」的具體聽覺。這些是很可以體會的描述，問題只是在「平」是否「空」，「仄」是否「實」？竊以爲「空」「實」二字的運用，也許不是在描述這平仄二類的「音值」，而只是在說明「平」「仄」二類聲調的效果，在打擊樂器上，最易讓聽者分辨的，正是這「空」「實」二種音效，二音效的交互運用，不正像文句中的「平」「仄」嗎？我想江氏的意思正是如此。有人也許仍然要說這「空、實」實在太抽象了。是的，也許相當抽象，但是還不至於空洞，因爲除了有「擊鐘鼓」「擊土木石」來比喻之外，「空」「實」是相對的，在相對的列舉下，還是有實質意義的。

大體說來，如果明白江氏此種平仄的說明，用意不在指出音讀，而在爲平仄尋求劃分的思維上、文章運用上的意義，那麼我們對江氏的平仄說，便不可輕易地說他草率含混的連用五個比喻，也不可輕易地指爲空洞了。

二、四聲八調論

江氏之篤守中古四聲之分，是無庸置疑的。因爲江氏論及中古唐宋之音，必宗廣韻，故釐析廣韻而作四聲切韻表，此表依廣韻二百六韻，「條分縷析，四聲相從，各統以母」云云（註一五）。其書名有「四聲」二字，足見「四聲」是今韻（廣韻）的綱領（註一六）。不僅如此，江氏甚至拿四聲來範圍先秦古韻，古韻標準一書中即先分四聲再分韻部（註一七）。可知江氏對於四聲之說，絕無懷疑。故江氏音學辨微中有辨四聲一節，以開悟初學聲韻學者。

江氏之論「四聲源起」說：

「漢以前不知四聲，但曰某字讀如某字而已。四聲起於江左，李登有聲類，周顒有四聲切韻，沈約有四聲譜，皆今韻書之權輿。以詩韻讀之，實有其聲，此後人補前人未備之一端。」（註一八）

江氏謂「漢以前不知四聲」，有人也許會以爲江氏是主張漢以前無四聲的。事實上，所謂「不知四聲」是說（漢以前）有四聲而不知，不可解讀爲「無四聲」。江氏在所著古韻標準一書中，把先秦以前的古韻，分爲平、上、去三聲各十三部，入聲八部，可以證明江氏腦子裏的上古音是有四聲的，只是那時候的人不知道罷了（註一九）。故江氏才又說：「以詩韵讀之，實有其聲。」「詩韵」不是後世作詩之平水韵，而是詩經用韵。所謂「實有其聲」，意謂「詩經當時實有四聲」，足見江氏以爲四聲不是齊梁以後才產生，遠在上古便已經有了。

至於「四聲起於江左」六字，應該讀成「『四聲』起於江左」，是指名稱初用於齊梁之時。舉「聲類」「四聲切韵」「四聲譜」等書名爲證，其引述之史料，大概是取自顧炎武的音論。顧氏音論卷中說：

「（四聲之始）南史陸厥傳曰：『永明末盛爲文章，吳興沈約、陳郡謝朓、琅邪王融，以氣類相推，汝南周顒善識聲韵，爲文皆用宮商，以平上去入爲四聲，以此制韵，有平頭、上尾、蜂腰、鶴膝，五字之中，音韵悉異，兩句之內，角徵不同，不可增減，世呼爲永明體。』周顒傳曰：『顒始著四聲切韵，行於時。』沈約傳曰：『約撰四聲譜以爲在昔詞人累千載而不悟，而獨得胸衿，窮其妙旨，自謂入神之作。武帝雅不好焉，嘗問周捨曰：何謂四聲？捨曰：天子聖哲是也。然帝竟不遵用約也。』庾肩吾傳曰：『齊永明中，王融、謝朓、沈約，文章始用四聲，以爲新變，至是轉拘聲韵。』陸厥傳又曰：『時有王斌者不知何許人，著四聲論，行於時。』

今考江左之文，自梁天監以前，多以去入二聲同用，以後則若有界限，絕不相通。是

知四聲之論，起於永明，而定於梁陳之間也。」（註二〇）

江氏聲韻學三書，常引顧說，尤其是古韻標準一書，或從顧，或修訂之，或駁非之。此處所引周顒之著作，顧江皆稱爲「四聲切韻」，而隋書經籍志則作「四聲」一卷，則江氏與顧氏之關係顯然可以推知。

不過，江氏除了採錄顧氏音論之資料外，又增李登聲類一書。聲類一書，早已亡佚，據唐封演聞見記所說：「魏時有李登者撰聲類十卷，凡一萬一千五百二十字，以五聲命字。」知其書雖依聲調而編，所依之聲調乃爲「五聲」（五種聲調，即宮、商、角、徵、羽。）而非「四聲」（註二一），此乃江氏之小疵。事實上，舉聲類不如舉張諒的四聲韻略。清代趙翼陔餘叢考曾經指出隋書經籍志所錄晉代張諒四聲韻略最早拿四聲命名。

關於五音和四聲的關係，江氏說：

「前人以宮商角徵羽五字，狀五音之大小高下，後人以平上去入四字，狀四聲之陰陽流轉，皆隨類偶舉一字，知其意者，易以他字，各依四聲之次，未嘗不可。梁武帝問周捨曰：『何爲平上去入？』對曰：『天子聖哲是也。』可謂敏捷而切當矣！『天子聖哲』又可曰『王道正直』，學者從此隅反。」（註二二）

江氏於此文中，沒有說五音與四聲同指一事，但是從他二者並舉的行文中，我們可以推知他有此意；只是取「五音」以狀聲調和取「四聲」以名聲調，二者著眼點不同罷了。至於「五音」和「四聲」的關係，究竟如何？音學辨微一書中並未言明，不僅江氏未說明，似乎清代的聲韻學者都不十分清楚。像陳澧的切韻考卷六說：

「古以四聲分爲宮商角徵羽，不知其分配若何？宋書范蔚宗傳云：『性別宮商，識清濁』此但言宮商，猶後世之言平仄也。蓋宮爲平，商爲仄歟？謝靈運傳論云：『李登聲類、呂靜韻集，始判清濁，纔分宮羽。』此皆但言宮羽，蓋宮爲平，羽亦爲仄歟？南齊書陸厥傳云：『前吳已早識宮徵』，此其言宮徵，蓋宮爲平，徵亦爲仄歟？又云：『兩句之內，角徵不同』，此但言角徵，蓋徵爲仄，角亦爲平歟？然則孫愐但云宮羽徵商，而不言角，角即平聲之濁歟？以意度之當如是，然不可考矣。若段安節琵琶錄，以平聲爲羽，上聲爲角，去聲爲宮，入聲爲商，上平聲爲徵。玉海載徐景安樂書，以上平聲爲宮，下平聲爲商，上聲爲徵，去聲爲羽，入聲爲角。凌次仲燕樂考原謂其任意分配，不可爲典要，是也。」（註二三）

可惜江永與清代的聲韻學家沒有見到日本和尚空海的文鏡秘府論，這本書中天卷調聲引元氏（兢）說：「聲有五聲，角徵宮商羽也，分于文字，四聲平上去入也。宮商爲平，徵爲上聲，羽爲去聲，角爲入聲也。」文鏡秘府論所抄錄的，都是唐以前的文學史料，有了元氏這些話，五音和四聲之關係便清楚了。

取五音以指稱語音的聲調，是借音樂上音階的高低來描述；用四聲之名來指稱語音的聲調，是後人的修訂，乃後出轉精。故江氏說：「前人以宮商角徵羽五字，狀五音之大小高下」，其中「高下」是指音樂或語音上的高低。換句話說，物理學及樂律學中，彈性物體在一定時間內，顫動次數多的就是音「高」，反之則音「低」，或如江氏稱爲「下」。所以「高下」是可理解的，也很適用。至於「大小」二字，則指稱不明。因爲「宮商角徵羽」本是音樂上音聲高低的代號，除了笛子的吹奏外，通常用力的「大」「小」、或音量的「大」「小」，與高低是沒有關係的。江氏此「大小」二字之含義，實難以索解。

江氏又說：「後人以平上去入四字，狀四聲之陰陽流轉，皆隨類偶舉一字，知其意者易以他字，各依四聲，未嘗不可。」此語亦有是有非。「易以他字」云云，是很正確的說法，但有二端似可商榷：一爲「隨類偶舉一字」，一爲「陰陽流轉」二處。前者謂「平、上、去、入」之定名，並無深意，此恐乃江氏行文匆遽，未予深究所致。考唐釋處忠元和韵譜曾說：「平聲哀而安，上聲厲而舉，去聲清而遠，入聲直而促。」（註二四）用「安」來說明聲調的不揚不抑，用「舉」字來指稱上聲的高舉，用「遠」來說明去聲，用「促」字來說明入聲的短促，已經可以看出「平、上、去、入」四字的含義，和聲調的高低抑揚長短相配合。其他像明釋眞空玉鑰匙歌訣所說的「平聲平道莫低昂，上聲高呼猛烈强，去聲分明哀遠道，入聲短促急收藏。」日本淨嚴三密鈔所說的「一、平聲者，平謂不偏，……二、上聲者，上謂上升，……三、去聲者，去謂去逝，……四、入聲者，入謂收入，……。」等等資料，足見「平、上、去、入」之定名，是經過深思熟慮，不是「偶舉一字」。關於這個說法，丁邦新先生平仄新考一文中所考得的中古聲調可以爲證（註二五）。

至於所謂「狀四聲之陰陽流轉」，所謂「四聲之陰陽流轉」就是江氏在音學辨微和四聲切韻表二書中所說的「入聲有轉紐，或二三韻共一入也。」（註二六）轉紐和數韻共一入的最基本條件是：介音與主要元音不變，聲調有平上去入之變，韻尾有陰陽對轉、或陰入轉換、陽入轉換之殊異。而此「平、上、去、入」四字，聲韻互異：「平」字在廣韻下平十二庚「符兵切」，屬並母（類隔切更爲音和）；「上」字在上聲三十六養「時掌切」，屬禪母；「去」在去聲九御「兵倨切」，屬溪母；「入」字在入聲二十六緝「人執切」，屬日母。這四個字找不出轉紐和數韻共一入的基本條件，所以「狀四聲之陰陽流轉」云云，恐怕只是想要牽合「轉紐」和「數韻共一入」的說法而已，並非精密的言詞。

江氏爲了說明「平上去入」四字是一種代號，所引用的「梁武帝問周捨」一段話，是歷來講聲韻學者常採用的小故事。江永說「平上去入」四字除了用「天子聖哲」四個字來代替以外，還可以用「王道正直」四字來替換，這是很正確的（註二七）。

以上所論，皆爲江氏之四聲說。江氏之聲調論，自音學辨微第二節辨四聲，古韻標準之分四聲四十七部，與四聲切韻表之以四聲分列韻類等三端而言，江氏實爲上古四聲，中古亦四聲的主張者。但是，江氏在論清濁時，於音學辨微五辨清濁中說：

「平聲清濁易辨，學者先辨平聲。桐城方以智製啌嘡二字，以爲平聲清濁之準。啌音空，嘡音堂。凡聲之高而揚如啌者皆清，低而下如嘡者皆濁也。然平有清濁，上去入皆有清濁，合之凡八聲，而方氏以啌嘡上去入爲五聲，誤矣。蓋上去入之清濁方氏不能辨，故也。」（註二八）

關於這段話，千萬不可像江有誥不瞭解江永的古聲調論而說他「未有定見」那樣，犯了同樣的錯誤，這段話似乎是主張「八聲」的，不是和前文「四聲」的主張不同了嗎？江永會這麼糊塗的提出不同的主張嗎？應該不會是糊塗的。我們看江氏永說「平有清濁、上去入皆有清濁」，這話裏明明提出「平、上、去、入」四個字，當然是四大調類了，那「清、濁」只是四大調類中各分出的小類（或稱「次類」），可以列成下表：

四大調類（四聲）	八個小類
平	清（可稱爲清平）
	濁（可稱爲濁平）
上	清（可稱爲清上）
	濁（可稱爲濁上）
去	清（可稱爲清去）
	濁（可稱爲濁去）
入	清（可稱爲清入）
	濁（可稱爲濁入）

用這個表格來理解江氏的話，和四聲說不會衝突，應該是合理的。只是「清平」「濁上」這些名稱並非江氏所定，是暫時代爲擬訂的。

江愼修從平上去入四聲，各分出清濁二類，江氏自己稱爲「八聲」，但是，我們爲了指稱上的方便，可以採用「四聲八調」這個詞語。這「四聲八調」，意思是說「調類有四個，叫做『四聲』；調値有八種，是由四聲分出來的，每聲分出兩類，叫做『八調』。」「八調」是「四聲」各因聲母的清濁而分派出來的，江氏並未指出分派「八調」的時代，但是，因爲這段說明「八調」的文字，前後都是說明三十六字母之清濁的話，所這「八調」一定是分派於三十六字母的時代，三十六字母的時代，很可能就是以唐宋爲代表的「中古」了。

江永的四聲八調說，雖然沒有提出什麼證據，但是，實在是有根據的。大宋重修廣韻陳州司法孫愐唐韻序所附「論曰」一段文字說：

「切韻者，本乎四聲，紐以雙聲疊韻，欲使文章麗則，韻調精明於古人耳。或人不達文性，便格於五音爲足。夫五音者，五行之響，八音之和，四聲間迭在其中矣！必以五音爲定，則參宮參羽半徵半商，引字調音，各自有清濁，若細分其條目，則令韻部繁碎，徒拘桎於文辭耳。」（註二九）

所謂「本乎四聲」「引字調音，各自有清濁」不正是江愼修的「四聲八調」嗎？孫愐唐韻序作於天寶十年（西元七五一年），「論曰」一段文字或許也是同時之作，至少是宋代以前所作的，如果說唐代已有「八調」的聲調現象，大抵是實情。日本和尚安然的悉曇藏是一部彙集梵語音韵諸家論說的大書，其中或有中土音韵的記載。其卷五所述中古聲調的資料，頗有足以證明「四聲八調」之說的。悉曇藏卷五「定異音」一目下說：

「諸翻音中所注平上去入，據檢古今，難可以爲軌模。何者？如陸法言切韵序云：『古今聲調既自有別，諸家取捨亦復不同。吳楚則時傷輕淺，燕趙則多涉重濁，秦隴則平聲爲入，梁益則平聲似去。』若爾風音難定，孰爲楷式？我日本國元傳二音：表則平聲直低，有輕有重，上聲直昂，有輕無重，去聲稍引，無輕無重，入聲徑止，無內無外。平中怒聲與重無別，上中重音與去不分。金則聲勢低昂與表不殊，但以上聲之重稍似相合，平聲輕重，始重終輕，呼之爲異。唇舌之間，亦有差升。承和之末，正法師來，初習洛陽，中聽太原，終學長安，聲勢大奇。四聲之中，各有輕重。平有輕重，輕亦輕重，輕之重者，金怒聲也。上有輕重，輕似相合金聲平輕，上輕始平終上呼之，重似金聲上重，不突呼之，去有輕重，重長輕短。入有輕重，重低輕昂。元慶之初，聰法師來，久住長安，委搜進士，亦遊南北，熟知風音。四聲皆有輕重。著力平入輕重同正和上。上聲之輕似正和上上聲之重，上聲之重似正和上平輕之重。平輕之重，金怒聲也。但呼著力爲今別也。去之輕重，似自上重，但以角引

爲去聲也。音響之終，妙有輕重，直止爲輕，稍昂爲重。此中著力，亦怒聲也。」（註三〇）

這一些話可以分爲前後兩段，自「承和」以上爲一段，以下爲一段。大抵說來，前一段比較容易懂，後一段難懂，這些資料對於了解唐代的聲調和調値，很有幫助。我們擱置調値的實際讀法不談，只討論安然所說的「輕」和「重」。「輕」和「重」大抵是就發音時的用力大小而言，此處除了用力大小而外，也兼指聲母的「清」「濁」。因爲這些話的開頭，安然引用了切韻序的「吳楚則時傷輕淺，燕趙則多涉重濁」，「輕淺」和「重濁」相對，已經表明「清」則「輕」，「濁」則「重」了。周祖謨關於唐代方言中四聲讀法的一些資料一文中也有類似的說法，舉出了證據。周氏說：

「所謂輕重，就是兩種不同的聲調。根據其他的材料，我們可以知道輕重的分別跟聲母的清濁是有聯繫的。例如日本空海的文鏡秘府論裏以「莊」字爲全輕，以「牀」字爲全重就是一個例子。「莊」是照母字，「牀」是牀母字，清濁不同，所以說「莊」爲輕，「牀」爲重。又如日本古寫本漢書．揚雄傳殘卷「蘷」字旁引切韻「葵癸反」下稱「上聲重」。「蘷」是羣母字，也是濁聲母，所以稱爲重。由此來看，**平聲有輕有重，就是平聲清聲母字和濁聲母字聲調不同**。這跟後世四聲同一類中又分爲陰陽兩

類是一樣的。」（註三一）

周氏以爲輕重就是兩種不同的聲調，結論得太早了，但是我們用「輕——清」「重——濁」的觀念來看安然所述的一段話，便可知道一些消息了。其中最宜注意的是前段的「有輕有重」一類話，後段的「四聲之中，各有輕重」「四聲皆有輕重，重低輕昂。」這些話，拿來和江愼修四聲八調的說法相比，如果不是江氏曾經接觸過安然所述一類的資料，我們只好說江氏實在有超人的卓見了。對於安然的話語，我們還可注意到後段的「承和之末」，相當於西元八四七年，而表、金二人的讀音一定在第九世紀的中葉以前了。因此，前文說江氏的「四聲八調」可能與產生三十六字母的時代平行，那說法是對的。

關於四聲八調的說法，我們還可從漢語各地方言的聲調，來證實江愼修的愼思明辨。漢語方言非常繁富，徵引困難，左表是轉錄自羅常培的漢語音韻學導論中的「古今調類分合異同表」（註三二），並略加增補：

古今調類分合異同表

<table>
<tr><th>古聲母</th><th>清</th><th>濁</th><th>清</th><th>次濁</th><th>全濁</th><th>濁</th><th>清</th><th>清</th><th>濁</th></tr>
<tr><th>古調類</th><th colspan="2">平</th><th colspan="3">上</th><th colspan="2">去</th><th colspan="2">入</th></tr>
<tr><th>今調類 / 方言</th><th></th><th></th><th></th><th></th><th></th><th></th><th></th><th></th><th></th></tr>
<tr><td>廣州</td><td>陰平</td><td>陽平</td><td>陰上</td><td>陽上</td><td colspan="2">陽去</td><td>陰去</td><td>上陰入 中陰入</td><td>陽入</td></tr>
<tr><td>上海、溫州</td><td>陰平</td><td>陽平</td><td>陰上</td><td colspan="2">陽上</td><td>陽去</td><td>陰去</td><td>陰入</td><td>陽入</td></tr>
<tr><td>汕頭</td><td>陰平</td><td>陽平</td><td colspan="2">上</td><td>陽去</td><td>去</td><td>陰去</td><td>陰入</td><td>陽入</td></tr>
<tr><td>廈門、福州</td><td>陰平</td><td>陽平</td><td colspan="2">上</td><td colspan="2">陽去</td><td>陰去</td><td>陰入</td><td>陽入</td></tr>
<tr><td>臨川</td><td>陰平</td><td>陽平</td><td colspan="2">上</td><td colspan="2">陽去</td><td>陰去</td><td>陰入</td><td>陽入</td></tr>
<tr><td>蘇州</td><td>陰平</td><td>陽平</td><td colspan="2">上</td><td colspan="2">陽去</td><td>陰去</td><td>陰入</td><td>陽入</td></tr>
<tr><td>休寧城內</td><td>陰平</td><td>陽平</td><td>陰上</td><td colspan="2">陽上</td><td>陽去</td><td>變陽平</td><td>陰入</td><td>陽入</td></tr>
<tr><td>休寧藍田</td><td>陰平</td><td>陽平</td><td colspan="2">上</td><td>變陽平</td><td>陽去</td><td>陰去</td><td>陰入</td><td>陽入</td></tr>
<tr><td>客家</td><td>陰平</td><td>陽平</td><td colspan="2">上</td><td colspan="3">去（註三三）</td><td>陰入</td><td>陽入（註三四）</td></tr>
<tr><td>歙縣</td><td>陰平</td><td>陽平</td><td colspan="2">上</td><td colspan="2">陽去</td><td>陰去</td><td>陰入</td><td>變陽去</td></tr>
</table>

方言	陰平	陽平	陰上	陽上	陽去	陰去	陰入	陽入
績溪	陰平	陽平	上		陽去	陰去	入	
婺源	陰平	陽平	陰上	陽上	陽去	陰去	（變陽去）	
祁門	陰平	陽平	上		陽去	陰去	入	變陽去
黟縣	陰平	陽平	上		變陰入	去	入	變陰平
南京、揚州	陰平	陽平	上	去			入	
獲鹿	陰平	陽平	上	去			入	
漢口、四川	陰平	陽平	上	去			（變陽平）	
分宜	陰平	陽平	上	去		變陽平	（變陰平）	
咸陽	陰平	陽平	上	去			清聲及次濁變陰平，全濁變陽平	
北京	陰平	陽平	上	去			全清全濁變陽平 次清次濁變去聲	
紹興（註三五）	陰平	陽平	陰上	陽上	陽去	陰去	陰入	陽入
永康（註三六）	陰平	陽平	陰上	陽上	陽去	陰去	陰上	陽上
台南（註三七）	陰平	陽平	上	陽去		陰去	陰入	陽入
越南東京方言（註三八）	陰平	陽平	陰上	陽上	陽去	陰去	陰入	陽入

由此表看來，平上去入四聲之分陰陽，和聲母之清濁有必然之關係。其中平聲之分陰陽，是南北各地方言的共同現象（註三九），其餘三聲調之分陰陽，大抵有北粗南精之別。概括言之，各地方言的四聲，多少都有因清濁再分派的痕跡，如果這些方言的聲調現象，是源自中古的，我們便可以說中古某些方言已經有陰陽分調的現象了，而「四聲八調」的說法是可信的。

關於中古已有四個以上的調類，說見周祖謨關於唐代方言中四聲讀法的一些資料、杜其容先生論中古聲調、與丁邦新先生平仄新考，我們引一般周祖謨文章的結論來看看。周氏說：

「（1）平上去入四聲在唐代已經因爲聲母清濁之不同而有了不同的讀法，調類的數目也有增加。（2）唐代大多數的方言中，平聲已經分爲兩個調類。（3）唐代有些方言中的聲調因聲母清濁之不同有了分化。可能比較普通的是上聲全濁字與去聲全濁字讀成一調。白居易和李涪的音就是如此。（4）唐代有些方言四聲各有輕重，跟現代吳語粵語四聲各分陰陽相似。」（註四〇）

爲了證明江愼修的「四聲八調」說是眞知卓識，除了周祖謨的話以外，這裏還想引一段杜其容先生論中古聲調一文的結論：

「如果我對陳文的了解無誤，表面上既有清平、濁平、清入、濁入等聲調出現，合上、去而觀，自非有八調不能圓其說。而據我的觀察，陳澧在所著切韵考裏，直接或間接道出切韵聲調爲『四聲各有一清一濁合之凡八聲』者，即有五處之多。足證陳澧對反切結構的解釋，其基礎原即建立在四聲八調之認識上。前引黄、羅、董諸家以中古止有四聲，而從此窺探陳說，自無怪要發生偏差，致不能完全了解反切結構，誤以爲被切字之聲調但取決於下字，於是遇今音之聲下分陰陽二調者，遂每覺其下字與被切字不能相合（如德紅切東、戶公切紅）。今知被切字之聲調乃由上下二字同時分別表示，即可以準確的推求被切字所屬的調值了。

總之，中古四聲之實爲八調既如前述，而陳澧所謂『平上去入各有一清一濁』所言亦皆副實際，其對反切結構之解釋，尤其無可懷疑必若拙著『陳澧反切說申論』所闡釋者：上字決定被切字之聲母，下字決定被切字之韵母，上下字同時分別決定被切字之聲調——下字定其所屬之調類，上字決定其類下之高低。换言之，就漢語方言、漢越語、藏語中古今聲母清濁與聲調之對應關係，並唐代相關文獻觀之，中古四聲必具八調，而陳澧對中古反切所作之解釋，亦實以四聲八調爲其背景。」（註四一）

杜先生另有陳澧反切說申論一文（註四二），二文都力辨陳澧持四聲八調說，而四聲八調實於中古已有之。竊謂陳澧的反切結構說和四聲八調說，都承襲自江慎修，試用下列對照表來說明：

學說	江永	陳澧
四聲八調說	凡聲之高而揚如啌者皆清，低而下如喤者皆濁也。然平有清濁，上去入皆有清濁，合之凡八聲。……三十六字母十八清十八濁，陰陽適均，……	四聲各有一清一濁，合之凡八聲。
反切結	切字者，兩合音也。……上一字取同類同位（原註：七音、同類，清濁、同位），下一字取同韻（韻窄字少者，或借相近之韻）。取同位同類者，不論四聲（原註：平上去入任取一字）；取同韻者，不論清濁（原註：清濁定於上一字，不論下一字，如德紅切東字，東清而紅濁；戶公切紅字，紅濁而公清，俱可任取。	切語之法，以二字爲一字之音。上字與所切之字雙聲，下字與所切之字疊韻。上字定其清濁，下字定其平上去入。上字定其清濁而不論平上去入：如東德紅切，同徒紅切，東德皆清，同徒皆濁也，然同徒皆平可也，東平德入亦可也。下字定平上去入而不論清濁：如東德紅切，同徒紅切，中陟弓切，蟲直弓切。東紅、

構	說

蓋德與東、戶與紅，清濁定於此也。後人韻書有嫌其清濁不類、難於轉紐者，下一字必須以清切清、以濁切濁，固爲親切，然明者觀之，正不必如此。倘譏前人之切爲誤，則不知切法者矣！）

同紅、中弓、蟲弓皆平也，然同紅皆濁，中弓皆清可也；東清紅濁，蟲濁弓清亦可也。東同中蟲四字在一東韻之首，此四字切語已盡備切語之法，其體例精約如此，蓋陸氏之舊也。

由這個表，可以看出陳澧的學說，有許多承襲於江永的地方，如果再從反切上字表的整理，韻類韻圖的編排，以及其他聲韻學說的比較，我們一定可以看出陳澧的聲韻學是參考並承襲了江永的優點而進一步發展的。陳、江的四聲八調說，是江奠基於前，陳申述於後。甚至可以說，陳澧沒有多少的創見，實在只是江永的繼承者而已。

江氏永在說明「四聲八調」時，有一個說明調值的地方，非常值得重視。江氏是這樣說的：「凡聲之高而揚如空者皆清，低而下如嘡者皆濁也。」揆其意，如左圖：

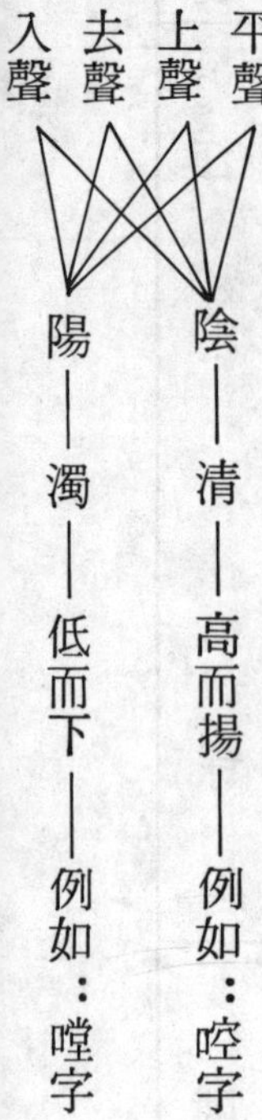

平聲
上聲
去聲
入聲

陰——清——高而揚——例如：啌字
陽——濁——低而下——例如：嘡字

㘡字不見於廣韻、集韻、康熙字典（註四三），啌字見於玉篇、廣韻、集韻、類篇、與康熙字典。廣韻四江「許江切」下有「啌、啌嗔語、出聲譜。」諸書音義皆同，集韻「啌」字又有「枯江切」之音，訓：「一曰嗽也」。然而，廣韻、集韻等所見之「啌」字，雖爲陰平調之字，卻非江氏之所用者。此啌㘡二字，江氏明言爲桐城方以智所自製。考方以智通雅卷五十切韻聲原中取「啌、㘡、上、去、入」五字以說明五種聲調，試代方氏製成簡表：

平		上	去	入
啌	㘡			
開	承	轉	縱	合
○	U	⊃	⊂	e

方以智切韻聲原說：

「平中自有陰陽，張世南以聲輕清爲陽，重濁爲陰；周德清以空喉清平爲陰，以堂喉濁平爲陽，智故以啌㘡定例。」

方氏於「空、堂」二字之旁加「口」，表示取其音，此與佛典中「㖿」「嚩」諸字之表音者，用意相同（註四四）。其啌字所表的聲調應該和「空」字一樣，嘡字也應該和「堂」字同。廣韻上平聲一東韻：「空、苦紅切」，而廣韻下平聲十一唐韻：「堂、徒郎切」。二字皆爲平聲字，空爲清聲字，堂爲濁聲字。方、江二人取此二字來表示平聲之清、濁二調，是適當的。二氏之不同在，方氏舉此二字只以標識平聲之二調，而江氏以此二字爲例，類推上去入之各分派爲二，並用以說明調値。

江氏頗知方音之多歧異（註四五），故於四聲八調之讀音，未予以指實，而唯概括性的說明了陰調（清）高揚，陽調（濁）低下，這實在是一個重要的發現，値得研究方言學、聲韻學、語言學、語音學者的重視。

這種「清—高」「濁—低」調値的發現，我們可以找到證據來支持江氏的說法，其中最重要的證據是日本和尚了尊悉曇輪略圖抄卷第一八聲事說：

「私頌云：平聲重，初後俱低，平聲，初昂後低；上聲重，初低後昂，上聲輕，初後俱昂；去聲重，初低後偃。入聲重，初後俱低，入聲輕，初後俱昂。」（註四六）

所謂「初」與「後」，指的是一個字音節的「前一部份」和「後一部份」，前一部份當然包括聲母在內。如果把了尊的話整理一下，就如下表：（註四七）

聲調名（清濁）	本節音 初（前一部份）	本節音 後（後一部份）	本論文擬音
平聲輕（清）	昂	低	（˦˨）
平聲重（濁）	低	低	（˨）
上聲輕（清）	昂	昂	（˦）
上聲重（濁）	低	昂	（˨˦）
去聲輕（清）	昂	偃	（˥˩）
去聲重（濁）	低	偃	（˧˨）
入聲輕（清）	昂	昂	（˦）
入聲重（濁）	低	低	（˨）

這種聲調的描述，在日本古代和尚之間，是相當重視的，因爲在誦經時必須用到。在中國文

學史中，我們也可知道唐代和尚在講經與敷演變文時，也極重視聲韻調，因此，釋家相傳的文字聲調，很値得讓我們注意到不同時代的類似記載。了尊的記述，是日本弘安十年（西元一二八七年）（註四八），他的話又被日本明覺和尚悉曇要訣運用在解說梵文之中，明覺悉曇要訣卷一十四音義中說：

「初平後上之字及初平後去之字，六聲家同爲去聲，……今私案之，初昂後低爲平聲之輕，初後俱低爲平聲之重，初後俱昂爲入聲之輕，初後俱低爲入聲之重。當知重音者初低音也。初後俱昂名爲上聲，是六聲之家義也。初低終昂之音可爲上聲之重，……」（註四九）

了尊和明覺的話除了可以證明有多於四個調類的釋家讀法之外，我們更應該注意到明覺話中所明言的「重音者初低音也」，這和前文所列了尊八聲表中，凡重音（濁聲）的「初」音都是「低」音的現象相合。這些悉曇書中所述的「低」音，當然是指聲調的「音高」較低，也就是聲帶顫動的頻率較低的字音。這種濁聲調低下的說法，正與江愼修的主張相同。

清聲調就是陰聲調，濁聲調就是陽聲調，聲調之分陰陽，多見於方言。漢語各地方言之陰陽分調，雖然不一定是逢陰調則高，陽調則低（註五〇）但確有許多方言是陽調低，陰調高的。如蘇州話、紹興話、永康話、廣州話、越南東京漢越語等（註五一），辛勉古代藏語和中古漢語語音系統的比較研究一書更引述瞿靄堂與金鵬的話，謂卓尼藏語和嘉戎語裏，「清聲母聲調高，濁聲母聲調低。」竊以爲自聲母的清濁而觀察其發聲時發音體的顫動頻率，通常濁聲母的顫動頻率，必然低於清聲母和高聲調的元音，在聽覺上，濁聲母自然要重濁於清聲母和元音了。這種顫動頻率的多少，也會影響到音節的聲調，因此，江愼修「清——高」「濁——低」的發現，如果不是基於方言的事實，便是他審音的工夫相當精密所致。

總之，江愼修「四聲八調」說，說出了吾國聲韵學者罕見罕言的奧論，實在値得大書於學術史上面。

三、古聲調論

關於古音裏的聲調問題，論者往往昧於江氏永的眞正意旨，而輕易的說他和顧炎武的古聲調說相同相近。例如江有誥再寄王石臞先生書曾說：

「四聲一說，尚無定論，顧氏謂古人四聲一貫，又謂入爲閏聲。陳季立謂古無四聲，江昚齋申明其說者不一而足，然所撰古韵標準仍分平上去入四卷，則亦未有定見。」

（註五二）

江有誥此言有誤，也許是他沒看到江永的古韻標準，要不然便是他沒有讀懂江永的文字，以致於說江永主張「古無四聲」，實在是弄錯了。但似乎很少人替江永辨誣，像周祖謨更誤以爲江氏的「四聲通韻」是用來證明「古無四聲」的，周氏古音有無上去二聲辨一文說：

「爾後江永服膺顧說，復舉詩中四聲通韻之例爲證，由是古無四聲之論乃風靡一時。」（註五三）

此語只有三短句，每一短句皆與事實有違，本節後文將論之。至於張世祿的中國古音學和中國音韻學史，見解較爲正確，但亦有小誤。張氏說：

「江氏對於古音上的字調問題，大致和顧炎武『四聲一貫』之說相合，以爲雖有四聲，而平仄可相通押；但是同時又謂入聲和去聲最近，並且主張『數韻共一入』，所列入聲的八部，可隸屬於陰聲韻，也可隸屬於陽聲，已開陰陽入通轉說的端緒。」（註五四）

張世祿說江說與顧氏「四聲一貫」說相合，事實上江顧古聲調說實有殊異，論見後文。後世學者有這種看法的，不在少數，實在有必要替江氏辨駁。張世祿提出的「數韻共一入」，是江氏的發明，中古音（今音）和上古音（古音）都有這種現象，所以將在本書第五章談論，本節專就古聲調問題進行探討工作。

上節引述江氏音學辨微所說的：「漢以前不知四聲，但曰某字讀如某字而已。四聲起於江左，……以詩韵讀之，實有其聲」云云，可以明白看出他是主張詩經代表的古音中是有四聲的。此外，古韵標準一書的例言第六條說：

四聲雖起江左，桉之實有其聲，不容增減，此後人補前人未備之一端。平自韵平，上去入自韵上去入者，恒也。亦有一章兩聲或三四聲者，隨其聲諷誦咏歌，亦有諧適，不必皆出一聲，如後人詩餘歌曲，正以雜用四聲爲節奏，詩韵何獨不然，前人讀韵太拘，必強紐爲一聲，遇字音之不可變者，以強紐失其本音，顧氏始去此病，各以本聲讀之。不獨詩當然。凡古人有韵之文皆如此讀，可省無數糾紛，而字亦得守其本音，善之尤者也。然是說也陳氏實啓之，陳氏於『不宜有怒』句，引顏氏怒有上去二音之說，駁之曰：『四聲之說起于後世，古人之詩取其可歌可詠，豈屑屑毫氂，若經生爲耶？且上去二音亦輕重之間耳。』又於『綢繆束芻，三星在隅』註云：『芻音鄒，隅音魚侯切，或問二平而接以去聲，可乎？曰：中原音韵聲多此類，音節未嘗不和暢也。』是陳氏知四聲可不拘矣，他處又仍泥一聲，何不能固守其說耶？四聲通韵，今皆具於舉例，其有今讀平而古讀上，如予字；今讀去而古讀平，如慶字；可平可去，如信、令、行、聽等字者，不在此例。」（註五五）

又例言第九條說：

「顧氏詩本音改正舊叶之誤頗多，亦有求之太過，反生葛藤。如一章平上去入各用韻，或兩部相近之音各用韻，率謂通爲一韻，恐非古人之意。小戎二章以合軜邑叶驂，以念字叶合軜邑，尤失之甚者，今隨韻辨正，亦不能盡辨也。」（註五六）

又卷四入聲第一部總論說：

「入聲與去聲最近，詩多通爲韻，與上聲韻者間有之，與平聲韻者少，以其遠而不諧也。韻雖通而入聲自如其本音，顧氏於入聲皆轉而爲平爲上爲去，大謬，今亦不必細辨也。」（註五七）

從江氏的這些話當中，我們應當強調出音學辨微中說的：詩韻實有四聲的話，配合古韻標準所說：「四聲雖起江左，按之實有其聲，不容增減。」一併看待；其次再注意到他說的：「平自韻平，上去入自韻上去入者，恆也。」這些是「古無四聲」的論調嗎？不，正正相反，這都是確定古有四聲的言詞。眞不明白爲什麼有人會誤讀？

江氏於詩經中一章而有不同聲調的押韻現象，提出一個合理的解釋。他說：「……隨其聲諷誦詠歌，亦有諧適，不必皆出一聲，如後人詩餘歌曲，正以雜用四聲爲節奏，詩韻何獨不然。」而主張要「各以本聲讀之」，這裏所說的「聲」是「聲調」，也就是用歌曲的觀點來看待詩經異聲調互相押韻的現象，反對強改聲調而失掉原來的聲調，可見他是肯定四聲之後再提出四聲可以通押的。江有誥和張世祿這一類人，隨意的看到一部份，便說江永主張古無四聲，我們只好慨歎讀書難了。

古韻標準例言第六條中，江永批評陳第，說他「他處又泥一聲」；例言第九條批評顧炎武，說他：「如一章平上去入各用韻，或兩部相近之音各用韻，率謂通爲一韻，恐非古人之意。」也可以看出主張古有四聲，不可輕易牽合爲一的態度。

至於周祖謨說江永以「四聲通韻」證「古無四聲」之論（註五八）。其疏誤有甚於張世祿者，由上文可以看出來。事實上，江永的「四聲通韻」實在是用來證明「古有四聲而通押」的，一點都沒有說「分不出四聲的界限」一類的話。古韻標準卷首詩韻學例四聲通韻的內容如左：

四聲通韻 說見例言。帝歌以熙韻喜起五子之歌首章以圖韻下予馬已有此體

關雎三章 芼樂去入爲韻 ○漢廣一二三章 廣泳永方平上去通韻 ○鵲巢首章 居御平去爲韻 ○小星二章 昴裯猶平上爲韻 ○行露二章 家與角屋獄足平入爲韻或亦可爲間句 ○野有死麕首章 包誘平上爲韻 ○日月首章 土處顧上去爲韻 ○擊鼓二章 仲宋忡平去爲韻 ○谷風四章 舟游求救平去爲韻 ○五章 慉讎售鞠覆育平去入通韻 ○泉水三章 舝邁衛害去入爲韻 ○君子偕老二章 翟髢揥晳帝去入爲韻 ○三章 展袢顏媛平去爲韻 ○桑中首章 唐鄉姜上平去爲韻 ○定之方中二章 虛楚平上爲韻 ○蝃蝀三章 人姻信命平去爲韻 ○

干旄首章紕四畀平去爲韻○淇奧一二章僩咺諼平上爲韻○考槃首章澗寬言諼平去爲韻○氓三章葚耽平上爲韻○四章隕貧平上爲韻○六章怨岸泮宴晏旦反上去爲韻○黍離一二三章離靡平上爲韻○揚之水三章蒲許平上爲韻○中谷有蓷脩歗淑平去通韻○兔爰二章罦造憂覺平上去通韻○緇衣一二三章館粲上去爲韻○叔于田二章狩酒好上去爲韻○大叔于田三章慢罕去上爲韻○清人三章軸陶抽好平上入通韻○遵大路首章袪故平去爲韻○丰首章丰巷送平去爲韻○風雨三章晦喜上去已爲韻○子衿二章佩思來平去爲韻○野有蔓草首章漙婉願平上去通韻○溱洧首章渙蕑平去爲韻○著首章著素華平去爲韻○甫田三章變丱見弁上去爲韻○猗嗟三章變婉選貫反亂上去爲韻○碩鼠首章鼠黍女顧土所上去爲韻○蟋蟀首章莫除居瞿平去爲韻○揚之水二章皓繡鵠憂平上去通韻○三章鄰命人平去爲韻○綢繆二章芻隅逅平去爲韻○杕杜二章菁睘姓平去爲韻○羔裘首章袪居故平去爲韻○葛生四章夜居平去爲韻○駟鐵首章阜手狩上去爲韻○小戎首章續轂馵玉屋曲去入爲韻此章韻本分明首三句收輈驅爲一韻下則五入一去爲一韻載馳首章驅字袪尤反則此處亦當音邱舊誤以驅字連下爲韻驅續轂馵皆有去入二叶音未安顧氏亦誤以驅字連下又轉續玉屋曲皆爲平聲尤誤蓋顧氏不知十虞韻有一支通十八尤十九侯而侯韻字皆轉从模於是不得驅字之音又不知入聲別有轉紐意屋即爲烏之入聲於是悉轉續玉屋曲爲平以叶驅此顧氏之蔽○三章羣錞苑平上爲韻○宛丘三章缶道翿上去爲韻○墓門二章顧予上去爲韻○月出三章照燎紹懆上去爲韻○羔裘三章膏曜悼平去爲韻○匪風二章飄嘌弔平去爲韻○蜉蝣三章閱雪說去入爲韻○候人首章祋芾去入爲韻○七月首章火衣平上爲韻發烈褐歲去入爲韻○二章火衣同上○鴟鴞首章子室上入爲韻勤閔平上爲韻○東山三章垤室窒至去入爲韻○鹿鳴二章蒿昭恌傚敖平去爲韻○四牡五章駸諗平上爲韻○伐木三章阪衍踐遠愆平上爲韻湑酤鼓舞暇湑上去爲韻○采薇首章家故平去爲韻○三章疚來去入爲韻○出車首章牧來載棘去入爲韻○二章郊旐旄平上爲韻○杕杜四章來疚至恤去入爲韻○魚麗六章有時平上爲韻○南有嘉魚首章罩樂去入爲韻○四

章來又去入爲韻○彤弓首章藏貺饗平去爲韻○二章載喜右上去爲韻○三章櫜好醻平去爲韻○采芑首章芑畝止試上去爲韻○三章隼止試上去爲韻○四章讎猶醜平上爲韻○車攻二章好阜草狩上去爲韻○六章駕猗馳破平去爲韻○斯干首章苞茂好猶平上去通韻○三章除去芋平去爲韻○九章瓦儀議罹平上爲韻○無羊二章物具去入爲韻○節南山首章巖瞻惔談斬監平上爲韻○五章屆闋去入爲韻○六章定生寧醒成政姓平去爲韻○十章誦訩邦平去爲韻○正月十章輻載意去入爲韻○十月之交五章時謀萊矣平上爲韻○六章向藏王平去爲韻○八章里痗上去爲韻○雨無正五章出瘁去入爲韻○小旻首章从用邛平去爲韻○二章哀違依底平上爲韻○小宛二章克富又去入爲韻○小弁六章先謹忍隕上去爲韻○七章醻究平去爲韻掎扡佗上去爲韻○巧言首章威罪平上爲韻○何人斯五章舍車盱平上爲韻○六章易知祇平去爲韻○蓼莪三章恤至去入爲韻○大東二章來疚去入爲韻○四章裘試平去爲韻○楚茨首章祀侑上去爲韻○四章熯愆平上爲韻祀食上入爲韻○五章備戒位去入爲韻戒入聲○大田二章穉火上去爲韻○裳裳者華四章左宜平上爲韻○桑扈首章扈羽胥祜平上爲韻○頍弁二章上柄臧平去爲韻○車舝二首鷮教平去爲韻○五章仰行平上爲韻○賓之初筵二章鼓奏祖上入爲韻能仇又時平去爲韻○三章反幡遷僊平上爲韻○四章呶豆平去爲韻○采菽三章股下紓子平上爲韻命申平去爲韻○五章哉矣平上爲韻戾字非韻○角弓二章遠然平上爲韻○三章裕瘉上去爲韻○五章駒後饇取平上去通韻○六章木附屬去入爲韻○苑柳一二章柳蹈上去爲韻○瓠葉二章燔獻平去爲韻○何草不黃三章虎野暇上去爲韻○文王首章時右平上爲韻○八章臭孚平去爲韻○大明首章上王方平去爲韻○綿九章附後奏侮上去爲韻○旱麓四章載備祀福上去入爲韻○六章藟枚回平上爲韻○皇矣二章椐柘爲韻○四章類比悔祉子上去爲韻○八章禡附侮上去爲韻○靈臺二章囿伏去入（註五九）

以上共一百九十三章，二百零一例，江氏列舉了這麼多四聲通押的例子，和他在古音各韻部中所列舉的一致，沒有一個地方說到詩經中沒有四聲，而只說「○○爲韻」或「○○通韻」，意思當然是說他處之押韻，四聲分押，這些地方則有異調相押的現象。

江氏的「四聲通韻」是肯定古有四聲而可通押的，但是如果進一步追問其何以得通押而不似唐人爲詩之四聲分押？江氏於古韻標準例言中因之提出一種値得重視的理論來解說，他在第九條說：「……亦有一章兩聲、或三四聲者，隨其聲諷誦咏歌，亦有諧適，不必皆出一聲。」意思是說：依詩經篇章用韻之聲調來諷誦、咏詠、或歌唱，聲調有平上去入之異的，在吟唱之中，由於音樂的作用，亦是諧和的。又說：「如後人詩餘歌曲，正以雜用四聲爲節奏，詩韻何獨不然。」意思是說：後代的詞、曲，在文學史上是承接唐詩的重要文體，詞曲正是以四聲通押來造成高低抑揚的節奏，這種聲律上的效果，詩經的用韻也可以因爲四聲通韻而得到。江氏這些話的內容，包含了：

1. 詩經是合樂的，國風和大小雅，甚至頌都是可以歌唱的，對詩經的四聲應當站在這個基礎去考察。
2. 四聲通韻在誦讀歌唱時是諧和的。
3. 詩經之後像宋詞、元曲，都是四聲通韻的證據。
4. 四聲通韻可以造成「節奏」的音樂效果。

這樣的說法是相當完整的，適用於詩經的押韻現象，正如江氏自評之語：「不獨詩當然，凡古人有韻之文皆如此讀，可省無數糾紛，而字亦得守其本音，善之尤者也。」這話說得實在像先知之語，惜乎江永以後，清代學者不加以重視。讓我們來看看江氏之後學者關於古聲調的糾紛：

1. 戴震說：「古人用韻，未有平上去入之限，四聲通爲一音，故帝舜歌以熙韻喜起，而三百篇通用平上去及通用去入者甚多，各如其本音讀之，自成歌樂。」（註六〇）——古無四聲說。

2. 段玉裁古四聲說云：「古四聲不同今韻，猶古本音不同今韻也。攷周秦漢初之文，有平上入而無去。」（註六一）云云——此爲古無去聲說。

又答江晉三論韻亦云：「古四聲之道有二無四，二者平入也，平稍揚之則爲上，入稍重之則爲去，故平上一類也，去入一類也，抑之揚之舒之促之，順逆交遞而四聲成，古者刱爲文字，因乎人之語言爲之音讀，曰平上曰去入一陽一陰之謂道也。」（註六二）——古二聲說。

3. 錢大昕說：「古無平上去入之名。若音之輕重緩急，則自有文字以來，固區以別矣。虞廷賡歌，明、良、康，與脞、隋、墮，即有輕重之殊。三百篇每章別韻，大率輕重相間；

則平側之理已具。緩而輕者，平與上也；重而急者，去與入也；雖今昔之音不盡同，而長吟密詠之餘，自然有別。」（註六三）——古聲輕重緩急說。

4. 孔廣森說：「至於入聲，則自緝、合等閉口音外，悉當分隸自支至之七部而轉爲去聲，蓋入聲㓙自江左，非中原舊讀。」（註六四）

又說：「緝、合諸韻爲談、鹽、咸、嚴之陰聲；皆閉口急讀之，故不能備三聲。唐韻所配入聲，惟此部爲近古。其餘部古悉無入聲；但去聲之中，自有長言，短言兩種讀法，每同用而稍別畛域。後世韻書遂取諸陰部去聲之短言者，壹改爲陽部之入聲。」（註六五）——古無入聲說。

5. 江有誥說：「有誥初見，亦謂古無四聲，說載初刻凡例；至今反復紬繹，始知古人實有四聲。特古人所讀之聲，與後人不同。陸氏編韻時，不能審明古訓，特就當時之聲，誤爲分析：有古平而誤收入上聲者，如享、饗、頸、顙等字是也；有古平而誤收入去聲者，如訟、化、震、患等字是也；有古上而誤收入平聲者，如偕字是也；有古上而誤收入去聲者，如狩字是也。」（註六六）——古有四聲說。

6. 張惠言說：「古無所謂四聲也。長言則平，短言則上，重言則去，急言則入。詠歎之詞宜乎平，比興之詞宜乎上、去、入。而上、去、入之音短，不足以成永歌，則或引而長之；至於繁縟促節，戛然闋止，則又或以短言爲宜。是故四聲或錯雜相諧，去入或自爲諧，務得其音之和而已。」（註六七）——古無所謂四聲說。

7.王國維說：「古音有五聲，陽類一，與陰類之平、上、去、入四是已。」（註六八）——古有五聲說。

8.章太炎說：「古平、上韵與去、入韵，塹截兩分；平、上韵無去、入，去、入韵亦無平、上。」（註六九）——古平上與去入兩分說。

9.黄侃說：「四聲古無去聲，段君所說，今更知古無上聲，惟有平入而已。」林尹先生申述其意說：「古惟有平入二聲以爲留音長短之大限，迨後讀平聲少短而爲上，讀入聲稍緩而爲去。於是平上去入四者，因音調之不同，遂爲聲韵學上之重要名稱矣。」（註七〇）——古惟平入二調說。

章、黄二氏的古聲調說，實際上是先分爲二大類，再各分出二小類，似乎也可視爲古有四聲說，但是他們二位却因段氏之後，學者多謂古無四聲，故未明言（註七一）。總合章、黄以上諸家之說，紛紛紜紜，不正是江永古四聲說想避免的「無數糾紛」嗎？發展到後來，學者仍然走回四個聲調之說，例如丁邦新先生說：

「我們覺得按照前人的研究，承認上古有四個聲調是比較妥當的辦法，其中去入聲的關連可用董同龢先師的調値相近說來解釋。還可以進一步說去、入聲調値相同，只是入聲比較短促就是了。」（註七二）如果古聲調的探究，向來是立基於江愼修之說來發展，而不爭立新說，也許古音學之研究會比較進步得快一些呢！

古音學的發展，顧炎武居功最偉，江永生於其後，頗知顧學之有本有源，故深受其影響。江氏之古韻標準一書，正是感佩之餘，繼之而作。江氏說：

「近世音學數家，毛先舒稚黃、毛奇齡大可、柴紹炳虎臣，各有論著，而崑山顧炎武寧人爲特出。余最服其言，曰：孔子傳易，亦不能改方音。又曰：韓文公篤於好古，而不知古音。非具特識，能爲是言乎？有此特識，權度在胸，乃能上下古今，考其同異，訂其是非，否則彼以爲韻則韻之，何異侏儒觀優乎？」（註七三）

江愼修評顧亭林能權度、有特識，且曰：「最服其言」，則江愼修甚有取於顧說者，不待言。但是，服其言而深受其影響，並不表示完全接納他的說法。江氏在古韻標準裏又說：

「細考音學五書，亦多滲漏，蓋過信古人韻緩不煩改字之說，於「天」「田」等字皆無音。古音表分十部，離合處尚有未精，其分配入聲多未當，此亦考古之功多，審音之功淺，每與東原歎惜之。　今分平上去三聲，皆十三部，入聲八部，實欲彌縫顧氏之書。顧氏嘗言五十年後當有知我者（見李榕村集），蓋同時若毛氏奇齡輩，自負該博，未肯許可。余學謭陋，匪云能知顧氏，然已傾倒其書；而不肯苟同，是乃所以爲知；更俟後世子雲論定之。」（註七四）

此話中明言「傾倒其書而不肯苟同」，正是江氏爲學之態度所在。江氏於書中，處處稱道前賢，而實際頗有自己之見，於古韻部分如此，於古四聲說亦是如此。正因江氏稱道前賢，以致於後之學者若江有誥、周祖謨、張世祿者，屢說江氏說與顧相合，今爲證說江戴二氏之異，徵引顧氏言於左，並略加解說。顧亭林說：

「四聲之譜，誠不可無，然古人之字，有定作一聲者，有不定作一聲者，既以四聲分部，則於古人之所已用，不得不兩收三收四收，而其所闕漏者，遂爲太古之音，後人疑不敢用。」（註七五）

此處「以四聲分部」是指四聲譜以後之韻書，「其」字是指此類韻書，所謂「古人」則指使用詩經爲主的上古音者，說「（字）有定作一聲者，有不定作一聲者」，正是顧氏的古聲調觀，顧氏自名爲「四聲一貫」。顧氏又說：

「四聲之論雖起於江左，然古人之詩已自有遲疾輕重之分，故平多韻平，仄多韻仄，亦有不盡然者，而上或轉爲平，去或轉爲平上，入或轉爲平上去，則在歌者之抑揚高

下而已，故四聲可以並用。」（註七六）

又曰：「文者一定而難移，音者無方而易轉，夫不過喉舌之間，疾徐之頃而已，諧於音順於耳矣！故或平或仄，時措之宜，而無所窒礙。……有定之四聲以同天下之文，無定之四聲以協天下之律。」（註七七）

又曰：「夫一字而可以三聲四聲，若易爻之上下無常而唯變所適也。然上如其平，去如其上，入如其去，而又還如其平。是所謂言天下之至賾而不可惡，言天下之至動而不可亂也，此聲音文字相生相貫自然之理也。」（註七八）

這些話我們可以整理成以下數個要點：

1. 古雖無四聲，但已有遲疾輕重之聲調。
2. 古四聲無定，一字而可以三聲四聲。
3. 平多韵平，仄多韵仄。
4. 詩之用韵，上或轉爲平，去或轉爲平上，入或轉爲平上去。
5. 異聲調而轉韵，與歌者有關。

6.四聲並用。

這六點當中，作爲學說基點的是「2.」，其餘不過是由「2.」推闡、解釋的。其「4.5.6.」正是江永所發現的四聲通韻，「3.」和江氏「平自韻平，上去入自韻上去入」的話類似。顧江最大不同在「1」與「2」，顧謂古無四聲，而江明言古有四聲；顧氏謂「四聲無定」，江則以爲各字聲調有別，各有「本聲」，而可以通押。江顧之不同，在於古聲調說的基點上面，所以實在不可輕易的說江氏學說與顧氏相同。

江氏在提出「古有四聲」說的時候，只以「平自韻平，上去入自韻上去入者，恆也」來當做證明。這個證明是夠充分的，因爲只要平上去入四聲在詩經押韻上，有大致的界限，便可以證明那界限是表示上古有四聲。何況，江永在「平自韻平，上去入自韻上去入，恆也」的後面，立刻談及四聲通韻的現象，並且在詩韻舉例中列舉四聲通韻的例子。這表示押韻的某種四分的界限，是由於聲調的不同，而不是由於其他的原因所造成。李方桂先生說：

「如果詩經用韻嚴格到只有同調類的字相押，我們也許要疑心所謂同調的字是有同樣的韻尾輔音，不同調的字有不同的韻尾輔音，但是詩經用韻並不如此嚴格，……不如把不同調類的字仍認爲聲調不同。」（註七九）

對於李先生這個原則性的說法，也許見仁見智，但是用來觀察、說明四聲通韻和四聲有無的關係，卻可以幫助我們肯定江愼修古有四聲說的堅實地位。

爲了證明江愼修古有四聲說，請再略引清儒以來一些研究成果。

清儒中主張古有四聲的有江有誥、王念孫、劉逢祿、與夏燮，四家之言各有可取。例如夏燮以爲：1.同調連用爲韻者屢見，2.平上去入四聲分章異用，3.一字屢用而聲調不容出入，4.以平上去入分別部居，自有限制，故可證「古有四聲」。江有誥曾考察字調在上古韻語中與後世韻書之不同，董同龢先生替他整理歸納，以觀其四聲之關係，發現字調與後來完全不同的例，出人意外的少，平上去入兼叶的現象只有一百五十字左右，分爲三個現象：

(1)平上去多兼叶。——因爲同是陰聲字。

(2)去與入多兼叶。——因爲韻尾異而調値近似。

(3)平上與入兼叶的極少。——因爲韻尾不同，調値又遠。（註八〇）

如果以詩經用韻字一千九百七十五字而言（註八一），平上去入兼叶的一百五十字，還不到十分之一，足證江氏愼修等古有四聲說之可以確立。其次，上述兼叶的三個現象與江氏愼修的發現相類似。江氏愼修古韻標準詩韻學例的四聲通韻條，我們如果替他統計，會發現共收一百九十三詩章，二百零一例，計有

(1)平上通韻：四十四次

(2)平去通韵：六十一次

(3)上去通韵：四十三次

（以上合計一百四十八次）

(4)平入通韵：一次

(5)上入通韵：九次

(6)去入通韵：三十五次

(7)平上去通韵：四次

(8)上去入通韵：二次

(9)平上入通韵：一次

(10)平去入通韵：一次

這樣的通韵現象，比較清楚，而結果確如董同龢先生之言。如果再進一步的用形聲字的諧聲情況來比照，我們會發現四聲通韵的現象，和詩經極相近：

聲符		諸聲字				
聲符爲平聲	624	諸聲字爲平聲 2215	上聲 576	去聲 658	入聲 44	總和 3493
聲符爲上聲	266	諸聲字爲平聲 221	上聲 615	去聲 190	入聲 23	總和 1049
聲符爲去聲	247	諸聲字爲平聲 115	上聲 110	去聲 564	入聲 110	總和 899

聲符爲入聲 307	諸聲字爲平聲 6	上聲 14	去聲 165	入聲 1009	總和 1194
聲符總和 1444	平聲總和 2557	上聲總和 1315	去聲總和 1577	入聲總和 1186	總和 6635

（註八二）

以上是就詩經的四聲通韻和諧聲偏旁的四聲關係來證明江愼修的古有四聲說。這些統計的數目，如果要更正確，當然必須再求精密的通盤考察，這是有待來日的。

四、濁上轉去說（註八三）

四聲平上去入，此爲古今方俗語音之大類，以中古以後而言，調類的大變動，除了中原音韻入聲派入平上去三聲調以外，便是濁聲母的上聲字混同於去聲字了。江愼修先生曾注意到這個問題。音學辨微辨四聲說：

「上、升上之『上』，時掌切，若在上之『上』，音尚，屬去聲，勿誤。上聲逢最濁位有轉音，方音或似去而非去（原註：如呼動似凍、呼簿似布、呼弟似帝、呼舅似究之類），或以去聲讀之，則謬矣（原註：張自烈正字通多如此）。」（註八四）

在辨清濁中，說得更清楚，他說：

「又羣、定、澄、並、奉、從、邪、牀、禪、匣共十母之上聲，官音呼之或似去，其實非去也。方音呼最濁之平上去入或輕呼之，似最清之濁，或重呼之得最濁，各因其水土習俗使然。明者知此，輕呼者當矯而重呼，則音正矣。如不能重呼，亦即因其似最清之濁，而知其爲最濁。又方音呼十濁之上聲，有似去者，亦即因其似去而知其爲上聲之濁，此借方音定正音之活法也。無論官音鄉音，皆當知此活法。」（註八五）

辨清濁又說：

「不知上聲十濁似去，則有讀上爲去，如張自烈之正字通者矣！（正字通於平聲清濁亦有混者）」（註八六）

四聲切韵表凡例第四條說：

「群、定、澄、並、奉、從、牀、匣八位最濁，邪、禪次之，中原音凡上聲當此十位，似去而非去也。最濁之上去入似變爲最清，而實最濁也。不明乎此，將有誤切誤讀而不自知者矣！」（註八七）

這些話大抵都是正確的，我們可以歸納成幾個要點：

1.「平上去入」之「上」，宜讀時掌切之上聲，不讀去聲。

2.上聲逢最濁之「羣、定、澄、並、奉、從、邪、牀、禪、匣。」十母，則有轉音讀似去聲者。

3. 濁上轉去者有官話方言（官音或「中原音」）和其他方言。

4. 濁上轉去者，實似去而非去。

5. 最濁之音，方音讀之，有二種情形：

①輕呼之，似最清之濁。

②重呼之，即最濁。

6. 由方音之讀濁上爲似去，則可自其似去而推知爲最濁之音。

7. 讀上爲去者，如張自烈正字通。

「上」字在廣韻有二音，訓「登也」「升也」者，在上聲三十六養：「時掌切」；訓「君也」「猶天子也」者，在去聲四十一漾：「時亮切」，與「尚」同音。江愼修說明上聲之「上」音時掌切，大抵是本於廣韻。

濁上十字母之轉爲「似去」，由前述2.3.4.5.綜合觀之，江氏的意思可能是這樣的：

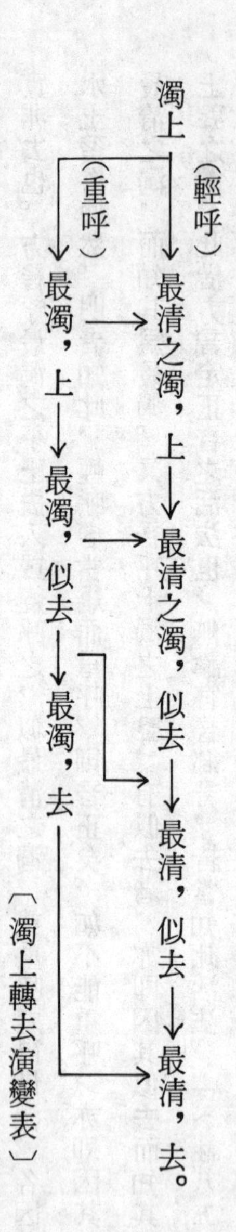

〔濁上轉去演變表〕

這個轉音的過程，亦未表示一定會轉變到終點，也許只到第一階段，也許只到第二階段。江愼修便是認爲還沒轉變到終點的一個人，他以爲「似去而非去」，便是未轉變到終點的說法。不過，所謂「似去」，如果沒有辨別意義的作用，「似去」恐怕亦是等於「去」了。因此正字通逕以濁上爲去，而現代官話亦然。

江氏學例說明濁上轉去，謂「動，簿，弟，舅」四字有呼爲「凍、布、帝、究」者。查廣韵「動」字屬上聲一董「徒揔切」（定母），「凍」字屬去聲一送「多貢切」（端母），是「動」爲濁上，而「凍」爲清去。「簿」字屬上聲十姥「裴古切」（奉母），「布」字屬去聲十一暮「博故切」（幫母），是「簿」爲濁上，而「布」爲清去。「弟」字屬上聲十一薺「徒禮切」（定母），「帝」字屬去聲十二霽「都計切」（端母），是「弟」爲濁上，而「帝」爲清去。「舅」字屬上聲四十四有「其九切」（群母），「究」字屬去聲四十九宥「居祐切」（見母），是「舅」爲濁上，而「究」爲「清去」。從這四組字看來，顯見都是由濁上轉入清去，江氏在前引文中雖說「呼某似某」，用一「似」字，不承認已完全轉變爲「去」。但是這種轉變，在上述「濁上轉去演變表」中，至少已經轉變到第三階段而接近終點了。那麼江氏雖用一「似」字，恐怕有人會說是「極爲接近去聲」，或竟是「去聲」了。

濁上轉去的現象，早在唐代便已經有了。唐昭宗時李涪曾指出切韵之乖異，以爲是「吳音」。他說：

「吳音乖舛，不亦甚乎？上聲爲去，去聲爲上。……恨怨之恨則在去聲，很戾之很則在上聲。又言辯之辯則在上聲，冠弁之弁則在去聲。又舅甥之舅則在上聲，故舊之舊則在去聲。又皓白之皓則在上聲，號令之號則如去聲。又以恐字恨字俱去聲。今士君子於上聲呼恨，去聲呼恐，得不爲有識之所笑乎？」（註八八）

他所學的「很、辯、舅、皓」都是上聲全濁聲母的字，「很、弁、舊、號」都是去聲全濁聲母的字，可知他所根據的洛陽語音（註八九），濁上已經轉爲去聲了，所不同於江愼修的是，江氏濁上轉爲「清去」，而李涪則轉爲「濁去」。又日本和尚安然悉曇藏也說：「（表信公）上中重音與去不分。」又說：「去之輕重，似自上重，但以角引爲去聲也。」（註九〇）他話中的意思雖然不完全可懂，但是「輕」「重」殆與「清」「濁」有關，而可以說濁上已轉爲去聲了。這種濁上轉爲去聲的現象，除了文字的正面記載以爲，在唐人的詩歌中也可以看到，像白居易琵琶行中用「部、婦」二個濁上的字來和去聲的「住、妒、數、汚、度、故」相押韻，便可能是濁上轉去了，後來宋詞中的「陽上作去」和南宋嚴粲詩緝凡例中所說的上聲濁音皆須讀去聲，都是濁上早已轉爲去聲的證據（註九一），足見江愼修此話不僅可以證方音之變，也是反映歷史的某種聲調演變規律。

【附註】

註一　宋書謝靈運傳論說：「夫五色相宣，八音協暢，由乎玄黃律呂，各適物宜。欲使宮羽相變，低昂舛節。若前有浮聲，則後須切響；一簡之內，音韻盡殊，兩句之中，輕重悉異。」

註二　劉勰文心雕龍聲律篇說：「凡聲有飛沈，響有雙疊。……沈則響發而斷，飛則聲颺不還，並轆轤交往，逆鱗相比。」

註三　參見詹鍈四聲五音及其在漢魏六朝文學中之應用一文，葉二十三至三十。

註四　參見夏承燾四聲繹說頁八與謝雲飛文學與音律頁六十九至八十四。

又參見郭紹虞主編中國歷代文論選上册謝靈運傳論注釋說：「浮聲，平聲。切響，仄聲，包括上去入三聲。」郭氏中國文學批評史上册頁一四九——一五〇也說：「劉勰之所謂飛沈，即後世之所謂平側。」

註五　引自音韻學叢書本音學辨微葉四上。

註六　引自音學辨微葉四上至葉四下。

註七　以「曼聲拉長」之可否來分辨「長」「短」，是拙見。至於王力說，參見漢語詩律學頁六～七。

註八　見顧氏音論卷中（文淵閣四庫全書本）葉十三上。

註九　同前註。

註一〇　見丁邦新平仄新考頁2。

註一一　見王力漢語詩律學頁六、七。

註一二　見謝雲飛從文鏡秘府論看平仄律的形成，收入文學與音律一書，頁六十九～八十四。

註一三　見周法高中國語言學論文集頁一〇五說平仄。

註一四　見丁邦新平仄新考，史語所集刊四十七本第一分。

註一五　見江氏四聲切韵表凡例第一條。

註一六　詳見第二章與第五章。

註一七　詳見第二章與第六章。

註一八　引自音學辨微葉四下。

註一九　參見第六章。

註二〇　見顧氏音論卷中葉九～十。

註二一　見高明黃輯李登聲類跋、中華學苑第七期，又見高明文輯中册。

註二二　見音學辨微葉四下。

註二三　見陳氏切韵考卷六葉七上～八上。

註二四　見大廣益會玉篇所附四聲五音九弄反紐圖神珙序所引。

註二五　此文刊登於中央研究院歷史語言研究所集刊第四十七本第一分頁一至十五。

註二六　語出音學辨微頁五。

註二七　廣韵下平聲十陽：「王、雨方切。」上聲三十二晧：「道、徒晧切。」去聲四十五勁：「正、之盛切。」

入聲二十四職：「直、除力切。」

註二八　見音學辨微葉十二上～十二下。

註二九　見張氏重刊澤存堂藏板大宋重修廣韵葉六上。

註三〇　見大正新修大藏經八十四卷四一四頁。引文中「表」是表信公，「金」是金禮信，日本淨嚴三密鈔有一段文字可以參看：「我日本國元傳吳、漢二音，初金禮信來留對馬國，傳於吳音，舉國學之，因名曰『對馬音』；次表信公來筑博多，傳於漢音，是曰『唐音』。承和之末，正法師來，元慶之初，聽法師來，此二法師俱說吳漢兩音。」

註三一　見周祖謨問學集頁四九八。

註三二　見所著漢語音韵學導論頁六十三。

註三三　客家話疑指梅縣而言。羅氏原註：「客家話古全濁上聲文言變去聲，白話變陰平，古次濁上聲亦有一部份變陰平。」

註三四　客家話古次濁入聲變陰入。

註三五　據漢語方言概要增。

註三六　同前註。

註三七　筆者即爲臺灣臺南市人。

註三八　據謝雲飛中國聲韵學大綱第十六章增。

註三九　山西方言平聲不分陰陽。

註四〇　見所著問學集頁五〇〇。

註四一　見中華文化復興月刊第九卷第三期，頁二十八～二十九。

註四二　見書目季刊八卷四期。

註四三　今中文大辭典等辭書亦不收。

註四四　佛典「唎、嚩」一類的字，多見於悉曇章一類的書中，是梵文中的字音而漢語裏沒有相同讀音者，不得已而造的新字，方以智以「口」旁造新字以表示取其音、意與佛典同。

註四五　江愼修在音學辨微中常擧方音歧異之例，在古韵標準一書中也當用方音解釋詩經異韵相押的現象。

註四六　見大正新修大藏經八十四卷六五七頁。「平聲」二字下宜增一「輕」字。

註四七　（　）者，非了尊原文所有。

註四八　了尊悉曇輪略圖抄作於日本「弘安滿數之歲」，亦卽弘安十年，約當元世祖至元二十四年，西元一二八七年。

註四九　見大正藏八十四冊頁五百零七。

註五〇　如閩南語陰平「˥」較高，陽平「˩˥」由低而高，是陰高而陽低；但陰去「˩」，陽去「˧」，陰入「˧」，陽入「˥」，是陰低而陽高。

註五一　這裏只是擧例性質，參見漢語方言概要、漢語方音字彙、漢語方言詞滙、漢越語研究。

註五二　見所著唐韵四聲正卷首。
註五三　見問學集三十二～八十頁。
註五四　見所著中國音韵學史第八章明清的古音學頁二七〇。
註五五　見古韵標準例言葉六下～七下。
註五六　見前引書例言葉八下～九上。
註五七　見前引書卷四葉三下。
註五八　見本節前引文。
註五九　見古韵標準卷首詩韵舉例葉五～十。
註六〇　見所著聲韵考卷一。
註六一　見段氏六書音均表。
註六二　見段玉裁遺書。
註六三　見潛研堂文集卷十五音韵問答。
註六四　見所著詩聲類序。
註六五　見所著詩聲類卷十二。
註六六　見所撰再寄王石臞先生書。
註六七　見說文諧聲譜敍。

註六八　見韻學餘說五聲說。

註六九　見二十三部音準。

註七〇　黄侃說見音略略例、林尹先生說見中國聲韻學通論。

註七一　參見張世祿中國古音學葉一百四十和一百五十九。張氏曰：「章氏僅謂古時去入韻與平上韻絕然兩分，猶未斷然以爲古時無上去二聲也。」林師景伊先生中國聲韻學通論嘗述黄季剛先生之意，說：「古惟有平入二聲以爲留音長短之大限，迨後讀平聲少短而爲上，讀入稍緩而爲去。於是平上去入四者，因音調之不同遂爲聲韻學上之重要名稱矣！」此亦可指爲已有四聲之雛型，故王力漢語史稿便再加以推闡爲：「先秦的聲調分爲舒促兩大類，但又細分爲長短，舒而長的聲調就是平聲，舒而短的聲調就是上聲，……長入到了中古變爲去聲，短入仍舊是入聲。」

註七二　見丁先生論語孟子及詩經中並列語成分之間的聲調關係與漢語聲調源於韻尾說之檢討二文。

註七三　見古韻標準例言第四條。

註七四　見同前。

註七五　見顧氏音論卷中葉十一上。

註七六　見同書卷中葉十一下。

註七七　見同書卷中葉十四下。

註七八　見同書卷中葉十五上。

註七九　見李著上古音研究。

註八〇　此處節錄自董同龢先生漢語音韵學第十三章上古聲調的問題，並略加改寫。

註八一　詩經叶韵字數之統計，諸家不同：

1.夏炘古韵表集說 1932 字。

2.江擧謙詩經韵譜 1805 字。

3.周祖謨詩經韵字表 1921 字。

4.張日昇試論上古四聲 1952 字。

5.周法高詩經韵字音韵表 1975 字。

註八二　此爲陳勝長、江汝洺二人對諸聲的統計，轉引自周法高先生論上古音。

註八三　「濁上轉去」一語，非江愼修原有，是本節代擬之簡省語詞，江氏之語見本節引文。

註八四　見音學辨微葉五。

註八五　見前引書葉十三上～十三下。

註八六　見前引書葉十四上。

註八七　見四聲切韵表葉一下。

註八八　引自李涪刊誤。

註八九　見前引書。

註九〇　見大正藏八十四册悉曇藏卷五。

註九一　見周祖謨關於唐代方言中四聲讀法的一些資料，夏承燾陽上作去、入派三聲說、和何漢章讀陽上作去入派之聲說後。

第四章　江永的聲母論

一、字母源起說

顧亭林音論嘗論述反切的源起、名義、與南北朝的反切，而鮮及於字母（註一）；江愼修音學辨微則不論反切的源起、名義、與南北朝的反語，而逕論反切之結構法，並暢論字母的種種問題（註二）。顧氏所言是反切的外緣問題，江氏所論爲內部結構，足見江氏於字母之學，特別有研究。如果拿江氏的聲韵學體系來和清代幾個聲韵學大師相比，我們會發現江氏的字母之學，很少有可以超過他的。字母或聲母之學也可以說是音學辨微一書中的精華所在，我們如果取音學辨微，加上四聲切韵表的凡例第二至十九條，可以得見江氏字母之學。

三十六字母的發生，論者或謂六朝已萌胚胎，或謂唐末守溫訂字母三十而後人增益六母，或謂三十六字母乃守溫所訂，或謂本于梵文，或謂本于藏文。例如吳稚暉先生說：

「辨字五音法者，六朝時候古等韵字之七音也，辨十四聲例法（註三）者，六朝時候古等韻字母胚胚也。……十四聲例法，一變而爲三十六字母之等韻，則因煙人然等三十類切字要法，實爲其過渡之樞紐。因煙人然三十類的切字要法，多數人皆以爲創始於晉也。」（註四）

劉復說：

「守溫的方法，是從梵文中得來的。」（註五）

錢大昕說：

「三十六字母，唐以前未有言之者，相傳出於僧守溫，溫亦唐末沙門也。」（註六）

明呂介孺說：

「大唐舍利創字母三十，後溫守座益以孃、牀、幫、滂、微、奉六字母，是爲三十六母。」（註七）

張世祿說：

「其實守溫原初所定的三十字母，大部份是依據藏文字母而來，同時參對了梵文字母」。云云（註八）

這種種說法，至今似乎未能擇定於一，但是大抵都說是發生於唐末，尤其是敦煌守溫韻學殘卷出土後，唐末之說已經大抵成爲定論了。江氏爲文，不喜雜列衆說，善于避免繁瑣，直得要旨，故江氏對於字母源起的見解，是這樣的，他說：

「等韻三十六母，未知傳自何人？大約六朝之後隋唐之間，精於音學者爲之。自孫炎撰爾雅音義，反切之學行於南北，已寓三十六母之理，傳字母者，爲之比類詮次，標出三十六字，爲反切之總持。」（註九）

清代初年的江愼修，當然沒有看到清末民初的敦煌守溫韻學殘卷，我們不可說他所知太少；我們也不可由於他沒提到守溫，便說他沒看到宋明人的等韻書籍爲孤陋寡聞。因爲三十六字母是否爲守溫所創訂，至今猶爲懸案（註一〇），也許江氏謂「未知傳自何人」者，正是有見於此懸案之難斷而說的話。

江氏不論字母傳自何人，却推得其時代爲「大約六朝之後隋唐之間」，此實近似之詞，與今人之多指爲唐末者，也未有大異。蓋今人指爲唐末，乃因守溫確有傳述字母的記載，則「至遲」在唐末便已有之，而其「始自」何時，猶未定也。也許在中唐以前便已有字母之實而無其名；像切韻系韻書中，凡同音字皆聚於一處，以小圈隔開，此法已近於歸納「字母」之功夫了。又因反切大行於漢末魏初孫炎爾雅音義之後，字母的產生必後於反切注音法之通行，所以江氏便把字母發生的時代定爲「六朝之後」了。

江愼修所述字母發生之時代，還不是前引江氏語的重心所在，江氏要強調的是「反切中已寓字母之理」這一點。他首先說明孫炎反切之學行於南北之時，切語之法已寓三十六母之理；然後再略微說明字母之產生，是採用「比類詮次」的歸納法，把反切加以整理、歸納、排比，爲三十六類，各標舉一字爲類名，以爲反切之總持。

江氏謂反切之學已寓字母之理，實際上是在說明字母源始於反切，此乃就音理指明字母之起源，較之爭執於何人所創者，更有益於聲韻學的學習和發展，這是江氏睿智卓識的表現。我們如果了解反切的法子，表面上看是用兩個字標示一個字的音，而實際上是用反切上字代表被切字的聲母，反切下字代表被切字的韻母，這樣我們便容易知道反切上字和字母，原本便是作用相同的二個聲母的代號。不同只在於同一個聲母，反切上字可以選用兩個以上的代號，而字母只選取一個代號。代號本身只是一種符號，就符號所代表的內容來說，反切上字和字母實在是同爲一物。如廣韻去聲五寘：

「智、知義切」

又如廣韻去聲四十二宕：

「浪、來宕切」

這兩個切語，反切上字爲「知」「來」、「知」「來」又爲三十六字母之名稱，換言之，反切上字即爲字母，字母即爲反切上字。再進一步言之，如果有一位以反切來注音的學者，每一個聲母只採取一個字爲反切上字，或以少數二三字爲反切上字，那麼這一個字的反切上字，或少數二三字的反切上字，豈不就是字母無疑了？請看下表各家所使用的反切上字的數量：

顏師古：一百八十九字

廣　韻：四百七十一字

曹　憲：四百三十七字

名　義：六百九十六字

慧　琳：一千七百零三字

集　韻：八百七十一字（註一一）

由這個簡單的比較表中，可以看到顏師古在爲古書注音時，所採用的反切上字字數，約爲廣韻的五分之二，爲集韻的五分之一弱，爲慧琳的十分之一（註一二）。相比之下，我們可以知道顏師古有力求減少反切上字字數的趨向。如果再參考顏師古注音時所使用反切上字的次數，更可看出顏師古的反切上字已有字母的傾向了。請看下表（註一三）：

顏氏聲類名稱	廣韻聲類名稱	顏音反切上字
於	影	於165 一139 烏60 乙2 伊1 迂1 焉1

弋	于	許	胡	工	口	其	五
喻	爲	曉	匣	見	溪	群	疑
弋184 羊5 亦4 以1 余1	于94 羽2	許159 火94 呼69 況7 虛5 香2	胡227 下147 戶7 乎3 湖2 衡1	工276 居182 古13 公9 九8 功3 江2 俱2 攻1 己1 紀1 久1 吉1	口80 丘72 苦14 去9 空5 邱2 起1	其99 鉅75 巨23 求5 距2 葵1 揆1 具1	五72 牛41 魚16 吾1

丁	吐	徒	乃	竹	丑	直	女
端	透	定	泥	知	徹	澄	娘
丁 143 都 3	吐 56 土 30 它 27 他 26 佗 4 託 1	徒 210 大 83 唐 1	乃 45 奴 4 能 2	竹 164 張 51 陟 2 知 1 貞 1	丑 45 敕 2	直 167 丈 43 持 2 治 1	女 56 尼 2

子	千	先	才	辭	之	尺	食
精	清	心	從	邪	照	穿	神
子196 將1	千175 七10 倉1 趨1	先108 息11 蘇2 思2 素1 索1 相1	才100 材38 在12 字6 財1 自1 疾1 祚1	辭10 似7 詳1 祥1	之222 止8 章6 征1 執1 只1	尺22 昌21 充6 赤1	食23 神1

式	上	側	初	仕	所	布	方
審	禪	莊	初	牀	疏	幫	非
式 88 試 1 失 1	上 30 時 15 十 1 常 1	側 32 莊 3 壯 2	初 29 楚 10	仕 31 士 13	所 118 山 40 數 1	必 65 布 47 彼 25 補 1 不 1	方 62 甫 26 府 1 發 1

普	芳	步	扶	莫		力	人
滂	敷	並	奉	明	微	來	日
普87 匹41 丕3 疋1 披1	芳23 敷16 妨1	步112 頻78 皮53 蒲38 平7 薄5 蒲1 白1 避1 疲1	扶193 房8 符1 防1 伏1	莫113 彌3 末1	武18 文3 舞1 亡1	力139 來59 郎20 盧15 洛3 落1 良1	人74 而13 如6 汝2

這一個顏師古音切的反切上字使用次數表，我們需要先了解兩個狀況：

第一、顏師古的聲母爲四十類，但其中由於一、二、四等反切上字和三等反切上字頗有分用之跡，所以影、曉、見、溪、疑、幫、滂、並、來諸母，尚可各分出二次類（註一四）。故反切上字必須增多以便使用。

第二、顏師古音切中僅一、二見的罕用反切上字，約佔所有反切上字百分之四十三點九。此類反切上字，或與其反切下字僅異其聲調，或與其反切下字陰入、陰陽相配，或與其反切下字僅有開合之殊，大抵皆有反切上下字諧和之趨勢，可以爲「反切諧和說」之證（註一五）。則此類反切上字之造成，乃由於追求諧和，以至於放棄採用「字母」式的反切上字，而臨時選取他字，造成反切上字之滋多。

第三、顏師古音切中除常用反切上字以外，介於常用與罕用之間的「非罕用」反切上字（註一六），亦頗有類似罕用反切上字之行徑。

綜合上述三端，如果顏師古不考慮尋求反切上下字的諧和的話，他所使用的反切上字字數一定更少。即使他多方考慮到反切的諧和，却已經是目前研究過的諸家反切中使用反切上字字數最少的人了。其反切上字使用次數表中最值得注意的是：

甲、有一類字的使用次數動輒上百，而其餘的字多不過十。

乙、有若干聲類，反切上字只有㝉㝉二、三字。

丙、反切上字只有㝉㝉二三字的聲類，其使用次數幾乎是在強烈對比下組成，如：

喻三（于）：「于」九十四次↔「羽」二次

端（丁）：「丁」一百四十三次↔「都」三次

徹（丑）：「丑」四十五次↔「敕」二次

娘（女）：「女」五十六次↔「尼」二次

精（子）：「子」一百九十六次↔「將」一次

神（食）：「食」二十三次↔「神」一次（註一七）

從這三點看來，顏師古所用的反切上字已具有字母的性質了。

我們不惜用這麼多的篇幅來引述顏師古使用反切上字的情形，是用來證明江愼修「反切之學已寓字母之理」的說法，因爲雜輯古今南北的韻書反切，反切上字繁多，似乎不足以印證江氏之說，一時一地一人之手所注音的顏師古反切，才足以爲證，事實上顏師古也正表現出一種以反切上字爲字母或類似近世「注音符號」的使用趨勢，正是「反切之學已寓字母之理」的最好說明。同時，由於顏師古漢書注成於唐貞觀十五年（西元六四一年）（註一八），又可以證明江氏所謂字母大約隋唐間精於音學者爲之的話，是略有根據的。

二、字母位定字無定說

江慎修對於三十六字母是非常重視而篤守甚謹的，因此頗受趙蔭棠的譏誚，甚至斥爲「不通」（註一九）。事實上江氏等韻之學，精妙者多，瑕疵者少。如江氏「（字母）位有定而字無定，能知其意，即盡易以他字，未嘗不可」這些話，趙蔭棠便忍不住要說他「此語甚通，蓋深知『聲値』之表現也。」（註二〇）趙氏對江氏這一類的優點，相當有慧眼，可惜誤以江氏是固陋的復古派來看待他。江氏確實是尊古的，但是絕不會主張「復古」。江愼修在論及古韻時說：「韻書……雖不能盡合於古，亦因其時音已流變，勢不能泥古違今。」（註二一）泥古違今本爲學者容易犯的錯誤，江氏有自覺的提出來，還會再犯這個錯誤嗎？他篤守三十六字母，一則是因爲三十六字母是上推古音，下究方俗後世音讀的關鍵，一則是三十六字母可以確實的擬測出音讀來，不是化石般的樣品，詳見本章第五節。本節先論其三十六字母位定字無定之說。

江愼修字母位定字無定之說，「字」指聲母標名而言，「位」則指三十六字母之排列次序，亦指其「音値」而言。江氏說：

「三十六位雜取四聲四等之字，位有定而字無定，能知其意，即盡易以他字，未嘗不可。今即三十六字，注明音切、聲、韻、音呼、等第如左：

見　古電切、去聲、霰韻、開口呼、四等、第一位。

溪　苦奚切、平聲、齊韻、開口呼、四等、第二位。

羣　渠云切、平聲、文韻、合口呼、三等、第三位。

疑　牛其切、平聲、之韻、開口呼、三等、第四位。

端　多官切、平聲、桓韻、合口呼、一等、第五位。

透　他候切、去聲、候韻、開口呼、一等、第六位。

定　徒徑切、去聲、徑韻、開口呼、四等、第七位。

泥　奴低切、平聲、齊韻、開口呼、四等、第八位。

知　陟離切、平聲、支韻、開口呼、三等、第九位。

徹　丑列切、入聲、薛韻、開口呼、三等、第十位。

澄　直陵切、平聲、蒸韻、開口呼、三等、第十一位。

孃　女良切、平聲、陽韻、開口呼、三等、第十二位。

邦　博江切、平聲、江韻、開口呼、二等、第十三位。

滂　普郎切、平聲、唐韵、開口呼、一等、第十四位。
並　蒲頂切、上聲、迥韵、開口呼、四等、第十五位。
明　眉兵切、平聲、庚韵、開口呼、三等、第十六位。
非　甫微切、平聲、微韵、合口呼、三等、第十七位。
敷　芳無切、平聲、虞韵、合口呼、三等、第十八位。
奉　扶隴切、上聲、腫韵、合口呼、三等、第十九位。
微　無非切、平聲、微韵、合口呼、三等、第二十位。
精　子盈切、平聲、清韵、開口呼、四等、第廿一位。
清　七情切、平聲、清韵、開口呼、四等、第廿二位。
從　疾容切、平聲、鍾韵、合口呼、四等、第廿三位。
心　息林切、平聲、侵韵、開口呼、四等、第廿四位。
邪　似嗟切、平聲、麻韵、開口呼、四等、第廿五位。
照　之笑切、去聲、笑韵、開口呼、三等、第廿六位。
穿　昌緣切、平聲、仙韵、合口呼、三等、第廿七位。
牀　士莊切、平聲、陽韵、合口呼、二等、第廿八位。

審　式荏切、上聲、寢韻、開口呼、三等、第廿九位。
禪　市連切、平聲、仙韻、開口呼、三等、第三十位。
曉　馨了切、上聲、篠韻、開口呼、四等、第卅一位。
匣　胡甲切、入聲、狎韻、開口呼、二等、第卅二位。
影　於丙切、上聲、梗韻、開口呼、三等、第卅三位。
喻　羊戍切、去聲、遇韻、合口呼、四等、第卅四位。
來　落哀切、平聲、咍韻、開口呼、一等、第卅五位。
日　人質切、入聲、質韻、開口呼、三等、第卅六位。
三十六母各有定位，如度上分寸、衡上銖兩，不可毫釐僭差，學者知有字母，且勿輕讀，一一考其音、明其切、調其清濁輕重，俟有定呼，乃熟讀牢記，以爲字音之準則，切法之根源（原註：如辨音未的而輕讀有差者，後遂難改）。」（註二二）

又曰：

「每立一字，即有切、有聲、有韻、有呼、有等，聲韻可考而知。呼與等，初學未易猝了，緊要在審切之上一字，以定其位。如見、古電切，溪、苦奚切，羣、渠云切，疑、牛其切，須令見與古、溪與苦、羣與渠、疑與牛，如出一音（原註：言其位等），則見

溪羣疑之四位正矣，他母倣此。」（註二三）

這些話，我們首先應該注意到「位」這個字，「位」字在江氏音學三書中常常見到，如：

「直圖删易母位，變紊七音，尤爲紕繆。」（註二四）

「群、定……凡上聲當此十位，似去而非去也。」（註二五）

「一等……通得十九位，見溪疑端透定泥邦滂並明精清從心曉匣影來也。」（註二六）

「觀其切音之上一字當何位，可知其清濁，否則入聲之清濁混而爲一音而不覺矣！」（註二七）

「上一字取同類同位，取同位同類者不論四聲。」（註二八）

「凡依音類母位取上一字者謂之音和。」（註二九）

若此者衆，大多可以把「位」字解釋爲三十六字母排列的次序，也可以認爲「位」字是指聲母的音値而言。而對於「位」字解釋最清楚的要數音學辨微辨字母中所言，即前文所引兩段文字了。一則說「三十六母各有定位」而這「定位」「如度上分寸，衡上銖兩，不可毫釐僭差」，所以對字母「且勿輕讀」，而要「考其音」「明其切」「調其清濁輕重」，以做爲「字音之準則，切法的根源」，可見「位」就是音讀，三十六字母的定位就是三十六字母的正確音値。一則說要使「見」和他的反切上字「古」讀相同的聲母，使「溪」和「苦」、「群」

和「渠」、「疑」和「牛」也讀相同的聲母，使之「如出一音」，那麼「見、溪、群、疑」這四「位」便「正」了，這「正」，當然是讀音「正」了，所以「位」字也可以解釋爲聲母的音值。

知道江氏的「位」字指排列次序也指音值而言，便可以了解他爲什麼要把三十六字母的每一個標名，註明音切、聲、韻、音呼、等第，因爲他希望這三十六個字母的標目都能讀出音來。江氏是非常重視審音的。也因爲「位」指聲母的音值，我們才略可了解江愼修把「見、溪、群、疑、端、透、定、泥、知、徹、澄、娘、邦、滂、並、明、非、敷、奉、微、精、清、從、心、邪、照、穿、牀、審、禪、曉、匣、影、喻、來、日」三十六個字母重新定名爲「第一位」「第二位」至「第三十六位」的用意。大抵是因爲「見、溪」等字皆含聲母與韻母，而所代表的實在只是聲母，恐人不能去韻存聲以得其代表之聲母音值，故以「第某位」來稱呼，好比江氏所定的古韻一樣，以「一、二、三」等序數來指稱，免去了不必要的誤解。

知道了江氏「位」字的含義，便立刻可以知道他「位定字無定」「盡易以他字，未嘗不可」的話了。再重複一次，「位定」就是字母的排列次序有定，聲母的音值也有定。知道了何位讀何音，那麼把反切上字或字母標名換成同聲母的任何字都可以，所以說「字無定」。這種以字母「見、溪」等三十六字爲音標符號的觀念，實在是非常正確的，改爲「第某位」

這種缺乏字義而純粹爲符號的作法，也很可取。

三、聲母的清濁

現代中國聲韻學者，大多以發聲時聲帶顫動的聲母爲「濁音」，以聲帶不顫帶者爲「清音」。鼻音、邊音則兩難，或以爲發聲時聲帶未顫動而不歸入「濁」，或以爲聲帶未顫而其他部位顫動，故亦歸入「濁音」。由此可知「清」「濁」之分，現代學者固有強於清儒之處，而仍未能明晰的離析二者之界限，此乃語音學上分類之困難，無怪清代以前學者的爲難了。

考察我國聲韻學上以清濁來指稱聲母之發音方法，最遲應在唐代，唐代以前也有疑似的記載。隋書潘徽傳說：

「李登聲類、呂靜韵集始判清濁，纔分宮羽。」（註三〇）

孫愐唐韵序後論云：

「切韵者，本乎四聲，引字調音，各自有清濁。」（註三一）

這些都可能是指聲母的清濁而言，而兼及於聲調的。正式細分清濁來指稱聲母的是韵鏡一類的韵圖。韵鏡的清濁分爲四類：

1. 清——幫、非、端、知、見、精、照、影。
2. 次清——滂、敷、透、徹、溪、清、心、穿、審、曉。
3. 濁——並、奉、定、澄、群、從、邪、牀、禪、匣。
4. 清濁——明、微、泥、娘、疑、喻、來、日。（註三二）

這四分法，是綜合帶音與否，器官顫動，和送氣與否而整體觀察所得，實略有淆混的感覺。但是，這清濁四分法對於聲韻學的討論，指稱上有所方便，所以後世採用者不少。江慎修對舊有清濁四分法，接受之後，又憑音理，再分出「又次清」「又次濁」「濁」三類，他說：

「見　最清　無濁
溪　次清　羣之清　轉溪爲欽轉羣爲琴
羣　最濁　溪之濁　欽爲琴清琴爲欽濁
疑　次濁　無清
端　最清　無濁
透　次清　定之清　轉透爲汀轉定爲庭
定　最濁　透之濁　汀爲庭輕庭爲汀濁
泥　次濁　無清

知　最清　無濁

徹　次清　澄之清　轉徹爲頳轉澄爲呈

澄　最濁　徹之濁　頳爲呈清呈爲頳濁

孃　次濁　無清

邦　最清　無濁

滂　次清　並之清　轉滂爲㽛轉並爲瓶

並　最濁　滂之濁　㽛爲瓶清瓶爲㽛濁

明　次濁　無清

非　最清　無濁

敷　次清　奉之清　轉敷爲豐轉奉爲馮

奉　最濁　敷之濁　豐爲馮清馮爲豐濁

微　次濁　無清

精　最清　無濁

清　次清　從之清　轉清爲樅即從爲從樅七恭切

從　最濁　清之濁　樅爲從清從爲樅濁

心	又次清	邪之清	轉心爲些即邪爲邪	
邪	又次濁	心之濁	些爲邪清邪爲些濁	
照	最清	無濁		
穿	次清	牀之清	轉穿爲瘡即牀爲牀	
牀	最濁	穿之濁	瘡爲牀清牀爲瘡濁	
審	又次清	禪之清	轉審爲羶即禪爲禪	羶式連切
禪	又次濁	審之濁	羶爲禪清禪爲羶濁	
曉	次清	匣之清	轉曉爲㒈轉匣爲銜	瞰呼衫切
匣	最濁	曉之濁	㒈爲銜清銜爲㒈濁	
影	最清	喻之清	轉影爲迂轉喻爲于	于羊朱切
喻	次濁	影之濁	迂爲于清于爲迂濁	
來	濁	無清		
日	濁	無清		

江氏把清濁分爲「最清」「次清」「最濁」「次濁」「濁」「又次清」「又次濁」七類，其中「次清」一類和韻鏡、四聲等子、切韻指掌圖等書皆同，「最清」「最濁」「次濁」大抵

就是韵鏡的「清」「濁」「清濁」，四聲等子和切韵指掌圖則作「全清」「全濁」「不清不濁」。所不同的是，江氏從「最清」十母中分出「心、審」二母爲「又次清」，從「最濁」十母中分出「邪、禪」二母爲「又次濁」（等子稱爲半清半濁），從「次濁」中分出「來、日」爲「濁」。茲撮取宋元明清音韵學家之見，草製「清濁異名比較表」於左：

清濁異名比較表

清濁二分法	清		濁	
清濁四分法	全清	次清	全濁	次濁
三十六字母	幫端精見心 非知照影審	滂透清溪 敷徹穿曉	並定從羣邪 奉澄牀匣禪	明泥疑日 微娘喻來
各家之 韵鏡	清	次清	濁	清濁
各家之 沈括夢溪筆談	清	次清	濁	不清不濁
各家之 黃公紹韵會	清	次清	濁	次濁
各家之 劉鑑切韵指南	純清	次清	全濁	半清半濁

異名及分類

	李元音切譜	四聲等子及切韻指掌圖	江永音學辨微	梁僧寶切韻求蒙	等韻切音指南	字母切韻要法	宗常切韻正音經緯圖
一	純清	全清	最清	最清	○	○	○（純清）
			又次清	次清	◒	◐◒	
二	次清	次清	次清	又次清	◎	◎	⊙（次清）
三	純濁	全濁	最濁	最濁	●	●	●（全濁）
		半濁半清	又次濁	次濁			
四	次濁	不清不濁	次濁	又次濁	◒	◐◒◐◒◒◑	◒（半清半濁）
			濁		◒○	◒○	

這個表是根據羅常培全清次清全濁次濁異名表（註三四）而增列三家，略事修改而成。由此表可以看到諸家異名之比照，亦可看出清濁之分，至江永而最細。江氏之「又次濁」也許是有見於等子與指掌圖把「邪、禪」列爲「半濁半清」，他自己的創見在「又次清」與「濁」這二類之建立。趙蔭棠批評他說：

「以『心』母與『審』母爲次清，『邪』母與『禪』母爲次濁，未免失於認識不清。」（註三五）

首先，趙氏說的「次清」「次濁」應該是「又次清」「又次濁」才對。其次，他說江氏認識不清，實在是錯的，因爲「心、審」和「幫、非、知、端、照、精、影、見」諸字母，實有不同。「心、審」是擦聲，「幫、非、知……」等八個字母是不送氣的清塞聲或清塞擦聲，清擦音通常是帶一點送氣，沒有閉塞而爆裂的現象，和不送氣的清塞聲或清塞擦聲不同，如果統統都稱爲「全清」，不免有抹煞事實的壞處。「邪、禪」和「並、奉、澄、定、牀、從、匣、群」等字母的關係，除了都是濁聲母以外，情形和「心、審」同。因此，「心、審」和「邪、禪」是應該區分出來的，趙氏說江愼修認識不清而分，正好說反了，這大概是未瞭解江氏精密的審音能力所致。

江愼修除了分出「又次清」「又次濁」之外，又從「次濁」一類分出「來、日」兩母爲「濁」類。以現在語音學來看，韵鏡「清濁」一類（亦即等子與指掌圖的「不清不濁」），包括「明、微、泥、娘、疑、喻、來、日」八個字母，分子最雜，可分爲：

鼻聲——明、微、泥、娘、疑。

半元音——喻。

邊音——來。

舌尖滚音或舌齒音——日

這四類中，「來」「日」二母在韻鏡中，在其他的韻圖中，常常是並列，或一起出現，合稱「舌齒」或稱爲「半舌」與「半齒」，可見「來」「日」有某種同類的性質。江氏嘗論及此二母說：

「來泥字之餘　半舌音　舌稍擊齶

日禪字之餘　半齒音　齒上輕微」（註三六）

又說：

「來爲半舌，舌頭泥母之餘；日爲半齒，正齒禪母之餘，然來不可以繼泥，日不可以繼禪，故別出二音，併五正音爲七也。」（註三七）

又說：

「若舌齒者，出於心肺，原於火金，……是以舌齒獨有餘聲，來爲半舌，泥母之餘，日爲半齒，禪母之餘，二聲持之於後，合爲七音，前人編定字母，如軍中士卒，什伍群隊，部署分明，截然不可亂也。」（註三八）

此三段文字，第一段已經說明了「來」「日」二母的發聲部位和發聲方法；第二段文字除重述前段要點外，強調了别出半舌、半齒而爲「七音」；第三段文字與第二段大多相同，但是，首先説明舌齒源自五行之火金，以解釋「餘聲」之產生。又以軍中部伍比喻七音分類的嚴整性。在這三段文字，我們要先考慮到「來」「日」二字母何以别出於舌音與齒音？然後再注意到「餘聲」一詞，來爲泥之餘，日爲禪之餘。所謂「餘」殆謂不能和其他發聲部位相近的字母配成套，而「多」出來的。何以會多「餘」呢？我們應該注意到「舌稍擊齶」的「稍」字，「齒上輕微」的「輕微」，「稍」和「輕微」的語意可能是相同的。合起來説，「來」「日」二字母和其他字母在發聲方法上有所不同，其他字母的發聲方法是：塞、塞擦、擦、聲帶顫動、送氣、和鼻黏膜顫動等。除去這些發聲方法，可能便是「來」「日」的發聲方法了，那就是邊聲、彈舌音、滚音（或顫音），這樣推測便可以配合「稍」「輕微」等描述發聲方法的字眼。根據本章「三十六字母的音讀」一節，我們把來母視爲〔l〕，把日母視爲〔r〕。它們都是顫聲，所以韵書多給予特殊待遇，而江氏在清濁分類時也特别另立「濁」類來安置。這是江氏審音過人之處。

江慎修爲「來、日」而特别分出「濁」類，是非常正確的，足見學問是「前出未密、後修轉精」。但是，韵鏡「清濁」類中還有一個特殊分子——「喻」母。喻母通常都以爲是零聲母，不論是否爲零聲母，它和來日二母，和鼻聲明微泥娘疑五母，發聲的方法不同，似乎應該予以區別，而江氏於此字並未特別注意到（註三九）。

江愼修先生對於清濁，雖然能夠細分爲七類，爲歷來分類最密的人，但是他並未給「清」與「濁」下個定義，只論及清濁和陰陽的關係。他說：

「清濁本於陰陽。一說清爲陽，濁爲陰，天清而地濁也；一說清爲陰而濁爲陽，陰字影母爲清，陽字喻母爲濁也。當以前說爲正，陰字清，陽字濁，互爲其根耳。」（註四〇）

很多人誤以爲這段話是江氏在說明「清、濁」的含義（註四一），事實上江氏只在推論「清濁」之源始。蓋江愼修以爲聲音之源在河圖洛書，陰陽五行乃圖書之本質，故江氏之聲韻學理論，立源於陰陽五行，詳見本書最後一章。

江氏以爲清濁與陰陽向來關係密切，或爲互相承始，或關係到調類問題。前引文是說明「陽」爲「清」之始，「陰」爲「濁」之始。在肯定這種說法以前，先引對立的兩說，此兩說各有根據。江氏在兩難之間，以爲雖然陰字爲清聲母字而陽字爲濁聲字，却不以陰爲清始，陽爲濁始，捨棄聲韻方面的思考，而以易傳天清地濁，天陽地陰爲是（註四二）。若僅止於此，則吾人不能說江氏爲有誤，然而江氏爲彌縫不憑聲母清濁而定陰陽的遺憾，便取陰陽相生之說，解釋配於濁的「陰」字，其聲母之所以屬清，是由於濁能生清；同樣的，配於清的

「陽」字，其聲母之所以屬濁，是由於清能生濁：故說：「互爲其根」。這一來，不免會令人感覺到江氏是爲了牽合二說，才勉強去解釋，減低了學說的可信度。

清濁與調類之陰陽，有非常密切的關係，聲母的清濁會影響調類，使四聲分化爲八聲、七聲、六聲、或五聲；也會使濁上轉入去聲，已詳說於前一章。

江氏的聲母清濁論，最主要的重點在「次清」配「最濁」，而不以「最清」配「最濁」。關於這個，前引江氏三十六字母清濁分配表上，已可以看到，林景伊先生中國聲韻學通論中曾經根據江慎修之意製成四十一紐清濁及發送收分配表（註四三），在那個表中，可以看出字母間清濁相配的關係。但是，林景伊先生採用四十一紐，而非江氏所論的三十六字母，所以再製一表如左：

清濁	最清（一）	次清	最濁	次濁	又次清	又次濁
牙音	見——○	溪——	羣	疑		
舌頭音	端——○	透——	定	泥		

舌上音	知—〇	徹—澄	娘	
重唇音	邦—〇	滂—並	明	
輕唇音	非—〇	敷—奉	微	
齒頭音	精—〇	清—從		心—邪
正齒音	照—〇	穿—牀		審—禪
喉音	影 —— 喻	曉　匣		
半舌音				來
半齒音				日

從這個表上，我們深知江氏是主張濁聲母送氣的，因爲他把溪母等次清字母列爲送氣，和次清相配的最濁聲母，自然也是送氣的。這種濁聲母送氣的說法，頗受到學者的支持，像洪榜

（註四四）、陳澧（註四五）、高本漢（註四六）、董同龢（註四七）、王力（註四八）等都是。但是，反對的意見也不少，有章太炎（註四九）、馬伯樂（註五〇）、李榮（註五一）、陸志韋（註五二）、周法高（註五三）、董忠司（註五四）等。贊成濁聲母送氣說的，憑藉的主要證據：

1.江、洪、陳等舊說。

2.古代濁母於現代方言中有讀爲送氣的清聲母，有讀爲不送氣的清聲，也有仍然讀爲濁聲母的，如吳語（嚴格說，是清聲濁流）。

3.在語音演變上，由送氣演變爲不送氣，總比不送氣轉變爲送氣爲自然些。

這種種的證據，都可以做爲江氏最濁聲母與次清相配的證據，但是，李榮在切韵音系中引用梵文字母對音、龍州僮語的漢語借字、和廣西傜歌等例證明濁聲母不送氣，非常有力，是江氏說的反對意見。私以爲：

甲、方言中濁聲有送氣，有不送氣，古代濁聲母演變到後代，有的是清聲母送氣，有的是清聲母不送氣，有的兼有送氣和不送氣，採用方言，可以證明中古濁聲母送氣，也可以證明爲不送氣，所以方言的證據不太有力。

乙、用語音演變的自然與否，或用是否比較說得通來做證據，都犯了一個錯誤：誤以爲現代漢語方言都是從中古標準語演變而來，而不知道也有可能直接從上古演化下來，或受了其他語言的影響。也誤以爲凡是語音演變一定完全依照某一規律，不知道演變也會有快慢，也會有例外。

丙、所謂「舊說」實在可議。像江愼修以「最濁」爲「次清」之濁，「次濁」配爲「最清」之濁，似乎和立名之本意有違：

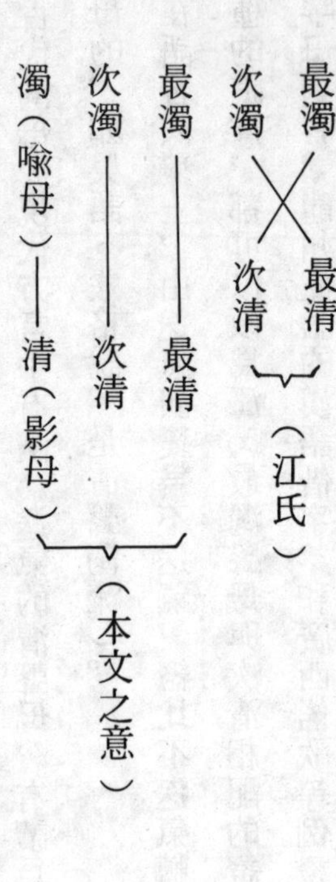

此二組之清濁相配，實在後一組比較合理。如果再看一看韻鏡清濁四分之名，四聲等子與切韻指掌圖清濁五分之名，揆其本意，可以配合如下：

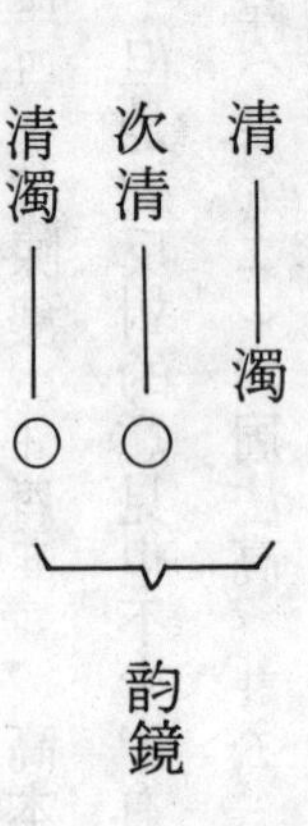

全清——全濁			
次清——○			
半清半濁——○		等子與指掌圖	
不清不濁——○			

如果韻鏡的「濁」是配「次清」的，它何不逕取名「次濁」以與「次清」相對呢？同樣的，等子與指掌圖如果「全濁」是配「次清」的，它也大可以改名爲「次濁」呀！足見舊韻圖都是以濁（或「全濁」、或「最濁」）來和清（或「全清」、或「最清」）相配，而爲不送氣的濁聲母。

丁、除了丙項爲直接的證據以外，還有一種更重要的證據，那就是唐代中葉以前的若干梵語字母之漢譯。陸志韋曾說隋唐以前譯經多用濁聲母譯梵文之不送氣濁聲母（註五五），他的觀察是對的；但是，他沒有注意到梵文送氣濁聲母的漢譯。梵文濁送聲母，漢譯時大約有幾種方法：①以「重聲」或其他文字特別說明；②以加水旁的字音譯，如「滼」字；③以加口旁的字音譯，如「唎」「嚩」等字。由此可見送氣濁聲母是漢語中所無，所以要大費周章的設計新字，要特別描寫它的發音。（註五六）

除了甲、乙、丙、丁、四端外，我們當然還可以找其他的證據來指出江愼修之說法有誤，像廣韻一字多音者，大多是最清與最濁互見便是。但憑此甲乙丙丁四端已經足夠指出濁母不可逕說是送氣了。

再進一步推論，全濁聲母通常是不送氣的，不過送氣不送氣，由於並不對立，所以沒有辨義作用，即使讀成送氣了，也沒有多大問題。可能當時在語音重讀的時候，或在去聲時，或在某些方言中，全濁聲母是讀成送氣的。正因爲因地、因狀況的不同，會讀成送氣，所以在現代方言中濁母有了種種不同的演變。

全濁（最濁）聲母是與全清（最清）聲母相配的，但是有時也與次清相配，它們的關係就像一夫配二妻一樣，一個是正室，一個是偏房。現在繪表如下：

最濁──┬──最清
　　　└──次清

這種一濁配二清的說法，勞乃宣與章太炎先生老早已經指出來了，爲了表彰彼二家之說，謹略錄他們的說法於下。勞氏說：

「古母以戛類（即不送氣）之清爲純清，透類（即送氣）之清爲次清。而濁母則無純次之別，以一濁母對兩清母。見溪與羣，端透與定，知徹與澄，照穿與牀，精清與從，邦滂與並，皆是也。以今方音考之：北方于此數濁母，平聲皆讀從透類，上去入則讀從戛類；如『羣』讀透，『郡』讀戛，『牀』讀透，『狀』讀戛之類。南方則平上去入全讀戛類；如『羣』『郡』『牀』『狀』皆讀戛之類。而有數處如江蘇之泰州如皋等處及江西皖南數郡邑，則平上去入全讀透類；如『羣』『郡』『牀』『狀』皆讀透之類。是此數濁母既可讀戛，又可讀透也。故古母以一濁對兩清。」（註五七）

章氏說：

「自來言字母者，皆以羣爲溪之濁，定爲透之濁。而見端無濁音。返讀梵文，五字爲行，二清，二濁，一爲收聲。而中土獨二清一濁一收，何以不相比類？蓋羣定等字，揚氣呼之，爲溪透之濁；抑氣呼之，爲見端之濁。今北音多揚，南音多抑。又北音平去亦有抑揚之異；如呼『羣』皆揚如溪之濁，呼『郡』則抑氣如見矣；呼『亭』皆揚如透之濁，呼『定』則抑氣如端矣。同此一母而平去異貫，則知曩日作字母者，本以羣承見溪，定承端透，非謂羣專爲溪之濁，定專爲透之濁。」（註五八）

江氏雖然沒有完全看清「最濁」聲母的音值而未以之配「最清」，但是他只算錯了一半如果前述評論不夠充分的話，江氏便完全對了。不論江氏是對是錯，他的全濁送氣說到底影響了許多學者，至今猶然，足見江學之見重於後世了。

四、聲母的發送收與別起別收

採用「發、送、收」來分析字母，說明字母的發聲方法，可能以明代方以智爲最早，他把字母分爲「初發聲」「送氣聲」「忍收聲」三類（註五九），後來江永、錢大昕、江有誥、陳澧等，便都採取了方氏的辦法。羅常培在漢語音韻學導讀中說：

「舊韻學家就聲母發音方法以釐定其種類者，自等韻之『全清』『次清』『全濁』『次濁』四類而外，以明方以智所分之『初發聲』『送氣聲』『忍收聲』三類爲最早。其後錢大昕分『出聲』『送氣』『收聲』三類；江永江有誥陳澧分『發聲』『送氣』『收聲』三類；大體均與方氏相同。洪榜分『發聲』『送氣』『外收聲』『內收聲』四類；勞乃宣分『戛』『透』『轢』『捺』四類；邵作舟分『戛』『透』『拂』『轢』『揉』五類；則與方氏微有出入。」（註六〇）

羅氏此語說得不錯，但略有小疵。他把錢大昕列於江永之前是錯誤，錢大昕說見於十駕齋養新錄（註六一），錢爲戴震之友，戴震是江永之徒，戴與錢初會時，江永已逝世，後來錢氏曾爲江戴寫傳，故錢說宜在江之後。羅氏指出江永發、送、收三類與方氏同，意指本出於方氏，此言不訛，謂江氏分為「發、送、收」三類，則實有疏漏，請先看江慎修之言。江氏說：

「三十六母之理，牙、舌、脣、齒皆三列，一位發聲，二位三位送氣，四位忍收，此牙、舌、脣之例也。送氣二位，清濁相對，發聲無濁，忍收無清。齒音亦三列，忍收獨有清，所以有心審。喉音惟有二列，清濁各相對，淺喉在外居前，深喉在內居後。」

（註六二）

這話說得很明白，試據之製成下表：

		發聲	送氣	忍收
喉	清	影（即喻之清）	曉（即匣之清）	
	濁	喻（即影之濁）	匣（即曉之濁）	
牙	清	見	溪（即羣之清）	（疑之清無字）
	濁	（見之濁無字）	羣（即溪之濁）	疑

舌頭	清	端	透（即定之清）	（泥之清無字）
	濁	（端之濁無字）	定（即透之濁）	泥
舌上	清	知	徹（即澄之清）	（孃之清無字）
	濁	（知之濁無字）	澄（即徹之濁）	孃
正齒	清	照	穿（即神之清）	審（即禪之清）
	濁	（照之濁無字）	牀（即穿之濁）	禪（即審之濁）
齒頭	清	精	清（即從之清）	心（即邪之清）
	濁	（精之濁無字）	從（即清之濁）	邪（即心之濁）
重脣	清	幫	滂（即並之清）	（明之清無字）
	濁	（幫之濁無字）	並（即滂之濁）	明
輕脣	清	非	敷（即奉之清）	（微之清無字）
	濁	（非之濁無字）	奉（即敷之濁）	微

（附註：1.喉音四母之位置是暫時措施，江氏音學辨微中未說明。

2.來日二母，江氏不列入發送收中，說見下文。）

從江氏的話和這個表看來，江氏是採用了方以智的三分法而略改名稱爲「發聲」「送氣」「忍收」，羅氏說得對，但羅氏沒看到江氏在音學辨微辨七音之末，還有一段更重要的話。江氏說：

「……見爲發聲，溪羣爲送氣，疑爲單收。舌頭、舌上、重脣、輕脣亦如之，皆以四字分三類。精爲發聲，清從爲送氣，心邪爲別起別收，正齒亦如之，此以五字分三類。曉匣、喉之重而淺，影喻、喉之輕而深，此以四聲分兩類。」（註六三）

這段話應該和論清濁的話互相參照。江氏說：

「牙音、舌頭、舌上、重脣、輕脣，皆四位三列，二三相對爲清濁，首位無濁，四位無清。齒頭、正齒，五位三列，首位無濁，二三相對爲清濁，四五亦相對爲清濁也。喉音四位兩列，一與二，三與四，各相對爲清濁也。」（註六四）

這兩段話參照來看，發送收與清濁的關係便非常清楚了。其中有兩點值得注意：①前引文所稱「忍收」，此處則有「單收」「別起」「別收」三名稱，大抵是前引文爲總名，此處爲細分之名。②喉音四母未說明屬「發、送、收」三類中那一類，但和清濁對照而言，影母是最清，當屬「發聲」，喻母與之清濁相對，似亦屬「發聲」，但喻母是「次濁」又似爲「單收」；曉母是「次清」，匣母是「最濁」，當屬「送氣」（註六五）。現在根據這些了解，再繪製清濁與發送收對照表如左：

		發聲	送氣	忍收		
				單收	別起	別收
喉	清	影（即喻之清）	曉（即匣之清）			
	濁	喻（即影之濁）	匣（即曉之濁）			
牙	清	見	溪（即羣之清）	（疑之清無字）		
	濁	（見之濁無字）	羣（即溪之濁）	疑		
舌頭	清	端	透（即定之清）	（泥之清無字）		
	濁	（端之濁無字）	定（即透之濁）	泥		
舌上	清	知	徹（即澄之清）	（孃之清無字）		
	濁	（知之濁無字）	澄（即徹之濁）	孃		

正齒	清	照	穿（即神之清）		審（即禪之清）	
	濁	（照之濁無字）	牀（即穿之濁）			禪（即審之濁）
齒頭	清	精	清（即從之清）		心（即邪之清）	
	濁	（精之濁無字）	從（即清之濁）			邪（即心之濁）
重脣	清	幫	滂（即並之清）	（明之清無字）		
	濁	（幫之濁無字）	並（即滂之濁）	明		
輕脣	清	非	敷（即奉之清）	（微之清無字）		
	濁	（非之濁無字）	奉（即敷之濁）	微		

（附註：來日二母，江氏不列入發送收中，說見下文。）

由這個表，我們可以了解江慎修對發送收的看法，比起方以智、錢大昕、江有誥、陳澧等，要精密多了，這當然是由於江慎修善於審音之功。

江慎修雖然使用了「發聲」「送氣」「忍收」「單收」「別起」「別收」這些名稱，但是，與「最清」「次清」「最濁」等名稱相同，他並沒有把這些名稱加以解說。其實不僅江愼修未解說，清代聲韻學者們，都缺乏明確的說明，只有陳澧曾說：

「發聲者，不用力而出者也；送氣者，用力而出者也；收聲者，其氣收斂者也。」（註六六）

這些話，由氣的用力與否來說明，略能補江氏之不足，但實在還未能說清楚。勞乃宣把「發送收」分爲四類，改名稱爲：「戛」「透」「轢」「捺」，他解釋道：

「音之生由於氣。喉音出于喉，無所附麗。自發聲以至收聲，始終如一，直而不曲，純而不雜，故獨爲一音，無戛透轢捺之別。鼻音舌齒諸音，皆與氣相遇而成（勞氏此處之「鼻音」，疑指牙音而言）。氣之遇於鼻舌齒脣也，作戛擊之勢而得音者，謂之戛類。作透出之勢而得音者，謂之透類。作轢過之勢而得音者，謂之轢類。作按捺之勢而得音者，謂之捺類。戛稍重，透最重、轢稍輕，捺最輕。嘗仿管子聽五音之說以狀之曰：戛音如劍戟相撞，透音如彈丸穿壁而過，轢音如輕車曳柴行於道，捺音如蜻蜓點水一即而仍離；此統擬四類之狀也。」（註六七）

勞氏和陳澧相同，扣住「氣」字來解說。並且擧四字之發音與含義，相當準確的做爲四種發聲方法的名稱，還設詞描述之。這些說明，可以看出他的費神費力，我們也多少可以揣摩到發聲之方法。但是，由於所用的術語沒有學術化、系統化、明確化，所以還無法令人確實的把握住發出這四類音的讀法（註六八）。我們如果要了解江愼修取名的意義，不如直接取其用法與清濁、三十六字母比照，比較能探得原意。上表已多少可看出端倪，今更作簡表如下：

發送收	三十六字母			清濁
發聲	見端知	幫非（影）	精照	最清
送氣	溪透徹	滂敷（曉）	清穿	次清
	群定澄	並奉（匣）	從牀	最濁
單收	疑泥孃	明微（喻）		次濁
別起			心審	又次清
別收			邪禪	又次濁
？	來		日	濁

表中影曉匣喻四母江氏不說屬於「發聲」「送氣」還是「單收」，理由大概和勞乃宣相同。蓋「發送收」等是指氣發出之後在共鳴腔中的狀態而言，喉音則爲氣所從發之處，故不能舉「發、送、收」來描述，故前表以（）號標識，並依喉音四母所屬之清濁，暫列入「發聲」「送氣」「單收」三項。至於「來」「日」二母，江氏亦未爲之指明於「發、送、收」何屬，彼二母又特別屬「濁」聲，竟無法以其清濁之名而暫定歸屬。爲什麼江氏對「來」「日」兩

母不理不睬呢？我想：來日二母在清濁分類時，本已有特殊身份，江氏定爲「濁」，殆因皆爲顫音之故，前文已曾經推論過，顫音雖會造成氣流的斷續波顫，而其波顫的氣流似爲有發有收，又略有氣流之送出，然則於「發、送、收」之所屬，誠有困難。又「清濁」與「發送收」皆爲描述聲母發聲方法而設，二者取其一，便足以説明，江氏已在音學辨微辨清濁中詳盡的説明了三十六字母的清濁關係，自然對於「發、送、收」不太措意了，只略見於辨七音與爲皇極經世的辨誤文中。既然不太措意，對「來、日」二母便没有建立專名來指稱它們的「發送收」何屬了。

雖然江愼修並未一一指出三十六字母各爲「發、送、收」的那一類，但他分爲「發聲」「送氣」「忍收」「單收」「别起」「别收」諸項，已經精密於當時其他學者了，我們如果再從上文發送收與清濁對照簡表中，詳細思索，也許可以探得江氏謹愼而系統化的用意，並且替他説出所用各名稱的内涵：

1.發聲：所謂發聲，包括見、端、知、幫、非、精、照等字母，是指發聲時發聲器官先阻塞而後突然放開，産生爆塞聲音的一種氣流現象而言。

2.送氣：所謂送氣，包括溪、透、徹、滂、敷、清、穿、群、定、澄、並、奉、從、牀等字母，是指發聲時阻塞的發聲器官驟然拉開後，附帶衝出一股氣流的現象而言。

3.單收：所謂單收，包括疑、泥、娘、明、微等字母，是指發聲時，氣流不出於口腔，而改由鼻腔外出，好像是把氣流收納到口腔內部的樣子，所以叫做「單收」。「單」字是說沒有相配的清聲。

4.別起：所謂別起，包括心、審二母，是指發聲時，氣流通過發聲器官所造成的隙縫，摩擦而出的現象。

5.別收：所謂別收，包括邪、禪二母，是指別起的濁聲而言，因爲濁聲低抑內斂，有似收音，故稱爲「別收」。

6.忍收：所謂忍收，意者蓋指發聲、送氣二類之外，合單收、別收而言，也許還可以包括「別起」。「忍」「收」二字都有氣流內斂不輕易外出之意。

這樣來替江氏解說，不知道是否符合他的意思，希望相去不遠。

此節末了，附錄改寫自羅常培漢語音韻學導論聲母發音方法異名表（註六九）的一個新表，來表示江氏發送收之分類，有優異於他家之處，而不另加說明。

改寫聲母發音方法異名表

方以智通雅切韻聲原	錢大昕十駕齋養新錄	陳澧切韻考外篇 江有誥等韻叢說	江永音學辨微	洪榜四聲韻和表	勞乃宣等韻一得	邵作舟說 勞乃宣等韻一得引	三十六字母	語音學術語
初發聲	出聲	發聲	發聲	發聲	戛類	戛類	○○ 精照 ○○○○○○ 幫非端知見影	不送氣 塞擦聲 塞聲
送氣聲	送氣	送氣	送氣	送氣	透類	透類	從牀 清穿 並奉定澄羣 滂敷透徹溪	送氣
			別起 別收	外收聲	轢類	拂類	匣審禪 曉心邪	擦聲
忍收聲	收聲	收聲	（未立名）			轢類	來 ○	邊聲
			單收	內收聲	捺類	揉類	日明微泥娘疑 ○○○○○○	鼻聲
							喻 ○	半元音

附註：羅氏原表以江永與江有誥、陳澧相同，今正。明示江永計分爲五類，而非三類，名爲「單收」而非「收聲」。

五、三十六字母的音讀

自唐末之後，研究聲韵學者，都知道有三十六字母，三十六字母乃代表中古的聲母讀音，當然必有能傳述者，但語音終究會因時因地而變，故宋元韵圖以後，言韵學者，很少能描述三十六字母之讀法者，而江愼修在清代以前的舊聲韵學者當中，算是非常突出的例外了。江氏在音學辨微辨七音中，運用非常精要的語言來描述三十六字母的發音部位，他說：

「見溪羣疑　牙音　氣觸牡牙
端透定泥　舌頭音　舌端擊齶
知澈澄孃　舌上音　舌上抵齶
邦滂並明　重唇音　兩唇相搏
非敷奉微　輕唇音　音穿唇縫
精清從心邪　齒頭音　音在齒尖

照穿牀審禪　正齒音　音在齒上

曉匣影喻　喉音　音出中宮曉匣淺喉出喉外影喻深喉出喉中

來　半舌音　音稍擊齶

日　半齒音　齒上輕微」（註七〇）

接着他又加以說明：

「每類下各標四字，所以爲審音之的；如讀「端」「透」「定」「泥」，必令舌頭擊齶；讀「知」「徹」「澄」「孃」，必令舌上抵齶；他類亦如之；如是乃能中。否則毫釐有差，失其本音矣。詳見辨疑似。「見」爲發聲，「溪」「羣」爲送氣，「疑」爲單收。舌頭舌上重脣輕脣亦如之，皆以四字分三類。「精」爲發聲，「清」「從」爲送氣，「心」「邪」爲別起別收，正齒亦如之，此以五字分三類。「曉」「匣」喉之重而淺，「影」「喻」喉之輕而深，此以四字分兩類。」（註七一）

這些話，我們至少要注意數事：

1. 七音之名本來已指示了發聲部位與方法。

2. 江氏於七音（實分十類）之下，各用四字描述發聲情狀。

3. 每類下四字口訣，只是「審音之的」。換句話說，不是詳盡的描寫，只是十類之間彼此分辨差異的要點。

4.若干夾行小字的說明，於實際音讀之體會，頗有助益。

除了在辨七音中對於發聲的部位和方法有說明外，在音學辨微書中，江氏於行文辨異之時，對三十六字母的發音，頗有言及者。如關於牙音者，曾說：

「疑、喻易混者也，疑出牙，喻出喉，本相去遠，而人於牙音之第四位，不能使氣觸牙，則以深喉呼之如怡。」云云。（註七二）

這是說牙音的部位是舌根近後牙處，故疑母易讀爲喉音喻母字。關於舌音，曾說：

「知與照、徹與牙、澄與牀，易混者也，知徹澄必令出舌上，照穿牀必令舌不抵齶，而音出正齒，則不相混矣！」（註七三）

這段話可以明白看出江氏主張知系字爲舌面前音，而照系字不一樣，照系字應該是舌尖面音或舌尖後音。關於舌音，他又說：

「泥、舌頭微擊齶，孃、舌黏齶，二母尤難辨。」（註七四）

說「舌頭微擊齶」，知道端系字是偏向齒齦的舌尖塞音和鼻音。關於輕脣音，曾說：

「非、敷至難辨者也，非發聲，宜微開脣縫輕呼之，敷、送氣重呼之，使其音爲奉之清，則二母辨矣！所必以分二音者，非對邦，敷對滂，故也。韻書如非（甫微切）、菲（芳非切）、夫（風無切）、敷（芳無切）、風（方戎切）、豐（敷戎切）、方（府良切）、芳（敷方切）、分（府文切）、芬（撫文切）、府（方矩切）、撫（芳武切），此類之字，音切不同，皆非敷之分，其辨在脣縫輕重之異，豪釐之間，若不細審，則二母混爲一矣！」（註七五）

又說：

「輕脣、重脣音每相轉，……觀四位之對轉，可知非敷必當分二母，韻書辨之詳矣！」（註七六）

又說：

「官音、方音呼微母字多不能從脣縫出，呼微如惟，混喻母矣。吳音蘇常一帶，呼之最分明，確是輕脣，當以爲法。」（註七七）

以上三條，前二條分別非敷，謂一爲發聲，一爲送氣，一爲輕呼，一爲重呼。並強調爲發音部位爲脣縫，既說是脣縫，當然就是從縫隙擦出的聲母了，正因爲是擦聲，所以非、敷二母才難以辨別，所以，江永的非敷二母音值可能是〔f〕〔f'〕。後一條說明微惟之易混，又說微應該用吳音讀它，考現代蘇州話「微」字的聲母讀〔v〕（註七八），是脣齒音，亦可證明非敷奉微四母都應該讀脣齒音，而江氏的「脣縫」是指脣齒、或類似脣齒之音而言了。

關於喉音，江氏曾說：

「影母自喉中出，……呼影母字勿動舌。」（註七九）

關於來日二母，已曾論於本章第三節，除了第三節所引江氏語以外，還有：

「……泥之舌尖擊齶，而來則舌動而不擊齶也。」（註八〇）

「日母乃禪之餘，而更輕於禪，若重呼之，混禪母矣！……揚州人呼之，口稍斂而齒齊，音出於齒，爲得其正。」（註八一）

來日二母的發聲方法此處說明得很清楚，半舌用舌發音，所謂「舌動」，「不擊齶」即所謂「半」；而半齒，江氏強調「出於齒」，而未言明如何別於齒而爲「半齒」。以半舌之來母例之，似應爲「出於齒而未重擊齒，僅輕顫於齒上」，所以是「輕於禪」。清初的方音已不可知，現代揚州地方「日」讀爲〔 ləʔ^{4} 〕，已類同於來母，而現代江北地方「日」母多有讀爲〔r〕的，所以江氏的日母應該讀成〔r〕或〔ɽ〕一類的音（詳論於後）。

有關三十六字母的發聲部位和方法，除了音學辨微辨七音的說明，已如上述，還應該結合江氏論清濁和發送收的話，一併考察，便可獲得江氏三十六字母讀音的大較。在綜合思考之前，我們還可以先搜集黃季剛先生、王力、陳新雄先生三家有關江氏辨七音的補證詮釋（註八二），然後再綜會辨析，來擇定最接近江氏的讀音。請看左列「江永三十六字母的音讀試論」：

見溪羣疑　牙音　氣觸牡牙

黃季剛先生說：「牡當是壯字之誤，然亦不了然。當云由盡頭一牙發聲，見是也，溪群稍加送氣而分清濁，疑即此部位而加用鼻之力；非鼻已收之音。」

王力說：「按當云舌根抵齶。」

陳新雄說：「牙音今謂之舌根音，以舌根與軟顎接觸而成。盡頭一牙，位近舌根，故古人謂之牙音。見爲不送氣清舌根塞音（k），溪爲送氣清舌根塞音（kʻ），羣爲送氣濁舌根塞音（gʻ）疑爲舌根鼻音（ŋ）。」

今按：牙與齒有別，齒者開口所見，牙則說文釋爲牡齒，段玉裁說文注改牡字爲壯（註八三），故黃先生說江氏之牡字宜爲壯字。此牡字殆江氏所見說文解字本然，但江氏不說「牡齒」而說「牡牙」此與說文用字不同，而其意是指牙齒之接近喉部之大牙，則可以知之。又凡人皆知，發出聲母之音，重要在舌部之活動，此「見溪群疑」四母亦不例外，而江氏要以「牡牙」來標示部位，那是因爲傳統聲韻學都把「見溪群疑」定爲「牙音」，所以要用牡牙來詮釋。他可能已經清楚的知道不是用牡牙的活動來發聲，所以沒有說「聲在牡牙」，而強調氣之觸擊部位，說「氣觸牡牙」，氣觸牡牙的話和王力「舌根抵齶」並未衝突。所以黃、王、陳三先生都說對了。江氏以爲：

見　最清　無濁　發聲
溪　次清　「羣」之清　送氣
羣　最濁　「溪」之濁　送氣
疑　次濁　無清　單收

又曾說「疑、喻易混」（註八四），喻爲喉音，故知疑母與見溪群三母之屬牙音，就是發聲部位接近喉音的舌根音（註八五），因此江永見溪群疑之音值應該如高本漢、陳新雄等諸家所擬的：

k　k'　g'　ŋ

端透定泥　舌頭音　舌端擊齶

黃季剛先生說：「此又小誤，當云舌端伸直直抵齒間，端是也，透定稍加送氣而分清濁；泥即此部位而用鼻之力以收之。」

王力說：「按當云舌擊門牙。」

陳新雄先生說：「舌頭音今謂之舌尖中音，以舌尖與齒齦接觸而成。端爲不送氣清舌尖塞音（t），透爲送氣清舌尖塞音（t'），定爲送氣濁舌尖塞音（d'），泥爲舌尖鼻音（

n〕。」

今按：端、透、定、泥四母，名爲舌頭音，這是用發聲部位來命名。江氏用「舌端」來解釋「舌頭」，意思是說「頭」字不是詞尾的「頭」（讀爲輕聲），而是頭尾的頭。「擊齶」是説明發聲方法。黃先生要把它改爲「舌端伸直抵齒間」，王力要改爲「舌擊門牙」，大概是以爲江氏的舌端觸擊部位偏上，而主張下移，已經不是江氏的意思了。只有陳新雄先生説得最接近江氏的原意，陳先生用「舌尖」解釋「舌頭」與「舌端」，用「齒齦」來解釋「齶」，都説得不錯。但是，舌尖去觸擊齒齦，部位似乎太後面而接近了「舌上」，所以臆測江氏可能是指「舌尖碰觸上齒和齒齦交接處」的「舌尖中音」。舌頭音的觸擊，用力輕微，江氏在音學辨微辨疑似中説：

「泥、舌頭微擊齶，娘、舌黏齶。」

「微」字是説舌尖接觸的面積和時間都不長，有别於「黏」的長時間、廣面的接觸。江氏又説：

端　最清　　無濁　　　發聲

透　次清　　「定」之清　送氣

定　最濁　　「透」之濁　送氣

泥　次濁　無清　單收

因此，江氏的舌頭音四母的音值，應該和高本漢、董同龢、高明、陳新雄諸家相同，擬爲：

t　t'　d'　n

但是必須說明是「舌尖中音」，舌尖輕擊齒齦或上齒齒齦交界處。

知徹澄孃　舌上音　舌上抵齶

黃季剛先生說：「此當云舌頭彎曲如弓形向裏，非抵齶也，知是也，徹澄稍加送氣而分清濁，娘即由此部位收以鼻之力。」

王力說：「按當云舌面抵齶。」

陳新雄先生說：「黃君謂舌頭彎曲如弓形向裏，似以舌上音讀今之舌尖後音。即以舌尖翻抵齒齦後接觸而成。羅常培知徹澄娘音值考亦以爲然。則知爲不送氣清舌尖後塞音（ʈ），徹爲送氣清舌尖後塞音（ʈ'），澄爲送氣濁舌尖後塞音（ɖ'），娘爲舌尖後鼻音（ɳ）。」

今按：知、徹、澄、娘四母，舊名爲舌上音，「上」字頗難解，黃季剛先生所說「舌頭彎曲如弓形向裏，非抵齶也」，其意似以爲捲舌音，亦即舌尖後音，陳新雄先生釋爲「舌尖翻抵齒齦後接觸而成」，並引羅氏知徹澄娘音值考爲證。然則王力「舌面抵齶」之說，必不爲陳氏贊同明矣！但是，江愼修曾在音學辨微辨疑似中說明泥娘二母之分別爲：「泥、舌頭微擊齶，娘、舌黏齶。」「黏」字似乎與王力「舌面抵齶」之説相合，蓋「舌面抵齶」則爲舌面音，發舌面音時，舌頭接觸硬齶的面積大，有「黏」的感覺；若爲舌尖後音，則以舌尖後碰觸硬齶，一觸即離，應不可説是「黏」。綜合江氏「舌上抵齶」與「舌黏齶」二語看來，江氏之「舌上」宜指「舌面」而言，舌面在整個舌部的上面，即語音學的舌面前；「抵齶」與「黏齶」可説成「舌面往上接觸硬齶而發出聲音」。江氏這樣的認定端透定母的發音部位，和黄氏、陳氏、羅氏不同，到底何者爲優？頗難斷定。羅氏曾就(1)梵文字母的譯音，(2)佛典譯名的華梵對音，(3)藏譯梵音，(4)現代方音，(5)韻圖排列等五端，力證舌上音是舌尖後音，但是他也頗知舌尖後音接三等介音之困難，而補充説明三等舌上音有軟化而接近舌面前音之可能，這種必要的補充，就是舌上音爲舌尖後音説的缺點。而江氏的舌上音爲舌面前音説，也有困難，舌面前音接三等介音是很順理成章的，但是，舌面前音接二等韻母，雖然可以拼合，却略有困難。兩説俱非十全十美，也許我們可以説舌上音本來是依二等三等之殊而有不同的音值，一爲接近舌尖後音，一爲接近舌面前音；只是因爲二者之分别很細，又沒有辨義作用，以致於合稱爲「舌上音」。在本文，主要的目的在指出江慎修氏的音讀，而不是論其正誤，所以只要能夠依據他的文字敍述，來推求出「舌上音爲舌面前音」便可。關於「舌面前音」的肯定，我們還可以徵引清代一位最服膺江愼修聲韵學說的黃廷鑑的說法，來證明本文沒有誤解江氏之意。黃氏說：

「知、徹、澄三母音必令舌端放空不着齦齶，而以舌之中面黏上齶用力呼之，其聲即得。與照、穿、牀三母音之空舌齊齒于齒縫中出聲音迥別。又知、徹、澄三母音出口時張脣而聲扁大；照、穿、牀三母音出口時撮脣而聲扁細。……至泥、孃二母尤難辨。江愼修云：『泥母舌頭微擊齶，孃母舌腹黏齶。』趙凡夫云：『唱泥母舌動而聲在舌端；唱孃母舌靜而聲在喉鼻。』辨泥、孃二母最精確入細。愚申之曰：唱知、徹四母皆用舌腹偈起着齶（原註，舌腹即舌之中面）用力呼之，而孃母尤重，忍收其聲自喉鼻間出之。」（註八六）

所謂「以舌之中面、黏上齶用力呼之」，與「唱知、徹四母音皆用舌腹偈起著齶」，形容舌面前者的發聲狀況，眞是明瞭。至於這些舌面前看是塞聲系列還是塞擦聲系列，並不難解決，因爲一則既爲「舌」音，二則又跟舌頭音配成一組，當然是塞聲系列了。江氏又以爲：

知	最清	無濁	發聲
徹	次清	「澄」之清	送氣
澄	最濁	「徹」之濁	送氣

可見發聲方法和舌頭音端透定泥是相同的，所以江氏此知徹澄娘四母的音值，應該是：

娘　次濁　無清　單收

ȶ　ȶ　ȡʻ　ȵ

這四個字母和照系五母同屬二、三等之聲母，而發聲部位有異，說見後文。

邦滂竝明　重脣音　兩脣相搏

黃季剛先生說：「江：邦是也；滂並稍加送氣而分清濁，明則收以鼻之力。」

陳新雄先生說：「重脣音即雙脣音，由上脣與下脣接觸而成。邦爲不送氣清雙脣塞音（p），滂爲送氣清雙脣塞音（pʻ），並爲送氣濁雙脣塞音（bʻ），明爲雙脣鼻音（m）。」

今按：幫、滂、並、明四字母，黃季剛於江氏說之外，除指出送氣與鼻音之分屬外，對於發聲方法不再說明；王力對於這四個字母也沒有異議，可見江氏「兩脣相搏」四字，已經把重脣音四母的共同特徵說清楚了。陳新雄先生的解釋和江氏的意思是相合的，這四個字母，是以下脣動向上脣，緊閉之後再突然拉開（明母爲鼻音，雙脣分開的速度較慢）所造成的音。江氏又曾說：

幫　最清　無濁　發聲

滂　次清　「並」之清　送氣

並　最濁　「滂」之濁　送氣

明　次濁　無清　單收

所以，重脣音幫、滂、並、明四母的音值應該是：

p　p'　b'　m

這四個字母和輕脣音的關係密切，見下文。

非敷奉微　輕脣音　音穿脣縫

黄季剛先生說：「江：非是也；敷奉稍加送氣而分清濁，微則收以鼻之力。」

王力說：「按當云脣齒相摩。」

陳新雄先生說：「輕脣音即脣齒音，以上齒與下脣接觸而成。非爲不送氣清脣齒塞擦音（pf），敷爲送氣清脣齒塞擦音（pf'），奉爲濁送氣脣齒塞擦音（bv'），微爲脣齒鼻音（ɱ）。」

今按：非、敷、奉、微四個字母，舊稱輕脣音，或疑其應合於重脣四字母，如李榮、周法高、高本漢、陸志韋、董同龢、王力等，但是，陳澧、曾運乾、白滌洲、黄侃、林尹、高明、陳新雄等（註八七）都劃分輕脣音和重脣音爲二類，考西元六百四十年完成的漢書注中，顏師古的反切已經很清楚的分別出重、輕脣二類，只有明、微二母略有混淆的痕跡（

八八），足見初唐已經能分辨輕脣和重脣了，而三十六字母之分立非系和幫系，正是反映這種語音現象。江氏解說重脣音時說是「兩脣相搏」，指出其用力不輕，正亦因此顯示「輕脣音」用力較輕；解說此非敷奉微四字母，說是「音穿脣縫」，「穿」是指出發聲方法爲「擦聲」，「脣縫」是指出下脣和上脣或上齒維持一縫隙而未接觸（由下文可知應該是下脣與上齒之縫），說得相當清楚。所以黃季剛先生不另外解說，王力先生和陳新雄先生逕以「脣齒音」視之，不過，陳新雄先生在說明其音讀時，另說成脣齒塞擦聲而非脣齒擦聲，他在另外一篇文章中解釋這個，說：

「高本漢認爲非f、敷f'、奉v、微ɱ。廣韻的反切，非母與敷母分得非常清楚，絲毫沒有混淆，所以f、f'的區別，似乎難以說明這種清楚的界限，錢玄同認爲非是pf，敷是pf'，奉是bv'，微是ɱ，較高氏爲合理，不過pf、pf'、bv'、ɱ在廣韻以後，很快就變成f、f'、v、ɱ。」（註八九）

陳氏的解說是對的，但江氏心目中的輕脣音四母的音值却有不同，因爲江氏曾在音學辨微辨疑似曾說：

「非、敷至難辨者也，非、發聲，宜微開脣縫輕呼之，敷送氣重呼之，使其音爲奉之清，則二母辨矣！……皆非敷之分，其辨在脣縫輕重之異，豪釐之間。」

我們由此可知：①「非」、「敷」易混，②「敷」爲送氣，「非」則不送氣。如果非敷奉微是脣齒塞擦音，那麼送氣不送氣的分別，和見系、端系、知系、照系、精系等聲母相同，都很容易辨認，不會混淆。既然江氏認爲容易混淆，強調是毫釐之間，那麼應該是輕擦聲與重擦聲（註九〇）的分別，輕擦聲是略微送氣的，重擦聲的送氣成分比輕擦聲更來得多些。換句話說二者的分別只靠送氣成分之多少而已。江氏又以爲：

非	最清	無濁	發聲
敷	次清	「奉」之清	送氣
奉	最濁	「敷」之濁	送氣
微	次濁	無清	單收

綜合而言，江氏非敷奉微四母的音值，似乎應該是

f　f‘　v　m

精清從心邪　齒頭音　音在齒尖

黃季剛先生說：「當云：音在上齒之間，精是也，清從心邪皆稍加送氣而分清濁，無收聲。」

王力說：「按當云舌靠門牙。」

陳新雄先生說：「齒頭音即今舌尖前者，由舌尖與齒尖接觸而成。精爲不送氣清舌尖塞擦

音（ts），清爲送氣清舌尖塞擦音（ts‘），從爲送氣濁舌尖塞擦音（dz‘），心爲清舌尖擦音（s），邪爲濁舌尖擦音（z）。」

今按：精、清、從、心、邪五個字母，舊稱齒頭音，江氏用「齒尖」釋「齒頭」，是把發聲的部位說得更精確。王力說「舌靠門牙」，所指部位是一樣的，陳新雄先生指爲「舌尖與齒尖接觸而成」的「舌尖前音」，更是明晰。但是雖然知道了發聲部位，到底是塞聲系列還是塞擦聲系列，却沒有說。我們可以看到舌尖前的塞聲，已有端系四母，因此精系五母便是屬於塞擦聲系列了。江氏又曾說：

精	最清	無濁	發聲
清	次清	「從」之清	送氣
從	最濁	「清」之濁	送氣
心	又次清	「邪」之清	別起
邪	又次濁	「心」之濁	別收

其心、邪二母特別取名爲「別起」「別收」，此與韵鏡之以心、邪二母爲「細齒頭音」可以互參，而擬其音爲：

ts　ts‘　dz‘　s　z

照穿牀審禪　正齒音　音在齒上

黃季剛先生說：「按當云：音在上齒根近斷處，舌尖抵此而成音，無須乎下齒，此與齒頭音之大別；莊是也；初牀疏稍加送氣而分清濁、無收聲。」

又說：「舌齒間音　江所未解。今云：舌端抵兩齒間而發音，音主在舌不在齒，然借齒以成音，照是也，穿神審禪皆稍加送氣而分清濁無收音。」

王力說：「按照系二等當云舌端捲齶，三等當云舌面摩齶。」

陳新雄先生說：「（正齒音）按此即混合舌葉音，以舌尖面混合部分與齒齦後接硬顎處接觸而成。故黃君謂音在上齒根近斷處也。莊爲不送氣清舌尖面混合塞擦音〔tʃ〕，初爲送氣清舌尖面混合塞擦音〔tʃʻ〕，牀爲送氣濁舌尖面混合塞擦音〔dʒʻ〕，疏爲清舌尖面混合擦音〔ʃ〕。」

又說：「舌齒間音者，即今舌面前音，以舌面與硬顎接觸而成。因舌面前音舌尖降抵下齒背置而不用，但以舌面發音，故音在舌不在齒也。照爲不送氣清舌面塞擦音〔tɕ〕，穿爲送氣清舌面塞擦音〔tɕʻ〕，神爲送氣濁舌面塞擦音〔dʑʻ〕，審爲清舌面擦音〔ɕ〕，禪爲濁舌面擦音〔ʑ〕。」

司按：三十六字母之照、穿、牀、審、禪五個字母，舊稱正齒音，近世聲韻學者，看到於照系二等的反切上字與照系三等的反切上字，絕不混淆，便把照系字分爲二組，一爲三等照穿神審禪，一爲二等莊初牀疏，像陳澧、黄侃等便是，幾無異說。所以上引黄、王、陳三家，都以爲江愼修之正齒音需要再加以細分爲二，至於音值，則略有不同。王力說照系二等字是「舌端捲齶」，語意未明，似乎是捲舌音，也就是舌尖後音，他的漢語音韻學中正是採用高本漢之說，把照二莊初牀疏四字母定爲tʂ、tʂʻ、dʐ、ʐ（註九一）。陳新雄先生的說法意在疏證黄侃之說，但是黄氏說「舌尖抵住上齒根近齦處」與陳氏說「舌尖面抵住齒齦後近硬齶處」似乎仍有不同。黄氏之音偏前，可以把音標寫爲tʃ、tʃʻ、dʒʻ、ʃ，但必須附加說明是「舌尖上抵齒根齒齦交接處」；也可以另外設計符號以濟國際音標之窮，例如採用ts̉、ts̉ʻ、dz̉、s̉來表示不同於ts系，也不同tɕ系。陳氏之音即國際音標之tʃ、tʃʻ、dʒʻ、ʃ。照三照、穿、神、審、禪，王力說爲「舌面摩齶」，「摩」字語意不明，而爲舌面音則顯然可知，他的漢語音韻學把照三諸聲母，擬爲tɕ、tɕʻ、dʑʻ、ɕ、ʑ（註九二），黄侃與陳新雄二先生大抵都和王力相同，只是黄氏之「舌齒間音」及其說明，和現代語音學常用的語言不同，不可逕以語音學的齒間音去解釋它。江愼修呢？江氏的正齒音到底是tʂ系呢？是ts̉系呢？是tʃ系呢？還是tɕ系呢？到底那一家說法最接近江氏之意？依江氏所謂「音在齒上」，則其音必與齒有關，那就一定不是捲舌音（舌尖後音）。此外江氏曾在音學辨微辨疑似中說：「知徹澄必令出舌上，照穿牀必令不抵齶而音出正齒。」照系又不抵硬齶，那麼就不是 tɕ tɕʻ dʑʻ ʑ，而是 tʃ tʃʻ dʒʻ ʃ 或 tʂ tʂʻ dʐʻ ʂ 了，tʂ 等符號非國際音標所有，音又極近於 tʃ tʃʻ dʒʻ ʃ，不如就把照穿牀審禪寫爲：

tʃ　tʃʻ　dʒʻ　ʃ　ʒ

這麼寫是表示正齒音爲塞擦音系列，因爲舌尖、舌面塞音已分配給端系、知系聲母，同時江氏曾以爲：

照	最清	無濁	發聲
穿	次清	「牀」之濁	送氣
牀	最濁	「穿」之濁	送氣
審	又次清	「禪」之清	別起
禪	又次濁	「審」之濁	別收

至於照二與照三之分，江氏之意殆與三十六字母相同，大概以爲照系和知系是相類的，在二等三等之別沒有辨義作用之下，即使二、三等的音值隨著二等、三等的介音與元音的不同而異，也不必新立字母。

曉匣影喩　喉音　音出中宮　曉匣淺喉出喉外　影喩深喉出喉中

黃季剛先生說：「侃案：此不了然。當云：音出喉節，正當喉節爲影喻爲：（喻爲即影之濁音）曉匣稍加送氣耳。諗之自知，後仿此。」

王力說：「接當云音出喉中。」

陳新雄先生說：「喉音直接發自聲帶，不受口鼻諸器官之阻塞者。正當喉節處，則聲門之所在。影爲喉塞音，音標爲〔ʔ〕；喻爲影之濁，喻以元音始，爲無聲母，寫作〔o〕。爲爲半元音〔j〕。曉爲清喉擦音〔h〕，匣爲濁喉擦音〔ɦ〕。擦音皆送氣。」

今按：曉、匣、影、喻四個字母，舊稱喉音。江愼修先生釋爲「音出中宮」，黃氏以爲「中宮」二字含意不明，應該說是「喉節」。其實若就江愼修音學辨微全書與其所撰「河洛精蘊」二書所言五音、五行、五官……等之分配而觀，便知「中宮」一詞之意。江氏以爲：

東	南	西	北	中
角	徵	商	羽	宮
牙	舌	齒	脣	喉
木	火	金	水	土

（註九四）

由此摘出的簡表，我們可以知道「中宮」就是「喉」，大概因爲「喉」字已經說出曉匣影喻四母的發聲部位，一時找不出其他字眼來解說，所以江氏便用「中宮」二字來代替「喉」字，以組成四字句「音出中宮」。又爲了指出曉匣二字母與影喻二字母發聲部位的不同，用夾行小字告訴我們一爲淺喉、一爲深喉。王力也不知道「中宮」便是「喉」，所以修正爲「音中喉中」，其實並無不同。解說最清楚的是陳新雄先生，以「直接發自聲帶」來指出曉等四聲母的發聲部位，但是並未注意到江氏「淺喉」「深喉」的說明。江氏謂「曉匣淺喉，出喉外；影喻深喉，出喉中。」，已見於前引，又於音學辨微辨疑似中說：「影母自喉中出，……呼影母勿動舌。」那麼，影喻二字母爲喉音無疑，而曉匣既「淺」於喉，又「出喉外」，發聲部位一定和影喻不同，也許是咽壁擦音，也許是小舌擦音，不會是舌根擦音，因爲曉匣不是牙音而是喉音。咽壁擦音或小舌擦音都在喉頸以上，到底是那一個？私意以爲「小舌音」罕見於漢語方言中，所以江氏的淺喉音，可能是咽壁擦音。江氏又以爲：

曉　次清　「匣」之清

匣　最濁　「曉」之濁

影　最清　「喻」之清

喻 次濁 「影」之濁（註九五）

所以其喉音四字母之擬音爲：

ħ ʕ ʔ ∅

h表咽壁清擦音，ʕ表咽壁濁擦音，ʔ表不送氣喉塞音，∅表零聲母，後面接三等介音〔-j-〕。但是因爲ħ ʕ兩個音標符號太少見了，書寫和打字排版都不方便，我們也可以和陳新雄先生相同，寫爲：

h ɦ ʔ ∅

來 泥字之餘 半舌音 舌稍擊齶

黃季剛先生說：「按泥餘是也。半舌者，半舌上、半喉音也；然古音實即舌頭加鼻之力而助以喉音。」

王力說：「按當云舌心黏齶。」

陳新雄先生說：「按黃君說亦不了然，江永云舌稍擊齶，則半舌者即今舌尖邊音也。即以舌尖上與齒齦接觸而不全閉塞，氣流自兩邊外洩也。來即舌尖邊音〔l〕。」

今按：來母舊稱爲半舌音，與舌音有關，故江氏註明爲舌音「泥母之餘」，而黃先生說是「半喉音」，又說「實即舌頭加鼻之力而助以喉音」，說愈多而愈繁惑，故陳氏說其意「

不了然」。不僅黃氏，王力所謂「舌心」亦不易測知其部位爲何，「黏齶」亦不明其發聲方法，亦「不了然」。事實上江氏所謂「舌稍擊齶」，已說明得比黃王二家清楚。本章第二節嘗論及來日二字母，引及音學辨微若干說明文字，如「來不可以繼泥，日不可以繼禪」之類，並且說：「所謂『餘』殆謂不能和其他發聲部位相近的字母配成套，而『多』出來的。」又說：「來日二字母和其他字母在發聲方法上有所不同，其他字母的發聲方法是：塞、塞擦、擦、聲帶顫動、送氣、和鼻黏膜顫動等。除去這些方法，可能便是來日的發聲方法了，那就是邊聲、滾聲（或顫聲、閃聲）。」來母的音值最不容易受到時間與地域的影響，應說是：

l

發聲時，用舌端與齒齦前端接觸面不動，由舌的兩緣輕顫而成聲，所以才說「舌稍擊齶」。

日 禪字之餘　半齒音　齒上輕微

黃季剛先生的音略作「原注娘字之餘，齒上輕微。」

而釋曰：「按此禪字之餘，非娘餘也；半用舌上，半舌齒間音，亦用鼻之力以收之。」

王力說：「按當云舌面鼻音。」

陳新雄先生說：「按半齒音性質最難確定，黃君既云禪字之餘，又云亦用鼻之力以收之。

則高本漢所擬日母讀〔nʑ〕者最相合。疑即舌面鼻塞音。」

今按：日母舊稱半齒音，必與齒音有關，而王力說爲「舌面」之鼻音，似不相同，舌面鼻音爲ȵ，與知系之娘母相混淆了。黃氏日母之解說，首謂「原注娘字之餘」，此恐爲字誤，江氏實指爲「禪母之餘」。次釋「半齒」爲「半用舌上，半用舌齒間音，亦用鼻之力以收之」，按半齒的日母若爲鼻音，必若娘母之爲知系之末，編列於正齒之末，現在事實上並非正齒一類，所以江氏要說「不可以繼禪」了。陳新雄先生取高本漢所擬日母〔nʑ〕的音讀來解黃氏之說，確是適切不過的了。高本漢〔nʑ〕音之擬定，也是很有見地的，但是，和江氏的看法不一致：

1. 江氏音學辨微辨疑似說：「日母乃禪之餘，而更輕於禪，若重呼之，混禪母矣！……揚州人呼之，口稍斂而齒齊，音出於齒，爲得其正。」（註九六）

2. 日爲半齒和來爲半舌，皆說是「半」。半舌用舌發音，「舌動」而「不擊齶」，乃爲「舌尖邊音」，是舌的兩緣輕顫；半齒應該有同於半舌之處。半齒與半舌都是「餘音」，在不送氣塞音、送氣塞音、鼻音之餘，所用的發聲方法，只有可能是顫音、滾音、閃音一類了。

3. 鼻聲多半與同部位的塞聲系列、或塞擦聲系列配成一組，日母不與正齒音系列相配，應該儘可能避免指爲鼻聲。

4. 江氏釋來母爲「舌稍擊齶」，用「稍」字；釋日母爲「齒上輕微」用「輕微」字，其意相類，都應爲某種顫滚的音。

江氏以爲日母容易和禪母相混，而輕於禪，禪母是濁擦聲（ʒ），那麽日母便不會是塞擦聲，因爲塞擦聲要「重於擦聲」。這個意思是説，不會是高本漢的（nʑ），事實上高氏的（nʑ）也是很不容易發出，很不自然的音。上述2.3.4.三條，把日母的音讀，導向滚音、閃音（或顫音），似乎就要説它是（r）了，但是，必需要先解決一些疑難。

第一、日母的音值，江氏屬意於揚州方音，謂其「稍斂而齒齊」，「爲得其正」。清初的方音已不可知，現代揚州地方日母之字，大多讀爲來母字，如：

日 laʔ꜄　人 ꜁lən　熱 iʔ꜄　如 ꜁lu　軟 ꜂lᵘɤ　鋭 luei꜄

其中確有如江氏所述之「稍斂」之讀法，如「軟」字，此大抵受介音（-u-）之影響，故疑江氏所聽到的音爲：

r-（→l-）

rᵘ-（→lᵘ-）

如果江氏心目中的日母字不是（r-）而是（l-），那麽如何跟來母（l-）字分别呢？足見江氏之日母音讀之爲揚州日母者，必非〔ɭ-〕，而可能是稍具合口性質的〔r-〕。

第二、在高本漢的中國音韻學研究裏，高氏在綜合各種方言的日母讀法之後，本來可以決定日母的中古音值爲〔r〕，但是他不這麼做。他說：

「在我們的表裏（按：指日母方音表）所列舉的近代日母讀音，沒有一個可以認爲跟古音相同的，這是因爲所有這些音，除去r（ɹ）之外，在唐代的聲母系統裏已經都見於別的聲母底下（疑、泥、娘、來、牀、禪等）了，所以如果仍兒而……肉這些字當初用了是這些音中之一作聲母，那早就列在這些聲母之上了。至於r吶又是跟j化反對的，所以西部的歐洲人讀俄文的軟化r很困難。那麼比方說n這個音就很難說是從r變來的了，還有一層就是r跟古代譯音也不相合。」（註九七）

這段話說得許多學者沒有異議，事實上也頗有道理。但是高氏是就中古音讀而言，本文專就江永的文字敍述尋求其心目中的三十六字母音讀，所以可以不理會高本漢之說。但爲了略解高氏之疑惑，僅就音理來指出高氏亦有偏見，而江氏說亦足資參考。r之跟j化反對，並不是絕對的。因爲一則由於r不是一成不變的讀法，它的舌位可以略高些，高到讀成〔ɭ〕，可以舌面化些，也可以略帶鼻音，在舌尖彈動之時，讓氣流部份由鼻腔外出。那麼便可以演化爲ɭ、爲ʐ、爲ʑ、爲j、爲n、爲ȵ、爲ŋ等，其演變似乎並不十分困難。一則由於高本漢自己便提到俄文中有軟化的r，又在討論文字中提到：「在揚州話裏我們遇到了一個使輔音成分格外變弱的傾向，直到r完全失去而讀成單純的o，代替了or。」（註九八）所提到的雖然是韻尾的r，但是，對於做爲聲母的韻前輔音，也可以有同樣的變化。像揚州話的「熱」字讀成〔iʔ。〕，很可能是r-弱化以至消失而類同於i，所造成的零聲母字。由此可知高氏r與j化反對之說，他自己便不十分堅確的相信。

第三、漢語方言中事實是有舌尖或舌尖後的滾音或閃音的，像國語聲母的「日」，雖然大多數人都記錄爲〔ʐ〕，但是實在帶著舌尖後滾音的成分，有些人甚至完全讀成滾音〔ɽ〕（註九九），所以像王力的漢語音韻便把「日」標音爲〔ɽ〕。這種情形，在官話中實在是值得重新觀察的，凡是記爲〔z〕〔ʐ〕〔l〕等音的，可能會有許多包含著舌尖類的滾音成分，像江北官話就有滾音〔r〕，如皐便是。當然了，漢語方言的r，和印歐語族的r是不同的，漢語方言中純粹的r是很少見的，常常帶有摩擦成分、濁音成分、和鼻音成分，這是採用〔r〕這個音標來標示漢語方言中滾音（或閃音）成分的聲母時，必須要加以說明的。

經過這樣的討論，我們可以來替江永的日母推測音值了。江氏的日母是一個輕顫的、柔軟、而略呈合口的滚音，有時可能帶一點兒鼻音成分，是可以接連三等介音的聲母，我們暫時寫成：

r

綜合以上三十六字母之討論，我們對於江愼修辨析聲音的能力、方言異讀的博聞，捨非擇是的卓見，不得不佩服，其審定音讀，雖或有不愜於今人者，但以距今兩百多年以前的學術水準而言，其審音能力之精，清代罕有其匹。

後記：在本文完成之後，看到了龍宇純先生的論照穿牀審四母兩類上字讀音大文，謂：「總結上文所提出的六點論證，無一不顯示照等四母兩類上字實際所表現的爲韵母的對立，並非二者聲母上有何不同。」云云，與本文所推測江氏之意，頗有類似，值得參看。

【附註】

註一　見顧氏音論卷下葉五下至葉十三。

註二　見江氏音學辨微葉二十二至二十七，又葉三至十八等。

註三　辨字五音法和辨十四聲例法，皆見廣韵卷末附錄。

註　四　見吳稚暉國音沿革序。

註　五　見所撰守溫三十六字母排列法之研究，國學季刊一卷三號。

註　六　見錢氏十駕齋養新錄卷五。

註　七　轉引自潘重規中國聲韻學第二章。

註　八　見張著中國音韻學史下冊第六章。

註　九　見江氏音學辨微辨字母一節。葉三下。

註一〇　見前文及趙蔭棠等韻源流，張世祿中國音韻學史、潘重規中國聲韻學、林尹中國聲韻學通論。

註一一　引自董忠司顏師古所作音切之研究第五章第五節。「諸家聲類與反切上字字數比較表」之節縮表，各聲母分別使用的反切上字字數，可查原表。

註一二　「慧琳」指慧琳一切經音義所用反切。

註一三　節引自前引書附錄三顏師古、廣韻、曹憲三家聲類與反切上字使用次數比較表。

註一四　詳見董忠司顏師古所作音切之研究第四章第一節、第二節、第八節、第九節。

註一五　見董忠司前引書第五章第六節罕見反切上字試探。

註一六　見董忠司前引書第五章第五節反切上字之常用，非罕見與罕見。

註一七　括弧內是顏師古聲類的標名，括弧上是三十六字母之名。

註一八　見董忠司前引書附錄一顏師古年譜簡編，與第六章顏師古音系試探。

註一九　見所著等韻源流第四編第一章。

註二〇　見前引書葉二九九。

註二一　見江永古韻標準凡例第十條。

註二二　見江永音學辨微辨字母葉五下～八上。江永答甥汪開岐書說：「三十六字母者，……若有心知其意者，舉三十六字盡易之可也。」也是同樣的意思。

註二三　見前引書葉八上～八下。

註二四　見江永四聲切韻表凡例第一條。

註二五　見前引書凡例第四條。

註二六　見前引書凡例第六條。

註二七　見江永音學辨微葉十三下。

註二八　見前引書葉二十二下。

註二九　見前引書葉二十三上。

註三〇　見隋書卷七十六。

註三一　見廣韻卷首所引。

註三二　詳見韻鏡三十六字母歸納助紐字和其韻圖上之編排。

註三三　見音學辨微葉十上～葉十二上，又見江永答戴生東原書。

註三四　見羅著漢語音韻學導論頁二十六。

註三五　見所著等韻源流第四編第一章。

註三六　見江著音學辨微葉九下。

註三七　見前引書葉三十六下。

註三八　見前引書葉四十三上～四十三下。

註三九　見前引書葉十一下。江氏以喻母屬次濁，爲影母之濁。

註四〇　見前引書葉十二上。

註四一　如羅常培漢語音韻學導論頁二十五。

註四二　「天」字廣韻「他前切」，透母；「地」字廣韻「徒四切」，定母：是天字爲清聲母，地字爲濁聲母。

註四三　見林著第二章第五節。

註四四　見所著四聲韻和表。

註四五　見所著切韻考外篇。

註四六　見所著中國聲韻學大綱與中國音韻學研究。

註四七　見所著漢語音韻學。

註四八　見所著漢語音韻。

註四九　見所著國故論衡。

註五〇　見羅常培漢語音韻學導論第二講2·4所引。
註五一　見所著切韻音系。
註五二　見所著古音說略。
註五三　見所撰論切韻音。
註五四　見所撰顏師古音切中之唇音聲母。
註五五　見陸志韋古音說略葉七～九。
註五六　詳見董忠司顏師古音切中的唇音聲母。
註五七　見勞氏等韻一得補編。
註五八　見章氏國故論衡音理論。
註五九　見方以智通雅卷五十切韻聲原。
註六〇　見羅氏書頁三十三。又見漢語音韻學羅常培序。
註六一　見該書卷五。
註六二　見音學辨微附錄榕村等韻辨疑正誤皇極經世韻附葉四十三上。　又江氏亦曾經用「發、送、收」之名稱，見於江永答戴生東原書，後來撰寫音學辨微才又修正。
註六三　見前引書葉九下～十上。
註六四　見前引書葉十二下～十三上。

註六五　江永曾在答戴生東原書說：「……而喉則唯有送與收」又說：「曉匣爲喉之送，影喻爲喉之收」，但此書作於初識戴氏不久，乃早期之後，與後期之音學辨微之說違異，今暫不取。

註六六　見陳氏切韵考外篇卷三。

註六七　見勞氏等韵一得外編。

註六八　關於「發送收」劭作舟和高師仲華還有更細密的分類。劭說見等韵一得所引，高師說見所著聲韵學講義，又見論中國字音的聲值擬測，分爲「冒出音」「推送音」「拂過音」「迴轉音」。

註六九　見羅著頁三十二，又見王力漢語音韵學羅常培序，後者爲簡表。

註七〇　見音學辨微葉九上～九下。

註七一　見前引書葉九下～十上。

註七二　見前引書葉十四下。

註七三　見前引書葉十五下。

註七四　見前引書葉十五上。

註七五　見前引書葉十六下。

註七六　見前引書葉十七上。

註七七　見前引書葉十七上。

註七八　見趙元任現代吳語的研究，和袁氏漢語方言概要、謝雲飛中國聲韵學大綱。

註七九　見音學辨微葉十八上。

註八〇　見前引書葉十八上。

註八一　見前引書葉十八上。

註八二　黄侃先生説見音略，王力説見漢語音韻學、陳新雄先生説見音略證補。

註八三　見段注説文解字二篇下葉二十三。

註八四　以上所引江氏語皆見本章前文所引所論。

註八五　王力漢語音韻學第一編第一章第七節謂：「其實古代所謂『牙音』就是『軟顎音』，是舌根與軟齶接觸所發的音。舌根的位置緊靠著大牙（最盡頭的牙），古人沒有覺察到實在的情形，所以才錯把舌根和軟顎所發的音當做牠們的近鄰大牙所發的音了。這種錯誤直到現代仍沒有免去，黄侃還説『牙音』就是『由盡頭一牙發聲』呢！」司案：王説是，但古人與黄侃不是「錯」而是以爲用「牙」來指稱發音部位的前後，比指爲「舌」的「根末」要確切。

註八六　見黄氏三十六字母辨。

註八七　見李榮切韻音系

周法高論切韻音

高本漢中國音韻學研究與中國聲韻學大綱

陸志韋證廣韻五十一聲類與古音説略

董同龢漢語音韻學
王力漢語史稿和漢語音韻
陳澧切韻考
曾運乾切韻五聲五十一類考
白滌洲廣韻聲紐韻類之統計
黃侃音略
林尹中國聲韻學通論
高明論中國字音的聲值的擬測
陳新雄音略證補
廣韻四十一聲紐聲值的擬測

註八八　見董忠司顏師古所作音切之研究第四章反切上字之整理。

註八九　見陳氏廣韻四十一聲紐聲值的擬測。

註九〇　此「重擦聲」，又稱爲「送氣擦聲」，是送氣成分增強的擦聲，「輕擦聲」則相對於重擦聲，是送氣成分微弱的擦聲，可以省稱爲「擦聲」。

註九一　見王氏漢語音韻學二〇四頁之紐表插頁。

註九二　同前註。

註九三　見音學辨微葉十五下。

註九四　見音學辨微葉三十一上字母配河圖圖，葉二十九下論圖書爲聲音之源，與河洛精蘊。

註九五　曉匣影喻四字母之發送收，見本章上一節。

註九六　見音學辨微葉九下。

註九七　見高本漢中國音韻學研究第三卷第十一章。

註九八　同前註。

註九九　高著中國音韻學研究第二卷第六章一八三面說：「ʐ的音質不明，在聲母地位見於四川、漢口、揚州、溫州、寧波。」ʐ的音質正因爲兼有濁擦音與滾音的性質而不易弄明白，z與l也當有不明的成分摻雜其中。

註一〇〇　見龍氏論照穿牀審四母兩類上字讀音，頁二六三。

第五章　江永的韵母論(一)

兩百多年前的江愼修在音學辨微一書中所表現的，以聲母的見解最爲突出，而韵母之辨析亦頗有足以啓示後人者，除了音學辨微之外，四聲切韵表整理今韵，古韵標準專論古韵，都與韵母論有關。今以所論龐雜，分爲二章評述之。

一、韵部與韵類

江愼修之論韵，常以廣韵爲宗，不考慮其他韵書，四聲切韵表凡例第一條說：

「此表依古二百六韵，條分縷析，四聲相從，各統以母，別其音呼等列。」（註一）

古韵標準對於廣韵之重要，更是多所敍述。古韵標準例言第五條說：

「古韵既無書，不得不借今韵離合以求古音。今韵有隋唐相傳二百六部之韵，有宋末平水劉淵合倂一百七部之韵，今世詞家習於倂韵，談韵學者亦粗舉倂韵，甚且誤以劉韻爲沈約韻。夫音韻精微，所差在毫釐間，即此二百六部者，吾尙欲條分縷析，以別音呼等第，以尋支派脈絡，況又以併韻混而一之，宜乎？」（註二）

這些話明白的指出江氏的聲韻學是以廣韻二百零六韻爲基礎所建立起來的，二百零六韻的性質和重要性也說得相當中肯，爲了建立江氏的韻母系統，下文便想不厭煩的來敍述：

㈠、二百零六韻大致是周顒、沈約、陸法言之舊。

現代的學者，都知道廣韻二百零六韻是由切韻一百九十三韻增廣而來，切韻則爲集南北朝韻書大成之作。南北朝之韻書，發始於魏李登聲類、晉呂靜韻集，至齊梁間，四聲昌明，南齊書陸厥傳稱：「永明末，盛爲文章。……汝南周顒，善識聲韻。約等文皆用宮商，以平上去入爲四聲，以此制韻，不可增減，世呼爲永明體。」又梁書沈約傳載約撰四聲譜，古韻標準例言第十一條說：「休文（沈約）蓋因李登、呂靜之聲類，周顒之四聲切韻而譜之。」是齊梁已定四聲之後，韻書多從之而以四聲劃分韻部，故江氏論二百零六韻之源始，於陸氏之前列舉了周顒、沈約，以明遠有所承，而陸法言之切韻則爲廣韻「近之所本」。江氏說：

「六朝人音學甚精，李登之聲類、周顒之四聲切韻、沈約之四聲，今雖不傳，世所傳廣韻本之唐，唐又本之隋，其源蓋自六朝創之。」（註四）

陸法言切韻一百九十三韻演進到廣韻之二百零六韻，其間歷經多次增補箋訂，以廣韻卷首所載，有：長孫訥言、郭知玄、關亮、薛峋、王仁昫、祝尚丘、孫愐、嚴寶文、裴務齊、陳道周等，此殆江氏之所知；而清末敦煌發現大批切韻殘卷，此爲江氏之所不得知，而江氏論韻書，已能以「切韻書」（註三）指稱陸法言而下之「切韻系韻書」，其見解相當正確。

㈡、二百零六韻爲綜合古今南北之書。

廣韻之前身爲切韻，切韻之爲書，非一時一地之音，切韻序已說得很清楚。所謂「因論南北是非、古今通塞，欲更捃選精切，除削疏緩。」（註四）江氏更因之而詳加解說：

1.古今通塞：古韻標準例言第十條說：「……分部列字，雖不能盡合於古，亦因其時音已流變，勢不能泥古違今。」此言於古今之取舍，猶可爲近儒之師。

2.南北是非：古韻標準例言第十條說：「……其間字似同而音實異，部既別則等亦殊，皆雜合五方之音」云云，故古韻標準一書中，多舉方音以解釋若干例外押韻現象。

3.捃選精切，除削疏緩：古韻標準例言第十條：「……剖析毫釐，審定音切，細尋脈絡，曲有條理，其源自先儒經傳子史音切諸書來。」這些話肯定了廣韻所錄切韻之有本有源，足以重視。

江氏和切韻序都以爲切韻系韻書是兼綜古今南北之音所編成的，正面說明了切韻系韻書不是一時一地之音，這本來是非常清楚的敍述，而近代學者中有許多人卻以爲是一種語音的實錄：

1. 有的以爲是長安音系：如高本漢。

2. 有的以爲是洛陽音系：如陳寅恪以爲是洛陽舊音，王顯、邵榮芬、趙振鐸等以爲是以洛陽語音爲主。（註五）

再加上唐末李涪刊誤的吳音說，諸說紛紜，使得切韻序和江氏之正說略失其影響，幸經戴震、段玉裁、章炳麟、黃侃、錢玄同、羅常培、林尹、董同龢、黃淬伯、何九盈、王力、周祖謨、陳新雄等人爲之闡述與證明（註六），顯示江氏說的領導性，若採其說，便不致於走冤枉路。

㈢、論廣韵四聲韵部和獨用通用。

江氏論廣韵二〇六韵及其獨用通用（即「同用」），多平實可取，與今日聲韵學者所公認者同其觀點。江氏說：

「世所傳廣韵本之唐，唐又本之隋，其源蓋自六朝創之。平聲五十七部、上聲五十五部、去聲六十部、入聲三十四部，凡二百有六部。分韵細入毫芒。韵之相似，如東、冬、鍾，支、脂、之，當分而不可合，必有其所以然者。唐人爲詩賦律令，定爲獨用通用，宋末劉淵遂併其通用之韵爲百有七部，詞家相沿用之，幾不知有唐韵矣。」（註七）

爲詳細表示江氏之意，便於後文之比較，茲依江氏之說，舉廣韻二百零六韻之韻目，註以獨用同用之字，排列於左：

上平聲

東一獨用
冬二鍾同用
鍾三
江四獨用
支五脂之同用
脂六
之七
微八獨用
魚九獨用
虞十模同用
模十一
齊十二獨用

上聲

董一獨用 湩鳩等字附見腫韻
腫二同用
講三獨用
紙四旨止同用
旨五
止六
尾七獨用
語八獨用
麌九姥同用
姥十
薺十一獨用

去聲

送一獨用
宋二用同用
用三
絳四獨用
寘五至志同用
至六
志七
未八獨用
御九獨用
遇十暮同用
暮十一
霽十二祭同用

入聲

屋一獨用
沃二燭同用
燭三
覺四獨用

佳十三皆同用
皆十四
灰十五咍同用
咍十六
眞十七諄臻同用
諄十八
臻十九
文二十獨用
欣二十一獨用
元二十二魂痕同用
魂二十三

蟹十二駭同用
駭十三
賄十四海同用
海十五
軫十六準同用
準十七
𧤛齔字附見隱韻
吻十八獨用
隱十九獨用
阮二十混很同用
混二十一

祭十三
泰十四獨用
卦十五怪夬同用
怪十六
夬十七
隊十八代同用
代十九
廢二十獨用
震二十一諄同用
稕二十二
齔字附見焮韻
問二十三獨用
焮二十四獨用
願二十五恨同用
慁二十六

質五術櫛同用
術六
櫛七
物八
迄九獨用
月十沒同用
沒十一

痕 二十四
寒 二十五 桓同用
桓 二十六
刪 二十七 山同用
山 二十八
下平聲
先 一 仙同用
仙 二
蕭 三 宵同用
宵 四
肴 五 獨用
豪 六 獨用
歌 七 戈同用
戈 八
麻 九 獨用

很 二十二
旱 二十三 緩同用
緩 二十四
潸 二十五 產同用
產 二十六
上聲
銑 二十七 獮同用
獮 二十八
篠 二十九 小同用
小 三十
巧 三十一 獨用
皓 三十二 獨用
哿 三十三 果同用
果 三十四
馬 三十五 獨用

恨 二十七
翰 二十八 換同用
換 二十九
諫 三十 襉同用
襉 三十一
去聲
霰 三十二 線同用
線 三十三
嘯 三十四 笑同用
笑 三十五
效 三十六 獨用
號 三十七 獨用
箇 三十八 過同用
過 三十九
禡 四十 獨用

曷 十二 末同用
末 十三
黠 十四 轄同用
轄 十五
入聲
屑 十六 薛同用
薛 十七

陽 十 唐同用
唐 十一
庚 十二 耕清同用
耕 十三
清 十四
青 十五 獨用
蒸 十六 登同用
登 十七
尤 十八 侯幽同用
侯 十九
幽 二十
侵 二十一 獨用
覃 二十二 談同用
談 二十三
鹽 二十四 添同用

養 三十六 蕩同用
蕩 三十七
梗 三十八 耿靜同用
耿 三十九
靜 四十
迥 四十一 獨用
拯 四十二 等同用
等 四十三
有 四十四 厚黝同用
厚 四十五
黝 四十六
寑 四十七 獨用
感 四十八 敢同用
敢 四十九
琰 五十 忝同用

漾 四十一 宕同用
宕 四十二
敬 四十三 諍勁同用
諍 四十四
勁 四十五
徑 四十六 獨用
證 四十七 嶝同用
嶝 四十八
宥 四十九 候幼同用
候 五十
幼 五十一
沁 五十二 獨用
勘 五十三 闞同用
闞 五十四
豔 五十五 㮇同用

藥 十八 鐸同用
鐸 十九
陌 二十 麥昔同用
麥 二十一
昔 二十二
錫 二十三 獨用
職 二十四 德同用
德 二十五

緝 二十六 獨用
合 二十七 盍同用
盍 二十八
葉 二十九 帖同用

添 二十五	忝 五十一	㮇 五十六	帖 三十
咸 二十六 銜同用	豏 五十二 檻同用	陷 五十七 鑑同用	洽 三十一 狎同用
銜 二十七	檻 五十三	鑑 五十八	狎 三十二
嚴 二十八 凡同用	儼 五十四 范同用	釅 五十九 梵同用	業 三十三 乏同用
凡 二十九	范 五十五	梵 六十	乏 三十四

此表錄自戴震考定廣韵獨用同用四聲表（註八），戴氏爲江氏之弟子，戴氏說：「獨用同用之注，則唐初許敬宗所詳議，以其韵窄，奏合而用之者也。」（註九）其言又本之唐封演聞見記，封氏說：「隋陸法言與顏、魏諸公定南北音，撰爲切韵，凡一萬二千一百五十八字，以爲文楷式，而先仙刪山之類，分爲別韵，屬文之士，共苦其苛細。國初許敬宗等詳議，以其韵窄，奏合而用之，法言所謂欲廣文路自可清濁皆通者也。」（註一〇）江氏所見亦與封、戴二氏同，所以說：「唐人爲詩賦律令，定爲獨用通用。」強調韵部是承襲六朝以來的審音傳統，有二百零六部，分屬四聲；如果從唐代當時的實際使用情形著眼，則要取乎獨用同用之標注。江氏的音學著作，都是意在辨析聲韵，所以取二百零六韵而不取歸併通用的韵部。

此二百零六韵，分屬四聲，但四聲相承而韵部不齊：平聲五十七韵，上聲五十五韵，去聲六十韵，入聲三十四韵。江氏爲這種現象加以解釋。他說：

「平聲五十七部，上聲少二部者，冬臻無上也。或謂腫韻之湩字是冬之上聲，然古人既未立部，則亦不敢增，仍從舊『覩勇切』爲腫之四等。」（註一一）

又說：

「去聲獨有六十者，臻無去，少一部，祭泰夬廢無平上，又多四部也。」（註一二）

又說：

「……余別爲之說曰：平上去，入聲之轉也，一轉爲上，再轉爲去，三轉爲入，幾于窮，僅得三十四部，當三聲之過半耳。窮則變，故入聲多不直轉，變則通，故入聲又可同用。除緝合以下九部爲侵覃九韻所專，不爲他韻借，他韻亦不能借，其餘二十五部諸韻，或合二三韻而共一入，無入者間有之，有入者爲多，諸家各持一說，此有彼無，彼有此無者皆非也。顧氏之言曰：『天之生物，使之一本，文字亦然。』不知言各有當，數韻同一入，猶之江漢共一流也，何嫌于二本乎？」（註一三）

江氏以爲四聲是互相承轉的，其韻部數目不齊是特殊現象。其論平上二聲之不齊，指出是少了冬之上與臻之上。因古未立部，故亦仍舊而不妄增。江氏又進一步指出「湩」爲冬之上聲，此爲可以確立之論點，而江氏以「或謂」的型態提出來，此乃是一種不輕易自是的謹嚴態度，事實上，提出「湩」爲冬之上聲的是廣韻自己。廣韻在上聲二腫韻末「湩」字下說：

「都鵃切，濁多也。此是冬字上聲。」（註一四）廣韻此註語應該是承襲自切韻，因爲敦煌切韻殘卷王二上聲二腫韻也是同樣的註爲「冬之上聲」（註一五）。此冬之上聲不僅只有「湩」字，還有「莫湩切」的「鵃、胧」二字，江氏未提及。又江氏湩字之切語作「覩勇切」，反切上字與廣韻不同。「覩」字當古切，端母，與「都」字異而聲同，殆據集韻「腫、覩鵃切」（註一六）而改。

江氏之論平去之不齊，指出臻之無去與祭泰夬廢之無平上。這說法是非常平實的，故江氏不另加說明。祭泰夬廢之無上去，可能是上古去聲演進速度較慢所致。臻字之無上去，是由於字少而不另立韻部所致（註一七）。

關於平去二聲韻部之不齊，多以爲入聲專配陽聲之故，而江氏則倡爲「數韻同一入」之說，一入分配於數韻，入聲韻部固不必多，因此只有三十四部，說詳本章「數韻同一入」節。

㈣、一韻部析爲數類。

韻部析至二〇六之多，爲文之士每苦其苛細，而此韻部還不是最精細的聲韻單位，唯能就二百零六韻再加細分的，江氏以前實罕有所見。至江氏而洞見分析之跡，於是便加以細分其韻「類」，後來清末陳澧聲類、韻類之研究成果，都是由於江氏先闢榛蕪，才能有所得。

江氏說：

「平聲五十七部、上聲五十五部、去聲六十部、入聲三十部，四部凡二百有六部，分韻細入毫芒，韻之相似如東冬鍾、支脂之，當分而不可合，必有其所以然者。……此表爲審音，必用舊韻；不止用舊韻而已，一韻之中復細分之，多者至五六『類』，合四聲凡百有四類，音韻于是始精密。」（註一八）

「夫音韻精微，所差在毫釐間，即此二百六部者，吾尚欲條分縷析，以別音呼等第，以尋支派脈絡」云云（註一九）

廣韻二百零六韻，不計四聲，可得六十一韻系，而江氏所分析的韻類，多出四十三類，計有：

江永一百零四韻類表

編號	平聲韻類	上聲韻類	去聲韻類	入聲韻類	開合等第
1	東一（註二）	董一	送一	屋一	合一
2	東二	董二	送二	屋二	合三
3	冬		送	沃	合一
4	鍾	腫	用	燭	合三

5	6	7	8	9	10	11	12	13	14	15
江	支一	支二	支三	支四	脂一	脂二	之	微一	微二	魚
講	紙一	紙二	紙三	紙四	旨一	旨二	止	尾一	尾二	語
絳	寘一	寘二	寘三	寘四	至一	至二	志	未一	未二	御
覺		昔一		昔二	質一	術	職一	迄	物	藥一
（註二）	開	開	合	合	開	合	開	開	合	合
二	三	三	三	三	三	三	三	三	三	三

16	17	18	19	20	21	22	23	24	25	26
虞一	虞二	模	齊一	齊二					佳一	佳二
麌一	麌二	姥	薺						蟹一	蟹二
遇一	遇二	暮	霽一	霽二	祭一	祭二	泰一	泰二	卦一	卦二
藥二	燭	鐸一	屑一	屑二	薛一	薛二	曷	末	麥一	麥二
合	合	合	開	合	開	合	開	合	開	合
三	三	一	四	四	三	三	一	一	二	二

27	28	29	30	31	32	33	34	35	36
皆一	皆二			灰	咍		眞一	眞二	諄
駭				賄	海		軫一	軫二	準
怪一	怪二	夬一	夬二	隊	代	廢	震		稕
黠一	黠二	鎋一	鎋二	沒	德一	月一	質一	質二	術
開	合	開	合	合	開	合	開	合	合
二	二	二	二	一	一	三	三	三	三

37	臻			櫛	開	二
38	文	吻	問	物	合	三
39	殷	隱	焮	迄	開	三
40	元一	阮一	願一	月一	合	三
41	元二	阮二	願二	月二	開	三
42	魂	混	慁	沒	合	一
43	痕	很	恨		開	一
44	寒	旱	翰	曷	開	一
45	桓	緩	換	末	合	一
46	刪	潸一	諫一	黠一	開	二

47	刪二	潸二	諫二	黠二	合	二
48	山一	產	襇	鎋一	開	二
49	山二			鎋二	合	二
50	先一	銑一	霰一	質三	開	四
51	先二	銑二	霰二		合	四
52	先三	銑三	霰三	屑一	開	四
53	先四	銑四	霰四	屑二	合	四
54	僊一	獮一	線一	薛一	開	三
55	僊二	獮二	線二	薛二	合	三
56	蕭一	篠一	嘯一	屋五 錫一	開	四

57	58	59	60	61	62	63	64	65	66
蕭二	宵	肴	豪一	豪二	歌	戈一	戈二	戈三	麻一
篠二	小	巧	晧一	晧二	哿	果			馬一
嘯二	笑	效	號一	號二	箇	過			禡一
錫二	藥三	覺	鐸二	沃	曷	末			麥三
開	開	開	開	開	開	合	開	合	開
四	三	二	一	一	一	一	三	三	二

67	麻二	馬二	禡二	麥四	合	二
68	麻三	馬三	禡三	陌一	開	二
69	麻四	馬四	禡四	陌二	合	二
70	麻五	馬五	禡五		開	三
71	麻六	馬六	禡六	昔三	開	三
72	陽一	養一	漾一	藥一	開	三
73	陽二	養二	漾二	藥二	合	三
74	唐一	蕩一	宕一	鐸一	開	一
75	唐二	蕩二	宕二	鐸二	合	一
76	庚一	梗一	敬一	陌一	開	二

77	78	79	80	81	82	83	84	85	86
庚二	庚三	庚四	庚五	庚六	耕一	耕二	清一	清二	青一
梗二	梗三	梗四	梗五	梗六	耿		靜一	靜二	迥一
敬二	敬三	敬四	敬五	敬六	諍		勁一	勁二	徑一
陌二	陌三		陌四		麥一	麥二	昔一	昔二	錫一
合	開	合	開	合	開	合	開	合	開
二	三	三	三	三	二	二	四	四	四

	平	上	去	入	開合	等
87	青二	迥二	徑二	錫二	合	四
88	蒸	拯	證	職一	開	三
89				職二	合	三
90	登一	等	嶝	德一	開	一
91	登二			德二	合	一
92	尤一	有一	宥一	屋三	開	三
93	尤二	有二	宥二	屋二	開	三
94	侯	厚	候	屋一	開	一
95	幽	黝	幼	屋四	開	四
96	侵	寑	沁	緝	開	三

97	98	99	100	101	102	103	104
覃	談	鹽	添	嚴	咸	銜	凡
感	敢	琰	忝	儼	豏	檻	范
勘	闞	豔	㮇	釅	陷	鑑	梵
合	盍	葉	帖	業	洽	狎	乏
開	開	開	開	開	開	開	開
一	一	三	四	三	二	二	三

以上計一百零四類，如果較以廣韻韻類，自可得知江氏韻類析分之特點。關於廣韻韻類，諸說紛紜（註二三），若不計重紐，大抵以林尹、高明二先生爲近實。林、高二先生皆析爲二百九十四韻類，不計四聲，則爲九十類，與韻鏡、七音略之韻類相近。江愼修先生則多了十

四個韵類，計爲：

廣韵韵類	江氏韵類
支韵二類	支韵四類
虞韵一類	虞韵二類
先韵二類	先韵四類
蕭韵一類	蕭韵二類
豪韵一類	豪韵二類
麻韵三類	麻韵六類
庚韵四類	庚韵六類
蒸韵一類	蒸韵二類
尤韵一類	尤韵二類

江氏所多出的十四類，除蒸韵二類以開合之異而分之外，其餘大概都是根據今韵中之古韵成分而分。换句話説，一般所分析之韵類，是依二百零六韵之開合等第而析分，江氏則更著眼於古今，故韵類數目多於别人。

㈤析分韵類的觀點

江氏自述劃分韻類有三個觀點，他說：

「凡分韻之類有三：一以開口合口分，一以等分，一以古今音分。」（註二四）

(1)所謂「以開口合口分」，是就廣韵韵部一韻之兼含開合二類者，析之爲二類。江氏說：

「韵有有合口無開口者，有有開口無合口者，有兩韵一開一合者；此外，則一韵之中，率有開合，須分之；有開合相間不可分者，惟江講絳覺一類；又有平上去皆開口，而合口獨見于入聲者，亦別出之，職韵之洫域是也。」（註二五）

此條把以開合析分韵類的情形，說得很清楚，這些含有開、合口韵類的韵部有：

支、脂、微、齊、祭、泰、佳、皆、夬、眞、元、刪、山、先、仙、戈、痲、陽、唐、庚、耕、清、青、蒸、登（以上舉平以賅上去入）

等二十五個韵系，其中需要稍加注意的是「眞」韵，詳見本章「開合論」一節。

(2)所謂「以等分」，是就廣韵韵部一韻中兼含不同等第之韵類而析分之。江氏說：

「一韵有止一等者，有全四等者，有兩三等者。全四等則別出一等爲一類，其餘以三等爲主，二等與四等附之；有兼二等、三等、四等者，亦以三等者爲主，二四附之。凡二等附三等者，必照穿牀審四位也。有三四兩等者，視其字之多少，或以四附三，或以三附四；有二等兼一等者，以一附二，皆於韵首標明。」（註二六）

所謂「於韵首標明」是指四聲切韻表上，凡兼該他等者，必於每韵類之首標明某音有某等字，如三等東韵類之前標以「正齒有二等字、齒頭四等、喻母四等」，此種以等分韵，並有標註的，計有：

東、戈、麻、庚（舉平以賅上去入）

未以等第分韵，而有標註者，計有：

鍾、江、支、脂、之、魚、虞、祭、皆、夬、咍、眞、諄、殷、删、先、仙、宵、麻、陽、庚、清、蒸、尤、侵、鹽等（舉平以賅上去入）

凡此，詳見本章「四等論」一節。

(3)所謂「以古今音分」，是就廣韵韵部一韵中之字，於古音有不同來源，依其古音通某韵而分，江氏說：

「音韵古今有流變，韵書所定，皆其流變之音，古音則不盡然。一韵中有别出一支與他韵相通，如尤韵有通支，支韵有通歌，虞韵有通尤侯，庚韵有通陽唐，字之偏旁亦可辨。若槩以今音表之，則古音不見，故特立分古今一例，支、虞、先、蕭、豪、麻、庚、尤，各有分出之類以從古，切音仍舊以從今。他韻亦有古今異音之字，如東韵之『風』古通侵，『弓』『雄』古通蒸登，軫韻之『牝』

『敏』。厚韻之『母』，古通旨。此類字不多，且從今音列之，別有古韻標準詳之。」（註二七）

江氏此段話極精審。蓋切韻系韻書本兼論古今南北，而未周盡，韻圖之爲物，以韻鏡、七音略而言，既主韻書的音系，也是兼包古今之作，而古今之跡難明，故江永於析分韻類時，特承切韻支脂之三分之餘緒，更進而析出「支、虞、先、蕭、豪、麻、庚、尤」諸韻之古通他韻者，其業雖然尚待後人大力繼續從事，而他的用心，他的啓發，實在値得重視。江氏這麼做，並不是混古今韻爲一談，而是想在韻類的析分中，表現一些古今韻的分別，因爲他是頗知「音韻古今有流變」的。

江氏以古今音分出的韻類，擧出如下：

江氏韻類名稱	古通某韻	字例	
支三	此類古通戈果過	平	嬀虧　箠鬌　陂披皮縻　㢆隨　腄吹垂　麾爲　羸
		上	彼被靡　髓　捶箠　蔿　累　蕊
		去	僞　詖帔髲　吹　睡　爲　累

部	此類古通	聲	字
虞二	侯厚候尤 有宥	平	拘區劬愚　株貙廚　孚瓿　諏趨須　朱樞芻雛輸毹殊　呴俞 婁　儒
		上	拘寠　拄柱　府腐侮　取聚　主數　豎　煦傴　庾　縷　乳
		去	句遇　駐住　付附務　足趣聚　注戍數樹　煦嫗諭　屨　孺
		入	挶曲局玉　斸亍躅　幞　足趣粟俗燭觸贖束蜀　旭欲　錄 辱
先一	眞軫震	平	堅牽　顛田年　編蠙眠　千先　祆賢煙　憐
		上	殯泯　扁　銑
		去	牽　殿瑱電　徧　薦倩荐先
		入	吉詰佶　必匹苾蜜　垤七疾悉　故一逸　栗

韻部	說明	平	上	去	入
先二	此類古通眞軫震	元淵	畎犬　絢鉉	眩	
蕭一	此類古通尤有宥韵中之通侯厚候者	條　蕭　聊	篠　蓼	篠　嘯	滌惄　戚寂肅
豪二	此類古通侯厚候	鼛尻翱　裯陶猱　褒橐袍　遭曹騷　牢	皓考　禱討道腦　保抱媢　早草皁嫂　好皓襖　老	告　道臑　報　抱冒　造　好奥嫪	

部	古通	聲	字
		入	告酷擢　篤毒㑂　僕　熇鵠沃
麻一	此類古通歌哿箇	平	加齣涯　奓麻　樝叉查沙　了
		上	趶打　佤　絫　蓙笅槎灑　啞
		去	駕　㿼　汊　罷　溠瘥嗄　亞
		入	莋　格啞
麻二	此類古通戈果過	平	佽　撾　髽　䜌
		上	冎髁瓦　蓙　䶥　矬葰踝
		去	宺　諮
		入	劐　剨獲　矱
麻三	此類古通	平	家牙　茶拏　巴葩琶葩　呀霞鴉

模姥暮鐸	上	假雅　奼䟭絮　把跁馬　鮓　下	
	去	嫁髂訝　咤詫　霸帊把禡　詐乍　罅暇	
	入	格客額　磔坼宅搹　伯拍白陌　窄酢索　赫垎	
麻四	此類古通模姥暮鐸	平	瓜誇　花華蛙
		上	寡跨　觟摦
		去	坬胯　化華摦
		入	虢劃　砉獲
麻六	此類古通魚語御藥	平	罝査邪　遮奢闍　邪
		上	苴且寫　者撦捨社　野
		去	借笡藉瀉謝　柘射舍　夜

韻部	說明	聲調	字
		入	踖籍舄夕　摭斥射釋石　掖
庚一	此類古通唐蕩宕鐸	平	庚阬　趟瞠棖　祊烹彭盲　傖　亨行
		上	梗　併[illegible]猛　杏
		去	更　榜孟　行
		入	格客額　礫坼宅搦　百拍白陌　窄齰索　赫垎
庚二	此類古通唐蕩宕鐸	平	觥[illegible]　横
		上	礦
		去	横
		入	虢劃　砉獲
庚三	此類古通	平	京卿鯨迎　兵明　英

韻部	古通	聲調	字
	陽養漾藥	上	境　丙皿　影
		去	竟慶競迎　柄病　映
		入	戟隙劇逆　虩
庚四	此類古通陽養漾	平	兄
		上	憬憬　永
		去	詠
尤一	此類古通之止志職	平	丘裘牛　謀　不　尤
		上	久臼　否婦　有
		去	舊　富　宥
		入	牧　福服　郁昱

以上摘錄自四聲切韵表中言明「古通某韵」者，其析分之根據，多有參考形聲字的聲符之處。除了這些以外，還有一韵中有一二古今音異之字，如東韵之風字等，因字少，不足爲一韵類，故不爲特立一韵，前引江氏文言之詳矣！

綜合江氏分析韵類的觀點，我們可從四聲切韵表摘出「標註四聲切韵表一〇四韵類表」於後，以爲本章之結尾（見本章第五節）。

二、開合論

語音中之開合觀念，應早於韵書韵圖。昔東郭郵之形容「莒」字音，說是「口開而不閫」（註二八），所謂「開」「閫」當即「開」「合」。淮南子高誘註與釋名亦多「籠口」「閉口」「横口合脣」「踧口開脣」這些詞語，來描摩口脣的形狀（註二九），但是都不是「一種系統的標準」（註三〇）。到韵鏡時，每圖標以「開」「合」「開合」，七音略每圖標註「重」「輕」（註三一），可見韵圖中開合之用，已成系統。切韵指掌圖檢例上辨獨韵與開合韵例說：「總二十圖，前六圖係獨韵，應所切字不出本圖之內，其後十四圖係開合韵，所切字多互見。」更明白的指明開合之兩分，而事實上韵分開合，自陸法言切韵已然，如咍灰之分韵便是，顏師古漢書注中的反切，也能嚴辨開合（註三二）。不過對於開合的定義，能精確而周延的，頗不多見（註三三），唯江愼修之論開合，最爲明確可用。

江氏之論開合，見於音學辨微與四聲切韵表，二書必合而觀之，始見其全。他在音學辨微辨開口合口一節中，開宗明義說：

「音呼有開口合口，合口者吻聚，開口者吻不聚也。」（註三四）

所謂「吻」，說文解字訓爲「口邊」，或从肉从昏作「脗」（註三五），蒼頡篇：「吻，脣兩邊也。」（註三六）江氏此吻字，殆指雙脣而言。「吻聚」就是圓脣而且縮聚，「吻不聚」就是不圓脣，也就是現代所謂「有介音u爲合口，無介音u爲開口」。江氏這個定義相當明確。

廣韵二百零六韵，有因開合的不同而分爲兩韵的，有一韵而有開合兩類的，情形不一。江氏說：

「韵有全合無開者、有全開無合者、有兩韵一開一合者，此外則一韵中，率有開合兩類，又有一韵中開合相間者，唯江講絳覺四韵，牙音重脣喉音開口呼，舌上正齒半舌合口呼也。」（註三七）

又說：

「韵有有合口無開口者，有有開口無合口者，有兩韵一開一合者。此外則一韵之中率有開合，須分之。有開合相間不可分者，惟江講絳覺一類。又有平上去皆開口，而合口獨見于入聲者，亦別出之，職韵之洫域是也。入聲又有可開可合者，屋沃兩韵是也，屋在東爲合口，在蕭尤侯幽則爲開口，沃在冬爲合口，在豪皓號分出之䪨晧告則爲開口。又有開口借者，藥鐸兩韵是也，藥之腳、卻一類，從陽之姜羌者本開口，而魚之合口亦借之。鐸之各字一類，從唐之岡、豪之高者，本開口，而模之合口亦借之，則變例也。」（註三八）

這兩段話分別由音學辨微與四聲切韵表錄出，二者大體相同，只有詳略之異，綜合說來，常見的開合韵部之外，他特別強調了一些特殊現象：

(1)開合相間而不可分者。如：江（註三九）。

(2)別出合口而爲入聲者。如職韵之洫域諸字。

(3)可開可合者。如：屋（在東爲合，在蕭、尤等爲開。）沃（在冬爲合，在豪之䪨爲開）。

(4)開口借者。如藥之腳卻一類，鐸之各字一類。

常見的開口現象，江氏曾列舉其詳，茲錄之如左：

「開口呼 臻韵亦開口 惟有正齒音

江江　羈支　飢脂　姬之　機微　佳佳　皆皆　該咍　緊平聲○眞　斤殷　鞬元　根痕　干寒　姦刪　閒山　堅先　甄仙　澆蕭

驕宵　交肴　高豪　歌歌　迦戈　嘉麻　姜陽　岡唐　庚庚　京庚　耕耕　頸平聲○清　經青　兢蒸　縆登　鳩尤　鉤侯　樛幽

金侵　弇覃　甘談　檢平聲○鹽　兼添　劍平聲○嚴　緘咸　監銜　凡凡　爹無首位字者用端母字○麻　罽祭　蓋泰　犗夬○此皆無平上者用去聲字

合口呼

公東　弓東　攻冬　恭鍾　椿江　嬀支　規支　龜脂　癸平聲○脂　歸微　居魚　俱虞　孤模　圭齊　媧佳　乖皆　瑰灰　麏眞

均諄　君文　絭平聲○元　昆魂　官桓　關刪　鰥山　涓先　勬仙　戈戈　瓜麻　恇平聲○陽　光唐　觥庚　洞清　䵃平聲○耕　扃青

肱登　傾無首位字者用溪母字○清　劌祭　膾泰　夬夬○此皆無平上者用去聲字　厥月○此亦無平上而去聲廢韻亦無首位字者用入聲字」（註四〇）

以上計九十二韻類，圓括弧內註以廣韻韻目，此九十二韻類各舉每類首位字爲代表。所謂「首位字」，即四聲切韻表上每韻類排列於最前面的見母字，沒有首位字便以其他聲母的字爲代表字。此代表字，可以視同韻類的名稱。

從江氏這些韻類開合的說明中，我們可以看到他的開合觀，和今人大多相同（註四一），其中稍稍值得提出的是：

(1)蕭宵肴豪列爲開口（韻鏡分列爲開、合二圖）。

(2)侵覃談鹽添咸銜嚴凡列爲開口（韻鏡以侵與談銜嚴（部分）鹽凡爲合口，其餘爲開口）。

(3)東、冬、鍾、江、魚、虞、模爲合口（韻鏡以東爲開，冬、鍾、江爲開口，以魚爲開，虞、模爲開合。）

(4)祭、泰、夬皆開合二類，而廢韻只有一類（韻鏡分廢韻爲開合二類。）

(1)(2)其實並沒有什麽特别，因爲江氏已認定無介音〔u〕的是開口，蕭宵肴豪並無合口介音，雖然韻尾是〔u〕，自然不得歸爲合口類。侵等九個唇音韻尾的韻部，以〔m〕收尾，或稱爲閉口音，但介音並不是〔u〕，當然不可歸爲合口類。江氏説：

「侵寢沁緝以後，九類三十六部，列之韻末，詞曲家謂之閉口音，細審之，亦不甚當，今從舊標開口，此皆有開口無合口者也。」（註四二）

(3)以東、冬、鍾、魚、虞、模爲合口類，或以爲介有〔u〕音，或以爲其主要元音，或以爲乃後元音，江氏於此未進一步説明（唯江韻之開合已説明於前文）。(4)未析廢韻爲二類，與林尹、高明二先生同，而韻鏡則有二類。韻鏡以廢韻「廢、計、刈」三字爲開口類，餘字爲合口類（廢字開合兩見）。考廣韻「計」字屬霽韻，廢字方肺切屬合口類，然則廢韻開口類便只有「刈」字了。刈字之同聲符字像「艾𧰶鴱餀疫」等字皆開口類字，七音略亦爲開口之字，所以「刈」字屬開口類無疑。但是刈字廣韻音「魚肺切」，肺字可與合口類反切下字系聯爲一，此即江氏不爲之析立爲一韻類之緣故，非江氏疏忽所致。

江氏於辨析開合之末，言及方音開口合口相亂之現象，他說：「方音呼開口合口有相混者，如呼巾似斤，戈似歌，光似岡，王似黃，以合爲開；該根哀恩，以開爲合，皆非正也。」（註四三）此爲方言音訛所致，若今之北平讀戈爲歌〔꜀kɤ〕，讀巾爲斤〔꜀tɕin〕，閩南讀光爲岡〔꜀kɔŋ〕，讀根爲〔꜀kun〕，讀恩爲〔꜀un〕，蘇州讀王爲〔꜁ɦuɒŋ〕與黃同音，雙峯讀該爲〔꜀kue〕，讀哀爲〔꜀ue〕（註四四）：此皆於廣韵韵部韵類無關，此處不深論。

江氏論開合之語皆精，唯有一處曾導致趙蔭棠誤會，而實際不誤者。趙氏說：

「他在七辨開口合口上說：『開口至三等，則爲齊齒，合口至四等，則爲撮口。』可見他對於韵的開合，仍不出明清派的四呼範圍。」（註四五）

趙氏所引江氏之語，見於音學辨微，趙氏據此所做的推論，是否可靠呢？我以爲江氏的話可以解釋爲：「韵圖或廣韵的開口而又屬於三等者，到明清之後演化爲齊齒；同樣的，合口而又屬於四等的，到明清之後演化爲撮口。」如果是這樣去理解江氏，趙氏的推論便爲無根之言了。其實趙氏如果看到江慎修在四聲切韵表凡例第二十三條的話，他恐怕便不會如此草率的批評了。江氏在四聲切韵表上是這麼說的：

「開口至三等則爲齊齒，合口至四等則爲撮口，今從舊止分爲開口合口，不標齊齒撮口。俗又有卷舌混呼等名目，皆意造也。」（註四六）

江氏在這段話中把「舊」與「俗」分開來，而以齊、撮與俗之卷舌混呼並列，另從舊而分開合，意思是相當清楚的，趙氏誤矣！

三、四等論

「四等」這個名稱，最遲在唐代末年便已有了。敦煌韻學殘卷中，編號P二〇一二的唐末守溫韻學殘卷（註四七），載有「定四等重輕兼辯聲韻不和無字可切門」與「四等輕重例」，足見四等的正式起用一定是在唐代末葉之前，而又可知道四等是以韻母而論的，四等的韻母也許可用由重而輕來描述。江慎修先生對於四等的解說，當然不會是見到這敦煌殘卷而受其影響，但是在解說四等時，實有相類之處。這相類之處，也多少見於宋元韻圖。宋元韻圖中的韻鏡與七音略二書，四十三圖的每一個圖於分出四聲之外，還分出四位，雖不名之爲「等」，但是實有四等之實。至於四聲等子書中，便明白的標出「四等」之名。「四等」在唐末以來便成爲討論聲韻的重要觀點，也是韻圖之所以能成書的最主要因素。「四等」曾經是古代聲韻的重要成分，後人卻大多不瞭解，以致於許多門法因之滋繁（註四八）。這是由於聲韻的變遷使隔代如異族異域，也由於當時定立「四等」的學者沒有對這名稱加以解說所導致的結果。門法的滋繁，術語的妄亂，都無法使「四等」讓人明白。解說清楚的，恐怕只有江愼修先生了。江氏說：

「音韻有四等：一等洪大，二等次大，三四皆細，而四尤細，學者未易辨也。」（註四九）

江氏這句話，後代的學者幾乎沒有異議，尤其在高本漢、羅常培、王力，董同龢、……等人接受江說之後，學者更加服膺，可以看出江說之精確而通達。

在許多贊成的意見之外，只有高元非議江氏。高元說他「不能驗諸口舌」，但他又說宋元的四等是以「音節」來分的，說「大抵一等音節最低，二等稍高，三等更高，四等最高。」高氏說：

「我國說音理的，往往以音節與音勢混，以小音勢表高音節，以大音勢表低音節。左傳：『大不踰宮，細不過羽，』即其重證。這麽一說，那江氏洪細之說，又適與我的說吻合了。音節之順序大抵合後韵最低，以漸下降，而至於開後韵，以次就到中韵，再次就到前韵，而前韵則先由開前韵，漸次到合前韵爲最高。宋元四等之說，其次序亦略仿此。大抵一、二兩等屬於後韵或中韵，三、四兩等屬前韵，而一、四兩等舌之位置，又大抵比較二、三等高。」（註五〇）

不論西洋語音學中對「音節」有多少種說法（註五一），在中國語言裏一音節是由聲和韻兩部份組成的。詳細一點說，除了零聲母字之外，一個音節可以有聲母、介音、元音、韻尾、聲調五部份。高元氏的「音節」一詞不能有所確指，他選用「音節」一詞，本來就不妥當，但是如果能用來指「舌位」，還可原諒，他卻說到「開前韵」「合前韵」「合後韵」「開後韵」，韵至少包含元音和韵尾，「開、合」則是介音問題，可見「音節」不純粹是指舌位而言，這眞叫人爲難了。但是高元氏的說法，他自己說和江氏吻合，只要把高元氏的「音節」二字改爲「舌位」，那麼舌位的高低便是江氏洪細四等的最好解說了。足見高氏非議的只是江氏不能驗諸口舌一端而已，而江愼修是不是不能驗諸口舌呢？個人以爲江氏對自己所細分的包含古韵成分的一百零四韵類，也許眞的「不能驗諸口舌」，而對四等之分則能以實際音讀示範，一如能示範並且描述「開」「合」、三十六字母的音讀，以及辨别各地方音的精要一般，只要再三研讀江氏音學辨微等書，必知此言不虛，也一定能知道江氏自稱審音之功勝過顧氏的自信所在。

江氏論四等時「洪」「細」，當然不是純粹的「無介音（-i-）」和「有介音（-i-）」之分别，恐怕是指舌位的低、高而言，也許是兼指主要元音的舌位和有否細介音而說的。近代諸聲韵學家，在採用江氏四等說之下，各有擬音。今取豪肴宵蕭（不計其重紐）之擬音於左，以便比較：

（諸家四等擬音比較表）

擬音諸家	一等	二等	三等	四等
高本漢	ɑu	au	i̯æu	ieu
董同龢	ɑu	au	jæu	jɛu
李榮	ɑu	au	iæu	eu
王力	ɑu	au	ɛu	ieu
陸志韋	ɒu	ɐu	iɛu	ɛu
馬丁	ɑu	ɛu	iɛu	ieu
浦立本	ɑu	au	i̯eu	eu
周法高	ɑu	au	iæu	iɛu
李方桂	ɑu	au	jæu	ieu

（註五二）

討論韻母的四等，當然要周全的照顧到開合、韻尾、與舌位前後高低與四等的關係等方面，但爲了討論上的簡要，選擇豪肴宵蕭四韻來討論與四等關係最密切的介音和元音問題。前表所列諸家韻尾都是〔u〕，而一等與二等之不同，大抵是後元音與前元音（陸爲央元音）之不同；三等都有細介音，而主要元音都比二等韻要略高；四等則歧異較大，李榮、陸志韋、浦立本主張不要細介音，其餘諸家則有細介音，陸志韋和浦立本的四等主要元音是和三等相同的，其餘則把主要元音擬測得比三等要高些。綜合說起來，四等的表現，各家都用舌位的後低與前高來表現，又多用介音的有無來分別一、二與三、四等。如果依江愼修「一等洪大、二等次之、三四皆細、而四尤細」的話來審察諸家的擬音，在一、二等方面，諸家皆已符合「洪大、次之」的說法；而三、四等方面，三、四等皆擬有細介音的高本漢、董同龢、王力、馬丁、周法高、李方桂等人，最符合「三、四皆細」的說法，把四等主要元音擬定得比三等高的，也符合了「而四尤細」的說法。翻過來說，江氏對四等的解說，頗符合現代聲韻學者的擬音，可見古今中外，心同理同。但論者也許要說：現代的聲韻學家論四等，能兼及介音和主要元音，江氏則略嫌籠統。這話說得也對，但只是知其一不知其二。因爲介音和元音在語音的演變道路上，常常是携手同行，一起演變的，像國語 ian 的變爲 jɛn。所以江氏的四等說籠統的包含介音和元音，是可諒解的。

江慎修先生的四聲切韻表上每圖四欄，每欄必註明於四等何屬，內容摘要如下：（舉平以賅上去入）

一等——東一、冬、模、泰一、泰二、灰、咍、魂、痕、寒、桓、豪一、豪二、歌、戈一、唐一、唐二、登一、登二、侯、覃、談。計二十二韻類。

二等——江、佳一、佳二、皆一、皆二、夬一、夬二、臻、删一、删二、山一、山二、肴、麻一、麻二、麻三、麻四、庚一、庚二、耕一、耕二、咸、銜。計二十三韻類。

三等——東二、鍾、支一、支二、支三、支四、脂一、脂二、之、微一、微二、魚、虞一、虞二、祭一、祭二、廢、眞一、眞二、諄、文、殷、元一、元二、仙一、仙二、宵、戈二、戈三、麻五、麻六、陽一、陽二、庚三、庚四、庚五、庚六、蒸一、職二、尤一、尤二、侵、鹽、嚴、凡。計四十五韻類。

四等——齊一、齊二、先一、先二、先三、先四、蕭一、蕭二、清一、清二、青一、青二、幽、添。計十四韻類。

以上計一百零四韻類，其四等的安排，完全和韻鏡、七音略相同，可見是遵守舊說而定，表現出謹愼而不苟作的態度。

在四聲切韻表中，每一韻類標明等列，足以看出四等是用來分辨韻母的，但是，趙蔭棠先生卻說江氏所說四等洪細不在於韵。他說：

「四等之辨，頗似近今等韵學者之解釋，然細按之，則大不相同。他說『辨等之法，須於字母辨之』，可見他所說的洪細，不在於韵。」（註五三）

趙氏以爲江愼修的洪細之辨不在於韵，而在於聲母，這眞是天大的寃枉。除了四聲切韵表所標等列，足以證明趙氏之誤以外，在音學辨微「辨等之法，須於字母辨之」一句話的上下文，與該章節所論四等之言，皆足以說明江氏並未主張四等洪細之辨是指聲母而言，而是說從韵母分辨四等有困難時，要從該韵類字母的出現狀況來判定。爲了詳細說明，請再引用已見於上文的一段話。江愼修說：

「音韵有四等：一等洪大，二等次大，三、四皆細，而四尤細，學者未易辨也。辨等之法，須於字母辨之。」（註五四）

這段話中首指四等爲音「韵」所有，並未指「聲」而言，末句所謂「辨等之法，須於字母辨之」等話，承接「學者未易辨也」之後，江氏的意思應該是：「韵母的四等，學者很難分辨，（這是因爲古今音變的緣故，）但是，辨别四等的方法，可以從有跡可尋的字母上去追尋。」當然了，這樣子來理解江氏的話，如果能再找其他證據，便會更取信於人。江氏在「辨等」上，說了很多話，至少有以下幾句話，可以看出「等」「字母」在名詞的運用上是對立的。

江氏說：

「凡二等，有通一韻爲二等者，可得十九位，若非通一韻爲二等，則前後無字，惟有照穿牀審之位，蓋岐出三等以爲二等之正齒也。」（註五五）

「凡牙音有羣母者，必三四等。」（註五六）

「凡一韻有兼四等者，有三等、二等者，有止一等者，俱詳四聲切韻表。音學必能辨等，乃見前人立母之精當，分韻分部之詳密，苟未能然，愼勿輕著音韻之書也。」（註五七）

這一類話，在音學辨微中很多，都可以看到江氏處處拿字母和四等對立分用，並且指點讀者看到某種字母的狀況，便可斷定是何「等」（詳見下文）。足見江氏的「洪大」「次之」「皆細」「尤細」的話，是指韻母而言，不指字母（聲母）而言。當然了，韻母細介音的存在，多少是會影響到聲母的音讀的。

關於江氏「洪」「細」之分，本文還想指出音學辨微一書的另外一種特別的稱呼，江氏說：

「凡舌頭、齒頭者，非一等即四等，以粗、細之別。」（註五八）

「凡舌上非二等即三等，亦有粗細。」（註五九）

這二句話，不可以爲粗、細，是專指聲母的，江氏之意宜乃兼指聲與韵而言。正因爲兼指，所以不用「洪、細」而改用「粗、細」。分別言之，「洪」「粗」義別，渾而言之，「洪」即是「粗」。

關於藉字母來辨別四等之法，江氏使用了許多話來説明，在音韵學叢書本的音學辨微一書中，有「等位圖歌」，有詳細説明，有重點强調。先列出等位圖歌：

〔等位圖歌〕

重脣牙喉四等通，
輕脣三等獨來同。
舌齒之頭一四等，
照穿知徹二三中。
一二等無羣與喻，
一等無邪二無禪。
有禪三等有邪四，
三雖無匣日音全。（註六〇）

這首等位圖歌，有二處難解：⑴「獨來同」，⑵「日音全」。如果「輕脣三等獨來同」解釋爲「只有來母和『輕脣三等』相同」，「三雖無匣日音全」解釋爲「三等雖然沒有匣母，而日母是四等全有的」，那麽便和等位圖（見下表）來母四等俱全，日母只見三等有異。關於這個現象，陳新雄先生曾解釋說：

「次句，輕脣三等獨來同，來母俱四等，此句『來』字疑爲『日』字之誤，『日』僅俱三等與輕脣同，文義正順。若然，則末句爲來字之誤。疑『來』『日』二字，係後人顧及仄聲，而互換，至意多齟齬。」（註六一）

這樣來解釋，便和江氏的等位圖相合了。除了陳先生的解說以外，我們還可以把第二句和末句解釋爲：

「輕脣是三等，只有來母和重脣牙喉相同，是四等俱全的。」（第二句釋文）

「匣母見於一、二、四等，三等雖然沒有匣母，但是有了另外的三等日母相配，便四等齊全了。」（末句釋文）

這樣解釋似乎也略可通，不過和前一種解說都有缺乏證據之憾。考借月山房彙鈔本音學辨微，八辨等列一節，等列圖之後，立刻接上說明文字，並無等列圖歌附列於等列圖之後。借月山房彙鈔本是音學辨微最早的刻本，爲其他各本之祖，已述於第三章第三節中，足見難以索解、與等列圖矛盾的等列圖歌，是後人刊刻時摻入者，非江氏的文字，應該置之一旁，不用去探討。

等位圖和圖後的說明文字是一體的，江氏前後分列，不足以看出二者的關係，今合併製成圖表如下：

〔等位圖說表〕

等位圖	說明〔江氏原文（註六三）〕
一等　見溪●疑　端透定泥　邦滂並 明　精清從心●　曉匣影●來●	一等有牙、有喉、有舌頭、無舌上、有重脣、無輕脣、有齒頭、無正齒、有半舌、無半齒，而牙音無羣，齒頭無邪，喉音無喻，通得十九位：見、溪、疑、端、透、定、泥、邦、滂、並、明、精、清、從、心、曉、匣、影、來也。
二等　見溪●疑　知徹澄孃　邦滂並 明　照穿牀審●　曉匣影●來●	二等有牙、有喉、有舌上、無舌頭、有重脣、無輕脣、有正齒、無齒頭、有半舌、無半齒，而牙音無羣，正齒無禪，喉音無喻，亦通得十

	九位：見、溪、疑、知、澄、徹、孃、邦、滂、並、明、照、穿、牀、審、曉、匣、影、來也。
三等　見溪羣疑　知徹澄孃　邦滂並明　照穿牀審禪　曉●影喻（註六二） 正齒二等　照穿牀審●	三等有牙、有喉、有半舌半齒、有舌上、無舌頭、有正齒、無齒頭，而脣音不定，或有重脣，或有輕脣，喉音則無匣母，通得二十二位：見、溪、羣、疑、知、徹、澄、孃、照、穿、牀、審、禪、曉、影、喻、來、日，及脣音之四母也。
四等　見溪羣疑　端透定泥　邦滂並明　精清從心邪　曉匣影喻來●	四等與一等同，有牙、有喉、有舌頭、無舌上、有重脣、無輕脣、有齒頭、無正齒、有半舌、無半齒，而牙音有羣，齒頭有邪，喉音有喻，亦通得二十二位：見、溪、羣、疑、端、透、定、泥、邦、滂、並、明、精、清、從、心、邪、曉、匣、影、喻、來也。

這一長表還不夠清楚，可以再轉化爲以下諸圖：

	牙音				舌頭音				舌上音				重唇音			
一等	見	溪	●	疑	端	透	定	泥					邦	滂	並	明
二等																
三等																
四等																

	牙音				舌頭音				舌上音				重唇音			
一等																
二等	見	溪	●	疑					知	徹	澄	孃	邦	滂	並	明
三等																
四等																

	牙音				舌頭音				舌上音				重唇音			
一等																
二等																
三等																
四等																

	牙音				舌頭音				舌上音				重唇音			
一等																
二等																
三等	見	溪	羣	疑					知	徹	澄	孃	邦	滂	並	明
四等																

	牙音				舌頭音				舌上音				重唇音			
一等																
二等																
三等																
四等	見	溪	羣	疑	端	透	定	泥					邦	滂	並	明

半舌音	喉音				正齒音					齒頭音					輕脣音			
來	●	影	匣	曉						●	心	從	清	精				

半舌音	喉音				正齒音					齒頭音					輕脣音			
來	●	影	匣	曉	●	審	牀	穿	照									

半舌音	喉音				正齒音					齒頭音					輕脣音			
					●	審	牀	穿	照									

半舌音	喉音				正齒音					齒頭音					輕脣音			
來	喻	影	●	曉	禪	審	牀	穿	照						(微)	(奉)	(敷)	(非)

半舌音	喉音				正齒音					齒頭音					輕脣音			
來	喻	影	匣	曉						邪	心	從	清	精				

（一等等位圖）（二等等位圖）（正齒二等等位圖）（三等等位圖）（四等等位圖）

以上五圖皆依江氏名爲「等位圖」，「等」指四等「位」指字母（詳見第五章），其三十六字母的排列次序，完全依照江氏四聲切韻表上的次序，也和音學辨微的辨七音、辨字母中的字母相同。

在上列五圖中，首先要注意的是江永這些表不是要敍述「一等韻」「二等韻」「三等韻」「四等韻」中所出現的字母，而是要敍述那些字母出現在一等？那些出現在二等？那些出現在三等？那些出現在四等？以及某些特殊狀況。所謂特殊狀況是：

1.出現二等的，除了「二等等位圖」所列的情況之外，還有出現「照、穿、牀、審」的，如「正齒二等等位圖」。江氏說：

「凡二等有通一韻爲二等者，可得十九位，若非通一韻爲二等，則前後無字，唯有照穿牀審四位，蓋歧出三等以爲二等之正齒也。」（註六四）

2.「三等等位圖」中「非敷奉微」四字母用圖括弧特別標記，是因爲這四字母和「邦滂並明」四母幾乎不同時出現。江氏說：

「……而脣音不定，或有重脣，或有輕脣。」（註六五）

又說：

「凡重脣一二三四等皆有之，輕脣必三等。凡三等脣音，輕重不兼，有輕脣而復有重脣之明母者，間有數韵，三等之變例也。」（註六六）

又說：

「凡三等脣音，輕重不兼，有輕脣而復有重脣明母者，唯尤韵之謀字，屋韵之目牧等字，腫韵之鴆字，三等之變例也。古韵風字方愔切，入侵韵，侵韵已有重脣，而復有輕脣，亦此類。」（註六七）

這些說明，也許表現了脣音的特殊現象與古今演變有關，也許表現了江氏心思的細密，而最主要的是指示了輕、重脣的互補。

除了上述四等的等位圖及特殊狀況，可以由出現哪些字母來斷定是哪一等之外，江氏還指出其他的秘訣：

甲、凡牙音有羣母者必三四等。（原註：歌韵一等有翗字、渠何切，俗字俗音也，今不取。）

乙、凡有舌頭、齒頭者，非一等即四等，以粗細別之。

丙、凡舌上，非二等即三等，亦有粗細。

丁、凡邪母必四等，禪母、日母必三等。

戊、凡喻母必三四，而四等爲多。

己、凡半舌一二三四皆有之。（註六八）

這些秘訣雖然不是百分之百可靠，但是比用等位圖來判斷要來得容易得多，這些秘訣可以說是等位圖的要點提示。

四、「數韵同一入」與「入聲有轉紐」

「數韵同一入」是江愼修先生的重要學說，而「入聲有轉紐」是「數韵同一入」的先行條件，先有「入聲有轉紐」的現象，才有「數韵同一入」的發現。

什麽叫做「入聲有轉紐」呢？江氏並未正面解說，我們只能從江氏的文字加以歸納求取。江氏說：

> 平上去韵多，入聲韵少，入聲有轉紐，或二三韵共一入也。詳四聲切韵表。一字轉三聲者，惡哀都切惡烏路切惡烏各切；轉四聲者，厭一鹽切厭於琰切厭於豔切厭益涉切。（註六九）

這段話似乎把「入聲有轉紐」和「二三韵共一入」（即「數韵同一入」）二者等齊而觀，事實上並不如此，二者是有分別的。所舉的例子，似乎是殊聲別義的現象，我們把它排列如下：

平	上	去	入		平	上	去	入					
惡哀都	○	惡烏路	惡烏各	→	影模	○	影暮	影鐸	→	ʔo˧	○	ʔo˨˩˦	ʔok˦
猒一鹽	猒於琰	猒於豔	猒益涉	→	影鹽	影琰	影豔	影葉	→	ʔiɛm˧	ʔiɛm˥˩	ʔiɛm˨˩˦	ʔiɛp˦

（註七○）　（註七一）

從這兩個例子，可以看到江氏擇例之精，所取的都是「影」母（或稱「紐」）字，第一例和第二例介音、主要元音分別都一樣，表示所謂「轉紐」和聲母、介音、主要元音無關，而與聲調、韻尾有關。江氏又說：

「字母用仄聲者，可轉爲平聲以審之：見爲堅，透爲偷，定爲廷，徹爲梴丑延切，並爲瓶，奉爲逢，照爲昭，審爲深，曉爲曉，匣爲銜，影爲英，喻爲俞，日爲人是也。梴與徹，銜與匣，人與日，似不叶者，梴捵丑善切○丑戰切徹，銜檻胡黤切覽胡鑑切匣，人忍刃日，入聲有轉紐故也。」（註七二）

又說：

「上去之濁有轉音，入爲聲之窮，更不能轉濁聲甚似清聲。心邪、審禪、曉匣、影喻之清濁尤易混，或轉平上去以審之，或借方音以審之。」（註七三）

字母讀音的審辨，仄聲不如平聲之明晰，所以要轉讀爲平聲，或爲入聲轉爲平上去，或爲上去轉爲平，主要都是聲調的改易，逢入聲則要再加上韵尾的同類轉換。見堅、透偷、定廷、徹梴、並瓶、奉逢、照昭、審深、曉曉、匣銜、影英、喻俞、日人等，都是例子，如果覺得上下二字不相似，江氏建議由平聲，先轉上聲，再轉去聲，三轉入聲，如：

梴平丑延切 → 搌上丑善切 → ○去丑戰切 → 徹入

銜平 → 檻上胡黤切 → 覽去胡鑑切 → 匣入

人平 → 忍上 → 刃去 → 日入

這樣來轉讀，便不會感覺到彼此的音讀相去太遠。江氏所舉的例子都只有四聲不同（入聲字韵尾也不同），可見「入聲有轉紐」是說「入聲有轉爲其他三聲的可能」。

入聲之轉紐，又有「直轉」與「不直轉」之分，所謂「直轉」是指四聲相轉於入聲只需加上韵尾，而不用改易韵尾者；反之，四聲相轉時，要改易韵尾的，便非直轉了。江氏說：

「……不知入聲有轉紐，不必皆直轉也。曷不即侵覃九韵思之乎？侵寢沁緝、猶之真珍震質、清靜勁昔、青迥徑錫、蒸拯證職也，覃感勘合、談敢闞盍、猶之寒旱翰曷、桓緩換末也，鹽琰豔葉、添忝㮇帖、嚴儼釅業、猶之先銑霰屑、仙獮線薛也，咸豏陷洽、銜檻鑑狎、凡范梵乏、猶之刪潸諫黠、山產襉鎋、元阮願月也，推之他韵，東董送屋、唐蕩宕鐸、亦猶是也。如必以類直轉，乃爲本韵之入，則此九韵不能轉入矣。緝承侵，合承覃，不亦猶呂嬴黃羊乎？入聲可直轉者，惟支脂之微數韵耳。（註七四）

這一段話指出「侵」以下九個雙唇鼻音韵尾的韵部，配有「緝」等九個雙唇塞音韵尾的韵部，正足以看陽聲韵都應該要有相配的入聲韵，這是「不必皆直轉」的例子；支脂之微等陰聲韵之配以昔質職迄等入聲韵，則爲「直轉」的例子。

「入聲有轉紐」說，既以陽聲韵配轉入聲韵者爲不直轉，陰聲韵配轉入聲韵爲直轉，那麼一個入聲韵便可以配轉陽、陰聲韵了，江愼修當時並沒有陰聲韵、陽聲韵的名稱，所以他便把入聲韵兼配陰、陽聲韵的現象叫做「二三韵同一入」或「數韵同（共）一入」，而不是「陰陽同入」，「陰陽同入」的稱呼是戴震以後的事（註七五）。

江氏「數韵同一入」的說法，是針對顧炎武音論中「入爲閏聲」和「近代入聲之誤」二條而提出來的，比較顧江二家的說法，可以看出江氏參酌與修正創發的痕跡。顧氏說：

「詩三百篇中亦往往用入聲之字，其入與入爲韵者，什之七，入與平上去爲韵者，什之三。以其什之七而知古人未嘗無入聲也，以其什之三而知入聲可轉爲三聲也，故入聲、聲之閏也，猶五音之有變宮變徵而爲七也。」（註七六）

詩經入聲的用韵情形，給予顧氏「入轉三聲」的啓示，也因此而啓發了江氏「入聲有轉紐」

說。顧氏又說：

「是以審音之士談及入聲，便茫然不解，而以意爲之，遂不勝其舛互矣。茲旣本之五經，參之傳記，而亦略取說文形聲之指，不惟通其本音，而又可轉之於平上去，三代之音久絕而復存，其必自今日始乎？」（註七七）

「本之五經」「參之傳記」「略取說文形聲之指」三個途徑，可以得知入聲轉平上去三聲的脈絡，但此說尚且簡陋，到江永便精密了。江氏說：

「數韵同一入，非強不類者而混合之也。必審其音呼，別其等第，察其字音之轉，偏旁之聲，古音之通，而後定其爲此韵之入。即同用一入，而表中所列之字，亦有不同，蓋各有脈絡，不容混紊，猶之江漢合流而禹貢猶分爲二水也。」（註七八）

江氏提出的「審其音呼」「別其等第」「察其字音之轉」「（察其）偏旁之聲」「（察其）古音之通」五個途徑，比顧氏三途徑具體而實用多了。其中「（察其）偏旁之聲」就是「顧氏所說的「略取說文形聲之指」，這種利用諧聲偏旁來考索古音，是很值得重視的，後來段玉裁便徹底利用這個辦法整理出古十七部諧聲表，得到了極大的稱譽。

關於「一音之自爲流轉」與「入配陰聲」（註七九）的關係，顧氏說：

「夫平之讀去，中中、將將、行行、興興；上之讀去，語語、弟弟、好好、有有；而人不疑之者，一音之自爲流轉也。去之讀入，宿宿、出出、惡惡、易易，而人疑之者，宿宥而宿屋（司按：此處意謂上一「宿」字屬「宥」韻，下一「宿」字屬「屋」韻，以下類推），出至而出術，惡暮而惡鐸，易寘而易昔。後之爲韻者，以屋承東，以術承諄，以鐸承唐，以昔承清，若呂之代嬴，黃之易羋，而其統系遂不可尋矣。或曰：『平嬴而入詘，固有三平而共一入者。』是殆不然，夫古人之制字，必有所從來，以文相立，以聲相協，在乎此者不得移乎彼，所謂天之生物也，使之一本：夫文字則有亦有然者也。若曰他部可承三代傳經之文，何無一出於彼者乎？故歌戈麻三韻舊無入聲，侵覃以下九韻舊有入聲，今因之，餘則反之。」（註八〇）

江氏「入聲有轉紐」的說法和所舉「惡」字三讀，「厭」字四讀的例子，正是顧氏這段話中「中中、將將、行行、興興、」「惡惡、易易」等例子的再生。而「入配陰聲」說，則不愜於江氏之心，江氏說：

「韻學談及入聲尤難，而入聲之說最多歧，未能有細辨等列，細尋脈絡，爲之折中歸於一說者也。依韻書次第，屋至覺四部配東冬鍾江，質至薛十三部配眞諄臻文殷元魂寒桓刪山先僊，唯痕無入，藥至德八部配陽唐庚耕清青蒸登，緝至乏九部配侵覃談鹽添嚴咸銜凡，調之聲音而諧，按之等列而協，當時編韻書者，其意實出於此。以此定入聲，天下古今之公論，不可易也。然執是說也，則此三十四韻之外皆無入矣，胡爲古人用入聲韻與三聲協者，多出於無入聲之韻；而以一字轉兩三音，如：質質、惡惡惡；偏旁諧聲字，如至室、意億、暮莫，肖削之類。亦多出無入聲之韻也。顧寧人於是反其說，惟侵覃以下九韻之入，及歌戈麻三韻之無入，與舊說同，其餘悉反之：舊無者有，舊有者無，此又固滯之說也。其說以爲屋承東，術承諄，鐸承唐，昔承清，若呂之代嬴，黄之易羊，以其音之不類也。不知入聲有轉紐，不必皆直轉也。曷不即侵覃九韻思之乎？侵寢沁緝猶之眞珍震質、清靜勁昔、青迥徑錫、蒸拯證職也，覃感勘合、談敢闞盍，猶之寒旱翰曷、桓緩換末也，鹽琰豔葉、添忝㮇帖、嚴儼釅業，猶之先銑霰屑、僊獮線薛也，咸豏陷洽、銜檻鑑狎、凡范梵乏，猶之刪潸諫黠、山産襇鎋、元阮願月也。推之他韻，東董送屋、唐蕩宕鐸亦猶是也。如必以類直轉，乃爲本韻之入，則此九韻不能轉入矣。緝承侵，合承覃，不亦猶呂嬴黄羊乎？入聲可直轉者，惟支脂之微數韻耳。猥俗者謂孤古故谷爲順轉，不知谷乃公鈎所共之，而孤之入爲各，猶暮之爲莫、惡之爲惡也。余别爲之說曰：平上去入，聲之轉也。一轉爲上，再轉爲去，三轉爲入，幾於窮，僅得三十四部，當三聲之過半耳。窮則變，故入聲多不直轉；變則通，故入聲又可同用。除緝合以下九部。爲侵覃九韻所專，不爲他韻借，他韻亦不能借，其餘二十五部，諸韻或合二三韻而共一入，無入者閒有之。有入者爲多。諸家各持一說，此有彼無，皆非也。顧氏之言曰，天生之物，使之一本，文字亦然，不知言各有當，數韻同一入，猶之江漢共一流也，何嫌於二本乎？」（註八一）

江氏這一長段的話，正是「數韻同一入」說的宣言，把入聲配屬他聲的理論根基、整理途徑與方法、廣韻與顧炎武配屬之相異、以及自己的新說，一一提出來。茲分述如下：

1.「數韻同一入」的根基在於「入聲有轉紐」，此已述於本節前文。

2.整理入聲之配屬問題，簡單的說，要「細辨等列，細尋脈絡」；詳細的說，要：

①審其音呼（按：指開合。）

②別其等第（按：指四等。）

③察其字音之轉（按：此指一字之轉讀他音，如惡字三讀、厭字四讀便是。）

④察其偏旁之聲（按：此指形聲之諧音偏旁而言。）

⑤察其古音之通（按：此指上古音而言，可以參見江氏古韻標準與四聲切韻表凡例）

江氏遵循這五個途徑，先分析廣韻爲一百零四韻類（不計聲調），又在凡例中第三十一條到五十七條，析論其細分與四聲相承之跡。

3.論廣韻入聲配屬爲「入配陽聲」，江氏以爲廣韻的配置情形如左：

屋沃燭覺質術櫛物迄月沒○曷末黠鎋屑薛藥鐸陌麥昔錫職德緝合盍葉帖洽狎業乏

4　　13　　8　　9

————————————————————————————————————

————————————————————————————————————

東冬鍾江眞諄臻文殷元魂痕寒桓刪山先仙陽唐庚耕清青蒸登侵覃談鹽添咸銜嚴凡

4　　14　　8　　9

這樣的配置，江氏認爲是「調之聲音而諧，按之等列而協」，而爲「天下古今之公論」。

4.韻書的配置固然已爲公論，而詩經之押韻，入聲多與陰聲韻（江氏稱爲「無入聲之韻」）相協，而形聲字之諧聲，如：

室億暮削

｜｜｜｜

至意莫肖

之類，也和詩經入配陰聲相附，此誠爲不易的事實。

5.顧氏根據詩經和諧聲偏旁，反對廣韻的辦法，以入聲配屬陰聲韻。顧氏的古音表中所列（註八二），摘錄如下：

（第二部）

陰聲		入聲		
支	—	質		
脂	—	術		
之	—	櫛	[昔]	職
微	—	物	迄	
齊	—	屑		
祭	—	薛	[錫]	
佳	—	月		
皆	—	沒		
灰	—	曷		
咍	—	末		
隊	—	黠		
代	—	鎋		
廢	—	[麥]	德	
[尤]	—	[屋]		

（第三部）

陰聲		入聲			
魚	—	[屋]			
虞	—	[沃]			
模	—	燭	[覺]		
[麻]	—	[藥]			
侯	—	[鐸]	陌	[麥]	[昔]

（第五部）

陰聲		入聲		
蕭	—	[屋]		
宵	—	[沃]		
肴	—	[覺]		
豪	—	[藥]	[鐸]	[錫]
[尤]	—	○		

（第六部）

陰聲		入聲
歌	—	○
戈	—	○
[麻]	—	○
[支]	—	○

（第十部）

陽聲		入聲
侵	—	緝
覃	—	合
談	—	盍
鹽	—	葉
添	—	帖
咸	—	洽
銜	—	狎
嚴	—	業
凡	—	乏

這個簡表中，加（黑框）者表示不是整個韵，而是取其部份。根據這個表，我們可以看出顧氏除了侵以下九韵、和第六部歌戈麻支以外，都以入聲配屬陰聲韵。顧氏在音論中以爲入配陽聲韵，「若呂之代嬴，黄之易羊，而其統系遂不可尋矣！」意思是說，用沒有關係的字音來互相替换，便會失掉聲韵的系統。

顧氏並非沒有考慮到「數韵同一入」的可能，他在音論中曾經提及「或曰」的「三平共一入」的說法，但是卻固執的以爲「天之生物，使之一本」，這種只許有一個源頭的想法，限制了多方深入探討的機會，難怪江愼修先生要以要他的學説爲「固滯之説」了。

6. 江氏以爲侵等九韵有入聲，其他的陽聲韵也應該有入聲，至於陰聲韵，也可以和陽聲韵同配以入聲韵。這話說來簡單，但是江氏那時尚且沒有「陰聲韵」「陽聲韵」「入聲韵」的名稱，又逢大儒顧炎武的說法影響很大，所以便用了許多文字來解說了。江氏的許多話中，要特别注意的是：

「平上去入，聲之轉也，一轉爲上，再轉爲去，三轉爲入，幾於窮。……窮則變，故入聲多不直轉，變則通，故入聲又可同用。」

我們可以把他的意思改寫爲：

↑直　轉↓↑　　不直轉　↓
　　（窮則變）
平↓上↓去↓入↓去↓上↓平
　　（變則通）
↑陰聲韵↓↑　陽聲韵↓

其次，我們還可以注意的是：「除緝合以下九部爲侵覃九韵所專，不爲他韵借，他韵亦不能借。其餘二十五部，諸韵或合二三韵而共一入，無入者間有之，有入者爲多。」從這些話中，我們便可深知江氏之配置入聲，雖難免有誤，而意在實事求是，不偏拘於形式。

以上是江氏「數韵同一入」的建立，以及和顧氏「入配陰聲」、廣韵「入配陽聲」的關係。江氏在這些敍述中，並沒有說明何以「數韵可以同一入」？何以陰聲韵之轉稱爲「直轉」？何以陽聲韵之轉稱爲「不直轉」？要說明這些問題，便要先解決入聲的性質。

在漢語方言中，我們可以發現入聲的聲調性質，可以從兩方面來觀察：一是聲調的長短，一是韵尾的存在。就聲調的長短而言，有長入和短入的不同，大概而言，長入是短入演化爲平上去的中間過程，漢語方言中，大多數都是短入，廣韵以前的入聲，大概就是短入，江氏心目中的入聲，應該也是「短入」（註八三）。就入聲的韵尾而言，漢語各方言至少有四種韻尾，如閩南語便有：

-ʔ（如：鴨aʔ）-k（如：沃ak）-t（如：折at）-p（如：壓ap）

四種入聲韻尾。廣韻的韻尾沒這麼多，只有-k-t-p三種，這三種韻尾的性質，也和當聲母用的k-t-p-不同。林尹先生說得好：

「蓋『入聲』者，介於『陰』『陽』之間，本音出於『陽聲』，應收鼻音。但『入聲』音至短促，不待收鼻，其音已畢，頗有類於『陰聲』。然細察之，雖無收音，實有收勢，（凡『陽聲』收ng者，其『入聲』音畢時，恆作k聲之勢。『陽聲』收n者，其『入聲』音畢時，恆作t聲之勢。『陽聲』收m者，其『入聲』音畢時，恆作p聲之勢。其作勢而不聞聲者，即緣短促之故，非眞無收鼻音也。）則又近於『陽聲』。故曰介於『陰』『陽』之間也。因其介於『陰』『陽』之間，故可兼承『陰聲』『陽聲』，而與二者皆得通轉。江愼修『數韻同入』，及戴東原『陰』『陽』同『入』之說，皆此理也。」（註八四）

換一個方式說，則爲：

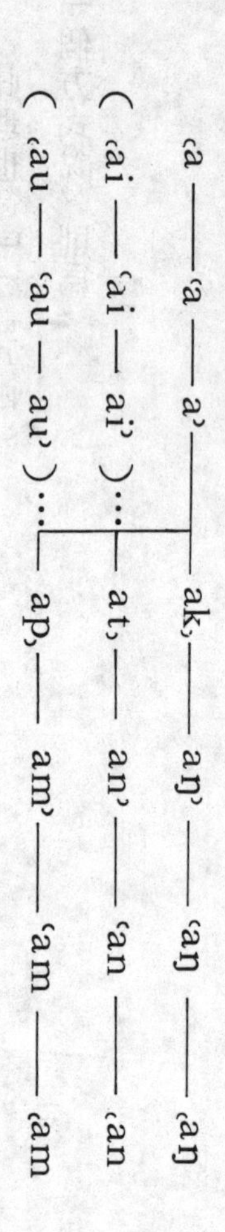

做爲入聲韻尾的-k -t -p，依理說，應該用小號字來寫，而且要寫在主要元音的右上角，表示只是收勢而無收音。「數韻同一入」正是由於入聲的這種「無收音」而近似陰聲韻，而可以「直轉」；也由於入聲「有收勢」而類似陽聲韻，而造成陽聲韻轉爲入聲韻時，必須改韻尾-ŋ -n -m爲-k -t -p，而無法「直轉」。明白了這種道理，對於江永「數韻同一入」和「入聲有轉紐」的說法，便可以完全接受了。

此節最後，想把江愼修在四聲切韻表中的韻圖上，所陳列的四聲相承的韻類，改製成「數韻同入相承分配表」。這種「數韻同入」或「陰陽入分配表」，曾見於：

1. 黃侃陰聲陽聲入聲對照表（註八五）
2. 劉賾入聲分配陰聲陽聲表（註八六）
3. 林尹廣韻陰聲陽聲與入聲支配表（註八七）
4. 陳新雄江永數韻同入分配表（註八八）

5.傅兆寬江永數韵同一入表（註八九）

諸家所見，以陳新雄先生所製之表最精，傅氏最詳，今取爲主要參考依據，整理四聲切韵表之韵圖上所標註的韵類，和四聲切韵表凡例之詳細說明，摘要成下表，而以江氏凡例之言存入註語：

（數韵同入相承分配表）

陰聲	入聲	陽聲	說明
平上去	入	去上平	
開一侯 厚 候	屋一	合一送一董一東一	(一)東以屋爲入，以其所用字偏旁脈絡相通，如冢从豕聲，丑六切，叢从取，藂檠从聚，皆與屋韵近，故東董送轉而爲屋，而侯尤亦共之。
開三尤二有二宥二	屋二	合三送一董一東一	(二)侯以屋爲入，得屋一等字爲入。 (三)尤以屋爲入，得屋二、三、四等爲入。
開三尤一有一宥一	屋三		(四)尤一類古通之止志職，而韵表配屋。

開四 幽 黝 幼	屋四		㈤幽以屋爲入，古幽與尤同類，如繆字等，故借屋爲入。
開四 蕭一 篠一 嘯一	屋五		㈥蕭以屋爲入，蕭別出一類，古音通尤者，得其肅字音，他音亦非其入也，偏旁脈絡相通……蕭韻兼得屋錫。（註九〇）
開一 豪二 皓二 號二	沃	合一 宋 冬	㈠冬以沃爲入，冬沃同等列。 ㈡豪以沃爲入，沃韻古通豪類。（註九一）
合三 虞二 麌二 遇二	燭	合三 用 腫 鍾	㈠鍾以燭爲入，鍾燭皆三、四等二韻等列相同。 ㈡虞以燭爲入，虞中一類古通燭。（註九二）
開二 肴 巧 效	覺	絳 講 江	江、肴以覺爲入，等列相同，故以覺爲入。（註九三）
開三 支一 紙一 寘一			
開三 支二 紙二 寘二	昔一	開四 勁 靜 清	㈠支以昔爲入，因支分出二類，古不通歌類者，以昔爲入。（註九四）
合三 支三 紙三 寘三			

合三支四紙四寘四	昔二	合四勁　靜　清	㈡清以昔爲入，因昔韵分二類，清支之入皆不通藥鐸，故以昔爲入。（註九五）
開三麻六馬六禡六	昔三		㈢麻以昔爲入，因昔韵中昔錯字，古通藥鐸者，麻分出苴且二類爲入，如射字去入兩音，借籍瀉舄之類偏旁脈絡相通。（註九六）
	櫛	開三　臻	臻以櫛爲入，因櫛韵爲二等開口呼，但有櫛瑟兩音，而臻亦止臻莘兩音，適與之配則櫛遂爲臻入矣。（註一〇五）
開三脂一旨一至一	質一	開三震　軫一眞一	㈠脂以質爲入，因質與贄通，桎、姪、窒、室皆從至，詩多以去入同用爲韵，則質又爲脂旨至之入也。（註九七）
	質二	合三　軫二眞二	㈡眞以質爲入，芹、沂之類同從斤，而芹在殷韵，沂在微韵，故眞軫震可轉質。（註九七）
	質三	開四霰一銑一先一	㈢先以質爲入，因先古通眞者，借質爲入也。先一類四等字古通眞。（註九七）
		合四霰二銑二先二	
合三脂二旨二至二	術	合三稕　準　諄	㈠脂以術爲入，其所用之字偏旁脈絡相通，如醉翠，皆從卒字得聲，故以術爲入。 ㈡諄以術爲入，二韵同爲合口四等兼三等，故相轉爲入。（註九八）

開三之止志	開三職一	證拯蒸	㈠之以職爲入，因亟字去入兩音，疑嶷、値直、意億、異翼，脈絡皆通。（註九九）
	合三職二		㈡職韵三等兼二四，蒸拯證以爲入，凝嶷音之轉也。（註九九）蒸之皆無合口字，別出洫域兩音無平上去。（註九九）
開三微一尾一未一	迄	開三欣隱殷	㈠微以迄爲入，因微所用之字，皆從乞得聲，如氣餼從气得聲也，故以迄爲入。㈡殷以迄爲入，殷與迄同爲開口，故相配爲入。（註一〇〇）
合三微二尾二未二	物	合三問吻文	物韵三等合口呼有輕脣，與文吻問相配，而吻亦從勿得聲，故可轉也。微尾未亦爲入，尉蔚从尉，沸費从弗，是其脈絡之通。（註一〇一）
合三魚語御	藥一	開三漾一養一陽一	魚語御亦借（藥）爲入，去聲「著」轉入聲爲張略切，又爲直略切，虘音據噱臄皆從之。而醵有其御、其虐兩音，汝與若亦義因聲轉也。（註一〇二）
合三虞一麌一遇一	藥二	合三漾三養三陽二	㈠陽養漾以藥爲入，同等也，有開合二呼。（註一〇二）㈡又虞麌遇分出之俱矩瞿一類，亦以其合口之矍縛等字爲入，與拘枸句一類不相通。（註一〇二）
開三宵小笑	藥三		宵小笑亦以其開口者爲入，蹻从喬，削从肖，釂从爵，脈絡通也。（註一〇二）
合一模姥暮	鐸一	開一宕一蕩一唐一	㈠模以鐸爲入，因字音相轉，如惡字平去入三音，度、作、錯、去入兩音，模暮從莫。（註一〇三）

開一　豪一皓一號一	鐸二	合一　宕二蕩二唐二	(二)唐以鐸爲入，因唐與鐸開合等列相同。（一〇三） (三)鑿在各切又在到切，則又爲豪皓號分出高縞膏一類之入。（註一〇三）
開四　齊一薺一霽一	屑一	開四　霰三銑三先三	齊與先以屑爲入，因齊先與屑，等列音呼相同故以屑爲入。（註一〇四）
合四　齊二霽二	屑二	合四　霰四銑四先四	
開三　祭一	薛一	開三　線一獮一僊一	僊與祭以薛爲入，因爲同等列，故二者同以薛爲入。（註一〇六）
合三　祭二	薛二	合三　線二獮二僊二	
開一　泰一	曷	開一　翰旱寒	泰、寒、歌同以曷爲入，因音呼等列同相轉，故三者共以曷爲入。（註一〇七）
開一　歌哿箇			

合一	合一	開三	合三	開二	合二	開二	合二
泰二	戈一果過	戈二	戈三	佳一蟹一卦一	佳二蟹二卦二	麻一馬一禡一	麻二馬二禡二
末				麥一	麥二	麥三	麥四
合一換緩桓				開二諍耿耕一	合二耕二		
泰、桓、戈，同以末爲入，亦因音呼等列同相轉，故三者以末爲入。（註一〇七）				㈠耕以麥爲入，同等列，開合相配。（註一〇八）㈡佳以麥爲入，亦同等列。（註一〇八）		麥韻⿱艹詐、格、劐、劃、獲、⿰石蒦，古音通藥鐸，則麻韻分出之加、冎二類用之。（註一〇八）	

陰聲	入聲	陽聲	說明
開二 皆一駭怪一	黠一	開二 諫一潸一刪一	(一)黠與皆同爲二等兼一等，各有開口合口，故皆以黠爲入。如玠扴皆从介，則黠爲皆入。（註一〇九）
合二 皆二怪二	黠二	合二 諫二潸二刪二	(二)刪以黠爲入，亦以字音相轉，如[illegible]从間，齾从獻，揠从匽，匽、獻皆刪山之類。（註一〇九）
開二 夬一	鎋一	開二 襇產山一	
合二 夬二	鎋二	合二 山二	(二)夬以鎋爲入，因音呼等列相同，則鎋爲夬入。（註一〇九）
合一 灰賄隊	沒	合一 慁混魂	(一)音呼等列相同，故魂以沒爲入。（註二〇）(二)灰以沒爲入，腯音近突，从盾聲，故可轉，而灰賄隊亦以爲入，睟倅碎皆从卒也。（註一一〇）
		開一 恨很痕	(三)沒無開口呼字，故痕韻無入。（註一一〇）
開一 治海代	德一	開一 嶝一等一登一	德一等分開合，登等嶝以爲入，騰螣音相轉，而哈海代亦以爲入，塞塞兩音，貸忒通用，踣倍、亥劾、偏旁多通也。（註一一四）
	德二	合一 登二	

平上去	入	陽聲	說明
合三　廢	月一	合三願一阮一元一	月三等合口呼有輕脣，而廢韻亦以爲入，廢从發，茷从伐，去穢入噦皆从歲也。
	月二	開三願二阮二元二	尤以月爲入，月之開口呼則元阮願分出之鞬、蹇、建以爲入。（註一一一）
開四蕭二篠二嘯二	錫一	開四徑一迥一青一	㈠青以錫爲入，錫韻四等，分開合，冪塓从冥，音相轉。㈡錫韻有激的一類，古通藥鐸者，蕭篠嘯以爲入，弔溺去入兩音，竅噭激从敫脈絡相通。（註一一二）
開四蕭一篠一嘯一	錫二	合四徑二迥二青二	
開二麻三馬三禡三	陌一	開二敬一梗一庚一	㈠陌韻格客之類，二等開口，庚韻庚類、麻韻家類與之相配。（註一一三）
合二麻四馬四禡四	陌二	合二敬二梗二庚二	陌韻虢類，庚韻觥類、麻韻瓜類與之相通。（註一一三）
開二麻五馬五禡五			
	陌三	開三敬三梗三庚三	陌韻戟類、庚韻京類相配（註一一三）

		合三 敬四 梗四 庚四	
	陌四	開三 敬五 梗五 庚五	陌韻屐類、庚韻擎類相配。（註一一三）
		合三 敬六 梗六 庚六	
	緝	開三 沁 寖 侵	緝合以下九部，無歧韻可勿論。（註一一五）
	合	開一 勘 感 覃	
	盍	開一 闞 敢 談	
	葉	開三 豔 琰 鹽	
	帖	開四 㮇 忝 添	

	業	開三 釅儼嚴	
	洽	開二 陷豏咸	
	狎	開二 鑑檻銜	
	乏	開三 梵范凡	

江氏數韵同一入說之大要，已列表如上，其詳密實在超過前賢甚多，宜乎後之學者多所讚譽，踵事而增華。但偶而也難免有失，只是其缺失不及其貢獻而已。受學於江愼修的戴震說：

「上年於永樂大典內得宋淳熙初楊倓韵譜，校正一過。其書亦即呼等之說，於舊有入者不改，舊無入者悉以入隸之，與江先生四聲切韵表合，僕已年定聲韵考，別十九鐸不與覺藥通者，又分覺藥陌麥昔錫之通鐸者爲歌戈之入，謂江先生以曷爲歌之入、末爲戈之入者，應改正，楊氏雖不能辨別藥鐸之異，而以藥鐸配陽唐、配蕭宵肴豪，又

以鐸配歌。」（註一一七）

戴氏首先肯定江氏數韵同一入的說法合於宋代的楊倓，這是很高的評價，建立了這個學說的地位。然後指出江氏「曷爲歌入，末爲戈入」之未當。此未當之說，江有誥亦云然（註一二七）。但是，戴東原和江有誥亦未必是，蓋江愼修實曾舉諸聲偏旁爲證，故後世承用其「歌、曷、寒」爲陰陽同入者不少，像黃侃與人論小學書便說：

「曷之陰聲爲歌，而麻韵本自歌變，則泰近麻之說又諦矣！」（註一一八）

由此可知，後人之疑於江愼修者，亦不免有誤，宜愼乎取舍。

江有誥的入聲表，是他的音學十書之一，其表，專考入聲，以江愼修四聲切韵表爲討論的對象，其韵表之格式，完全仿自江愼修。表前有凡例，亦賡續江愼修之說而長論之，故凡例最後一條說：

「切韵表全韵三等而正齒有二等字者，左行書之，茲仍其舊，表首不復著明。」（註一一九）

所謂切韵表，即江愼修之四聲切韵表。江有誥於愼修之說，有證、有補、有說、有修，因茲事體大，將另文詳之。

不論江有誥如何反映江愼修的缺失，他的入聲表如果沒有江愼修數韵同一入說的完整嚴密，恐怕是無法完成的，愼修開山立基的叢林開闢事業，不是應該在中國聲韻研究史上記上大功嗎？章太炎先生說：

「同入相配，已肇陰陽對轉之端，其後東原爲聲類表，傳其淮、岱、孔撝約化其鴞音，始探集爲詩聲類，然復繁音異讀，各有友紀，此江氏造微之功，所以度越前修者歟！」（註一二〇）

五、江永一百零四韻類等呼標註表

瞭解了江愼修先生的開口四等觀，以及數韻同一入的說法之後，對於江氏的韻母論便大體清楚了，最後我們可以由〔一百〇四類等呼標註表〕來縱覽他四聲切韻表中所陳述的韻母體系。

下表的製成，主要是依據本章第一節所述江氏一百零四韻類，標註以四聲切韻表各韻圖的注語，參酌夏爕四聲切韻表校正，嚴式誨四聲切韻表刊後記而製成：

〔江永一百零四韻類等呼標註表〕

韵類名稱	開合	等第	說明
東一董一送一屋一	合	一	
東二董二送二屋二	合	三	江云：正齒有二等字。齒頭四等。喻母四等。〔夏云：當云「喻母有四等字」〕（註一二一）
冬送沃	合	一	
鍾腫用燭	合	三	江云：齒頭、舌頭、匣母、喻母四等。
江講絳覺		二	江云：牙音、重脣、喉音、開口呼。舌上、正齒、半舌、合口呼。
支一紙一寘一	開	三	江云：正齒有二等字。喻母四等。 江云：此類古通歌哿箇。
支二紙二寘二昔一	開	三	江云：齒頭四等。重脣、牙音有四等字。影喻母四等。〔夏云：當於注中增：『正齒有二等字。』〕（註一二二）

支三紙三寘三	合	三	江云：齒頭四等。江云：此類古通戈果過。
支四紙四寘四昔二	合	三	江云：正齒有二等字。齒頭四等。牙喉有四等字。
脂一旨一至一質一	開	三	江云：正齒有二等字。舌頭齒頭四等。牙音重脣喉音有四等字。
脂二旨二至二術	合	三	江云：正齒有二等字。齒頭四等。喉音有四等字。（夏云：「喉音」上增「牙音」二字。）（註一二三）
之止志職	開	三	江云：正齒有二等字。齒頭四等。喉音有四等字。
微一尾一未一迄	開	三	
微二尾二未二物	合	三	
魚語御藥	合	三	江云：正齒有二等字。齒頭、喻母四等。
虞一麌一遇一藥二	合	三	

虞二麌二遇二燭	合	三	江云：正齒有二等字。齒頭、喻母四等。 江云：此類古通侯厚候尤有宥。
模姥暮鐸	合	一	
齊一薺一霽一屑一	開	四	
齊二霽二屑二	合	四	
祭一薛一	開	三	江云：牙音、重脣有四等字。齒頭、喻母四等。
祭二薛二	合	三	江云：正齒有二等字。齒頭四等。喻母有四等字。
泰一曷	開	一	
泰二末	合	一	
佳一蟹一卦一麥一	開	二	

韻	開合	等	附注
佳二蟹二卦二麥二	合	二	
皆一駭一怪一黠一	開	二	
皆二怪二黠二	合	二	江云：舌頭一等。
夬一鎋一	開	二	
夬二鎋二	合	二	江云：齒頭一等。
灰賄隊沒	合	一	
咍海代德一	開	一	江云：正齒二等
廢月一	合	三	
眞一軫一震質一	開	三	江云：正齒有二等字。牙音有四等字。齒頭、喉音四等喉音有三等字。〔嚴曰：當作「脣音有四等字」。〕（一二四）

韻	開合	等	附注
眞二軫二質二	合	三	
諄準稕術	合	三	江云：正齒有二等字。牙音、齒頭、喉音四等。
臻櫛	開	二	
文吻問物	合	三	
殷隱焮迄	開	三	江云：正齒二等。
元一阮一願一月一	合	三	
元二阮二願二月二	開	三	
魂混慁沒	合	一	
痕很恨	開	一	

寒 旱 翰 曷	開	一	
桓 緩 換 末	合	一	
删一 潸一 諫一 黠一	開	二	江云：舌頭一等。
删二 潸二 諫二 黠二	合	二	江云。舌頭一等。
山一 產 襇 轄一	開	二	
山二 轄二	合	二	（夏云：增「舌頭一等」四字。）（註一二五）
先一 銑一 霰一 質三	開	四	江云：此類古通眞軫震。
先二 銑二 霰二	合	四	江云：此類古通眞軫震。
先三 銑三 霰三 屑一	開	四	

先四銑四霰四屑二	合	四	
僊一獮一線一薛一	開	三	江云：正齒有二等字。牙音、重脣、喻母有四等字。齒頭四等。
僊二獮二線二薛二	合	三	江云：正齒有二等字。牙音、喻母有四等字。齒頭四等。
蕭一篠一嘯一屋五錫一	開	四	江云：此類古通尤有宥韻中之通侯厚候者。
蕭二篠二嘯二錫二	開	四	
宵小笑藥三	開	三	江云：牙音、重脣、喉音有四等字。齒頭四等。
肴巧效覺	開	二	〔夏云：增「舌頭一等」四字。〕（註一二六）
豪一晧一號一鐸二	開	一	
豪二晧二號二沃	開	一	江云：此類古通侯厚候。

歌哿箇曷	開	一	
戈一果過末	合	一	
戈二	開	三	
戈三	合	三	
麻一馬一禡一麥三	開	二	江云：舌頭一等。此類古通歌哿箇。
麻二馬二禡二麥四	合	二	江云：此類古通戈果過。
麻三馬三禡三陌一	開	二	江云：此類古通模姥暮鐸。
麻四馬四禡四陌二	合	二	江云：此類古通模姥暮鐸。
麻五馬五禡五	開	三	江云：舌頭、齒頭、喻母四等。〔夏云：「舌頭」下增「重脣」二字。〕（註一二九）

麻六馬六禡六昔三	開	三	江云：齒頭喻母四等。此類古通魚語御藥。
陽一養一漾一藥一	開	三	江云：齒頭喻母四等。
陽二養二漾二藥二	合	三	江云：正齒二等。
唐一蕩一宕一鐸一	開	一	
唐二蕩二宕二鐸二	合	一	
庚一梗一敬一陌一	開	二	江云：此類古通唐蕩宕鐸。
庚二梗二敬二陌二	合	二	江云：此類古通唐蕩宕鐸。
庚三梗三敬三陌三	開	三	江云：此類古通陽養漾藥。
庚四梗四敬四	合	三	江云：此類古通陽養漾。

庚五梗五敬五陌五	開	三	江云：舌頭、半舌一等。正齒二等。
庚六梗六敬六	合	三	
耕一耿諍麥一	開	二	
耕二　麥二	合	二	
清一靜一勁一昔一	開	四	江云：舌上、正齒、影母、半舌三等。〔夏云：增「重脣有三等字。」〕（註一二七）
清二靜二勁二昔二	合	四	
青一迥一徑一錫一	開	四	
青二迥二徑二錫二	合	四	
蒸拯證職	開	三	江云：正齒有二等字。齒頭、喻母四等。

韻	開合	等	備註
職二	合	三	
登一等嶝德一	開	一	
登二德二	合	一	
尤一有一宥一屋三	開	三	江云：此類古通之止志職。
尤二有二宥二屋二	開	三	江云：正齒有二等字。齒頭喻母四等。
侯厚候屋一	開	一	江云：正齒有二等字。（夏云：當删「有」「字」二字。）（註一二八）
幽黝幼屋四	開	四	
侵寑沁緝	開	三	江云：正齒有二等字。齒頭四等。喉音有四等字。
覃感勘合	開	一	

談敢闞盍	開	一	
鹽琰豔葉	開	三	江云：正齒有二等字。齒頭四等。喉音有四等字。
添忝㮇帖	開	四	
嚴儼釅業	開	三	
咸豏陷洽	開	二	
銜檻鑑狎	開	二	
凡范梵乏	開	三	

【附註】

註 一　見江氏四聲切韵表凡例，葉一上。

註 二　見江氏古韵標準例言第五條，葉五下。

註 三　江氏四聲切韵表末切字母位用字表下註曰：「此皆表所用者，其未用字，見他切韵書者，倣此可知。」正式提出「切韵書」三字。

註 四　見四聲切韵表凡例第二十條。葉四下。

註 五　見大宋重修廣韵卷首所錄切韵序，又參見林慶勳切韵序新校（慶祝婺源潘石禪先生七秩華誕特刊）。

註 六　以上見於高本漢漢文典，陳寅恪從史論切韵，王顯切韵的命名和切韵的性質，邵榮芬切韵音系的性質和漢語語音史上的地位，趙振鐸從切韵序論切韵。

註 七　以上見戴震聲韵考，段玉裁六書音韵表，章炳麟國故論衡音理論，黃侃與人論治小學書，錢玄同文字學韵篇，羅常培切韵探賾，林尹中國聲韵學通論，董同龢漢語音韵學，黃淬伯討論切韵的韵部與聲紐與切韵音系基礎的問題，何九盈切韵音系的性質及其他，王力漢語史稿與漢語音韵，周祖謨切韵的性質和它的音系基礎，陳新雄切韵性質的再檢討等。

註 八　見江氏四聲切韵表凡例第二十條，葉四下。

註 九　見戴震聲韵考卷第二，葉一上～葉四上。

註一〇　見前引書卷一，葉十一上。

註一一　見封氏聞見記，畿輔叢書本。

註一二　見江氏古韻標準例言第二十八條，葉七上。

註一三　見前引書例言第二十九條，葉七上～八下。

註一四　見前引書例言第三十條，葉十上～十下。

註一五　見互註校正廣韻葉二三九，新校正切宋本廣韻二三九。

註一六　見十韻彙編葉一一六。

註一七　見集韻卷五上聲二腫。

註一八　見林尹中國聲韻學通論第三章第三節。

註一九　見江氏四聲切韻表凡例第二十條。

註二〇　見江氏古韻標準例言第五條。

註二一　「東」字之下「一」「二」是本文指稱方便所加，非江永原有。以下類推。

註二二　此韻類，江氏未註開合，參見本章次節。

註二三　略見陳新雄廣韻韻類分析之管見一文，約而言之，有以下諸家：

1. 陳澧切韻考析爲三百一十二類。

2. 黃季剛音略析爲三百三十九類。

3. 高本漢中國音韻學研究析爲兩百八十三類並參考中國聲韻學大綱之擬音。

4.白滌洲廣韵聲紐韵類之統計析爲二百九十類。

5.錢玄同廣韵之韵類及其假定之讀音表析爲二百九十七類（見趙蔭棠等韵源流附錄一）。

6.周祖謨陳澧切韵考辨誤析爲三百二十四類。

7.陸志韋古音說略析爲三百三十二類。

8.王力漢語史稿析爲二百九十四類。

9.董同龢先生漢語音韵學析爲三百二十類。

10.李榮切韵音系析爲三百三十六類。

11.馬丁析爲二百九十二類。

12.蒲立本析爲三百三十類以上二家見周法高論切韵音所引。

13.周法高論切韵音析爲三百三十類。

註二四　見古韵標準例言第二十一條。

註二五　見前引書例言第二十二條。

註二六　見前引書例言第二十六條。

註二七　見前引書例言第二十七條。

註二八　見管子小問篇，又見於呂氏春秋、說苑、韓詩外傳、論衡諸書所引。

註二九　參見高明先生反切以前中國字的標音法一文，與張世祿中國音韵學史。

註三〇　此張世祿中國音韻學第三章第三節對周漢間之訓詁與注音的評語。
註三一　見董忠司七音略重輕説及其相關問題，與羅常培釋重輕。
註三二　見董忠司顔師古所作音切之研究第五章反切結構的第二節。
註三三　參見羅常培漢語音韻學導論第三講第六節。
註三四　見音學辨微葉十八下。
註三五　見説文解字二上口部。
註三六　見一切經音義卷四所引。
註三七　見江氏音學微辨七辨開口合口葉十八下。
註三八　見古韻標準例言第二十二條。
註三九　此舉平以晐上去入，下同。
註四〇　見江氏音學辨微葉十九上、下。「緊」字下原缺「〇眞」，今補。
註四一　見林尹中國聲韻學大綱第三章韻，頁一二八～一五三。
註四二　見四聲切韻表凡例第二十四條。
註四三　見前引書凡例第二十五條，又見音學辨微葉十九下。
註四四　見漢語方音字滙。
註四五　見等韻源流頁三〇一。

註四六　見四聲切韵表第二十三條。

註四七　見姜亮夫瀛涯敦煌韵輯殘卷，和潘重規瀛涯敦煌韵輯殘卷新編。時代與作者參見羅常培敦煌寫本守溫韵卷殘卷跋、趙蔭棠守溫韵學殘卷後記、林尹中國聲韵學通論第二章第二節。

註四八　參見高明先生論韵的四等一文。

註四九　見音學辨微八辨等列，葉十九下。又見四聲切韵表凡例第五條。

註五〇　見高元國音學。

註五一　高明先生說：「在外國語文裏，一字常有多音節，古希臘人以爲音節是一個元音或與其附近輔音聯合構成的語音單位；十九世紀以來對音節又有許多新的看法，有的主張以呼一次氣爲一個音節（如奧國的斯托爾姆 J. storm）有的主張以音的響亮度的高低來劃分音節（如丹麥的葉斯泊森 Otto Jespersen），有的主張以口腔開度的大小來劃分音節（如瑞士的德·索胥爾 Ferdinand de Saussure）有的以喉部緊張的增強或減弱來確定音節的界限（如法國的格拉蒙 Mawrice Grammont）。」（論韵的四等）

註五二　此表據周法高論上古音和切韵音中諸家切韵擬音對照表而製，又增加李方桂先生一家。而且諸家擬音未使用國際音標者，則改用國際音標，以便比較。

註五三　見趙氏所著等韵源流第四編第一章。葉三〇一。

註五四　見江氏音學辨微八辨等列，葉十九下。

註五五　見前引書辨等列，第二十一下。

註五六　同前註。

註五七　見前引書葉二十二上。

註五八　見前引書葉二十一下。

註五九　同前註。

註六〇　見前引書葉二十下。

註六一　見林慶勳的經史正音切韻指南與等韻切音指南比較研究第二節第二聲之排列三九頁。

註六二　「邦滂並明」四母，和「非敷奉微」四母，借月山房彙鈔本並列，而音韻學叢書本上下分列，前者是，後者誤。

註六三　見音學辨微八辨等列。又見四聲切韻表凡例第六、七、八、九條。

註六四　見音學辨微八辨等列，葉二十一下。

註六五　見前引書葉二十一上。

註六六　見前引書葉二十一下。

註六七　見前引書葉二十一下。又見四聲切韻表凡例第十二、十三、十四、十七、十八、十九。

註六八　見前引書葉二十一下、葉二十二上。

註六九　見前引書二辨四聲：葉五上。

註七〇　除了「厭、一鹽切」之音大概取自集韻「厭、於鹽切」之外，其餘的音都出於廣韻。

註七一　擬定的音值，參考董忠司的顏師古今作音切之研究一書附錄四、附錄五。

註七二　見音學辨微五辨清濁，葉十二下。

註七三　見前引書葉十三下。

註七四　見四聲切韻表凡例第三十條。

註七五　見林尹先生中國聲韻學通論、張世祿中國古音學。

註七六　見顧炎武音論入爲閏聲條、四庫全書本卷中葉十六上。

註七七　見前引書近代入聲之誤條，四庫全書本卷中葉十七上。

註七八　見四聲切韻表凡例第二十七條。

註七九　「入配陰聲」一詞，不是顧氏原有，是本文暫定。

註八〇　見顧氏音論近代入聲之誤條，四庫全書本卷中葉十七上～葉十七下。

註八一　見四聲切韻表凡例第三十條。

註八二　見顧炎武古音表，四庫全書本。

註八三　參見本書江永的聲調論一章。

註八四　見林尹中國聲韻學通論第三章第四節。又參見錢玄同文字學音篇。

註八五　見姜亮夫中國聲韻學第三編第十二章第九節所引。

註八六　見劉氏聲韻學表解上篇之十七。

註八七　見林尹中國聲韻學通論第三章第四節。

註八八　見陳新雄古音學發微第二章第二節，原表無名稱，今代爲定名。

註八九　見傅兆寬四聲切韻表研究第三章第三節之三，原表無名稱，今代定。

註九〇　以上皆參見四聲切韻表第三十三條說：「竦从束聲，冢从豕聲，豖丑六切，叢从取，樷藂从聚，皆與屋韻近，故東董送轉而爲屋，而侯尤亦共之。讀讀、復復、覆覆、宿宿、祝祝、肉肉，一字兩音，畜畜、奏族，音亦相轉，軸蹴之類，偏旁多通。故侯厚候得其一等字，尤有宥得其二三四等字。毛先舒以屋爲尤入，稍爲有見，而周德清以爲魚入，顧氏分入魚蕭，別分鐸陌麥昔爲侯入，誤矣。幽亦尤侯之類，得其繆字，繆字平去入三音也。尤有宥別分一類，古音通之止志者，得其牧郁福服字。福服今音輕脣，古音重脣，如職韻之逼愎也。蕭韻別分一類，古音通尤者，得其肅字，他音非其入也。條蓧之入，乃錫韻之滌字，其同音迪、笛、踧、覿，古音皆屋韻也。又得惄、寂、戚字，因蕭肅之相通，而蕭之轉爲錫者，又有字通於屋，故蕭韻兼得屋錫。」

註九一　前引書凡例第三十四條說：「東既以屋爲入，則冬宜以沃爲入，皆一等韻也。然沃从夭，古音鬱縛切，其類自宵豪來，而豪晧號分出一類爲朁晧告者，古音通侯尤，亦得以沃爲入，但以開合口耳。告、纛去入兩讀，鵠酷從告得聲，是其脈絡通也。」

註九二　前引書凡例第三十五條說：「鍾燭皆三四等字，而虞麌遇分出一類爲拘枸句，古音通侯尤者，而以燭爲入。故足、趣、屬皆去入兩音，而數字从婁，上去入皆有之，是其脈絡通也。燭韻無二等，故數字入四等，七玉切，而音朔者入覺韵。」

註九三　前引書凡例第三十六條說：「覺韵二等，江肴所共者也。角從江，嶽握等字類於屋燭者從之，今音合爲一，古音分爲二，顧氏分覺之類爲肴入者是，分角之類爲模入者非。」

註九四　參見註九七。

註九五　參見註九六。

註九六　四聲切韵表凡例第五十三條說：「昔韵四等兼三等，分開合，清靜勁配之，擲字亦从鄭聲也。支紙寘分出開合二類不通歌戈者，亦以昔爲入。積、刺、易皆去入二音。臂避皆从辟，是其脈絡之通。然昔韵亦有二類，淸支之入，皆不通藥鐸者。其餘昔踖之類，古通藥鐸者甚多。麻韵分出苴、且一類以爲入，射字去入兩音，借籍瀉舃之類，脈絡相通者多也。麻韵兼陌麥昔三韵之入，皆與藥鐸通者，若非此韵，則他韵收之不盡矣，孰謂麻無入聲乎？」

註九七　前引書凡例第三十七條說：「寘从眞聲，牝从匕聲。芹沂之類同从斤，而芹在殷韵，沂在微韵，故眞軫震可轉質，諄臻以下亦如之。而質與贄通，桎姪窒室皆以至，詩亦多以去入同用爲韵，則質又脂旨至之入也。顧氏以質爲支入，術爲脂入，不知支之入在昔韵，而術之爲脂入者，乃其合口呼之字，與開口呼之字無預也。先韵分出一類古通眞者，亦借質爲入。」

註九八　前引書凡例第三十八條說：「諄術同爲合口呼，四等兼三等，故轉爲入。而脂旨至分出合口呼之字，亦以之爲入也。帥、率皆去入兩音，醉、翠等字皆从卒，是其脈絡之通。」

註九九　前引書凡例五十五條。

註一〇〇 前引書凡例第四十一條說：「迄韻三等開口呼，與殷隱焮相配。而微尾未之開口字，亦以爲入，氣餼从乞得聲也。」

註一〇一 見前引書凡例第四十條。

註一〇二 見前引書凡例第四十九條。

註一〇三 前引書凡例第五十條說：「鐸一等韻，有開口合口，唐蕩宕以爲入。而惡字平去入三音，度、作、錯去入兩音，模、暮从莫，路从各，博从尃，涸从固，則鐸又爲模姥暮之入。鑿、在各切，又在到切，則又爲豪晧號分出高縞膏一類之入。」

註一〇四 前引書凡例第四十七條說：「先銑霰四等韻也，除分出一類古通眞者，以質之四等字爲入，其餘以屑爲入，屑皆四等也。而齊薺霽同爲四等者，亦以爲入，砌从切，攦从麗，契絜同从㓞，睽闋同从癸，脈絡通也。」

註一〇五 前引書凡例第三十九條說：「櫛韻爲二等開口呼，但有櫛、瑟兩音，而臻韻亦止臻、莘兩音，適與之配，則櫛遂爲臻入矣。櫛、瑟本質、術之類，而質韻自有二等字，術韻之二等字爲合口，亦不類，故雖兩音，亦必別出爲韻。脂旨當此兩位。無二等開口字可轉，則臻韻遂得專之。」

註一〇六 前引書凡例第四十八條說：「薛韻有二三四等，有開口合口呼，僊獮線以爲入，而祭韻兼開合，等列同，亦以爲入，說說、蕝蕝、脃膬兼去入，其餘相通者多也。」

註一〇七 前引書凡例第四十五條說：「曷一等開口呼，爲寒旱翰之入，末一等合口呼，爲桓緩換之入，而曷又爲歌哿箇之入，末又爲戈果過之入，曷末又同爲泰韵之入，皆音呼等列同，得以相轉也。寒桓與歌戈，音每相轉，如難字得通儺，苛字得音稈，若干即若个，鼉驒鞸皆从單，憚癉有丁佐切之音。字从番轉重脣者。桓韵爲潘、蟠，而番有波音、皤、鄱有婆音。至入聲，則怛、妲、笪从旦，頞从安，斡从乾省聲，何、曷亦一聲之轉，故寒、桓、歌、戈。用曷末爲入聲。泰韵亦一等，兼有開口合口者也，曷从匃聲，匃在泰韵，而竭从曷，賴从剌，羍从大，捺从奈，脫从兌，害亦通曷，檜亦作栝，蔡亦有桑葛切之音，故泰之入亦爲曷末。」

註一〇八　前引書凡例第五十二條說：「麥韵二等分開合，耕耿諍配之，而佳蟹卦亦二等，同用麥爲入，責字通債，畫字去入兩音，擉憒从畫，是其脈絡通也。耕佳二韵用麥，皆不與藥鐸通，而麥韵猶有不盡之字，葃、格、啞、劐、剨、獲、䨼。古音通藥鐸，則庬韵分出之加、凸二類用之。」

註一〇九　前引書凡例第四十六條說：「黠轄皆二等韵，兼一等，各有開口合口呼。黠爲删潸諫之入，轄爲山產襉之入，齺丘入切而从閒，齾、牛轄切而从獻，揠、烏黠切而从匽，獻、匽皆删山之類，是以音相轉也。而殺有所八、所戒二音，秸亦作稭，扴、圿皆从介，則黠又爲皆駭怪之入矣。夬與轄音呼等列同，則轄又爲夬入。」

註一一〇　前引書凡例第四十四條說：「沒一等合口呼，魂混慁以爲入。腯音近突，从盾聲，故可轉，而灰賄隊亦以爲入，晬倅碎皆从卒也，沒無開口呼字，故痕韵無入。」

註一一一　前引書凡例第四十三條說：「月之開口呼，則元阮願分出之鞬、蹇、建以爲入，钀从獻聲，訐从干聲，干亦元之類，故可轉，而廢之類無開口，則此類元韵專之。」

註一一二 前引書之凡例第五十四條說：「錫韵四等分開合，青迥徑以爲入，冪塓从冥，音相轉也。又有激的一類，古音通藥鐸者，蕭篠嘯以爲入。弔溺去入兩音，竅、皦、激、檄皆从敫，是其脈絡通也。蕭韵又分出二類通尤侯者，用滌、惄等字爲入。見前。」

註一一三 前引書凡例第五十一條說：「陌韵有數類，一爲格客之類者，二等開口也；其合口爲虢劃之類，又有戟隙一類者，三等開口也，此三類古音皆與藥鐸通協。又有屐字三等開口，柵摵二等開口，皆不與藥鐸通，而庚梗敬與之相配。其爲庚之類者格也，觥之類者虢也，京之類者戟也。古音皆與陽唐通，擎生之類屐摵也，皆不與陽唐通之。又麻韵二等，亦分陌韵，其爲家假嫁之類者用格，瓜寡坬之類者用虢，蓋家瓜古音通虞模，虞模亦以藥鐸爲入也。」

註一一四 見前引書凡例第五十六條。

註一一五 見前引書凡例第五十七條。

註一一六 見戴震聲類考卷首答段若膺論韵，葉八下。

註一一七 見江有誥入聲表葉四下。

註一一八 見黃侃論學雜著。

註一一九 見江有誥入聲表葉十一下。

註一二〇 見章太炎重鐫古韵標準序。

註一二一　夏燮四聲切韵表校正說：「東董送屋三等合口呼注：『喻母四等。』案：喻母有雄字羽弓切，三等音，當云：『喻母有四等字。』」

註一二二　前引書又說：「支紙寘昔三等開口呼所列正齒，有左書之屣字所徙切，二等音。當於注中增『正齒有二等字』。」

註一二三　前引書又說：「脂旨至術三等合口呼所列牙音，有左書之癸、季、橘、猵、葵、揆、悸、繘八字，皆四等音，當於注中『喉音有四等字』『喉音』上增『牙音』二字。」

註一二四　嚴式誨四聲切韵表刊後記說：「眞軫震質三等開口呼注：『喉音有三等字』，當作『脣音有四等字』。夏燮前引書又說：「眞軫震質三等開口呼，所列重脣有左書之賓、擯、必、繽、覞、匹、頻、牝、苾、民、泯、密十二字，皆四等音，當於注中『牙音有四等』『牙音』下增『重脣』二字。」

註一二五　夏燮四聲切韵表校正說：「山轄二等合口呼，列舌頭端母之鵽字。案舌頭無二等音，當於二等合口呼注，增『舌頭一等』四字。」

註一二六　前引書又說：「肴巧效覺二等開口呼，列舌頭泥母撓、橈二字。案：舌頭無二等音，當於二等開口呼注增『舌頭一等』四字。」

註一二七　前引書又說：「清靜勁昔四等開口呼，所列重脣右書者碧鮩檘三字，左書者幷、餅、併、璧、聘、擗、闢、名八字，當於四等開口呼注，增『重脣有三等字』。惟三等當左書而在右，四等當右書而在左，亦須改正。」

註一二八　前引書又說：「侯厚侯一等開口呼，注正齒有二等字。案：正齒止列鯫字仕垢切，爲牀母之二等，并無三等左書之字，當刪『有』『字』二字。」

註一二九　前引書又說：「麻馬禡三等開口呼，重脣明母哶彌嗟切，乜米也切。案：表例重脣三四等不通用，彌米皆四等音，當於注中『舌頭、齒頭、喻母四等』『舌頭』下增『重脣』二字。」

第六章 江永的韵母論(二)

江慎修的古韵部說，在古韵標準一書內，這本書的組織與內容大要，已見於第二章，所以本章不再贅述。但爲了閱讀的便利，有必要把古韵標準的大要再說一次，唯避免重復，謹以四庫全書總目的古韵標準提要，轉錄如左：

「自昔論古音者不一家，惟宋吳棫，明楊慎，陳第，國朝顧炎武，柴紹炳，毛奇齡之書最行於世。其學各有所得：而或失於以今韵分求古韵，或失於以漢魏以下，隋陳以前，隨時遞變之音，均謂之古韵。故拘者至格閡而不通，泛者至叢脞而無緒。永是書惟以詩三百篇爲主，謂之詩韵，而以周秦以下音之近古者附之，謂之補韵，視諸家界限較明。

其韵分平上去聲各十三部，入聲八部；每部之首，先列韵目。其一韵岐分兩部者，曰『分某韵』；韵本不通，而有字當入此部者，曰『別收某韵』；四聲異者，曰『別收某聲某韵』。較諸家體例亦最善。每字下各爲之註，而每部末又爲之總論，書首復冠以例言及詩韻學例一卷。大旨於明取陳第，於國朝取顧炎武，而復補正其譌闕；吳棫，楊慎，毛奇齡之書閒有駁詰；柴紹炳以下，則自鄶無譏焉。古韻之有條理者，當以是編爲最，未可以晚出而輕之也。」（註一）

提要說「古韻之有條理者，當以是編爲最，未可以晚出而輕之也。」在清朝乾隆時代，江愼修之古韻說，是當時最精審之作，這是沒有錯的。但是在二百年後的今天，古韻的研究，由分爲十部到三十二部，愈分則愈細，而江愼修的古韻說便漸漸失掉它的重要性了，至少它的重要性比不上江氏他自己的聲母、今韻、反切等方面的見解。正因爲後代古韻說遠勝江愼修太多，以今論古便是不頂必要的事，所以本章不準備詳析濶論，只想介紹江氏若干重要內容而已，而且已見於第二章者便儘可能不重複了。

在談到江氏的古韻說之前，想略微交待他的古聲調論和古聲母的鱗爪。

江愼修古音學體系中的古聲調說是非常值得重視的，他主張上古是有四個聲調的，和中古一樣；每一個字有一定的聲調，只是有些字的聲調不同於中古。正因爲如此，我們便需要修正許多學者以爲江永分古韻爲十三部的說法，而應該改說是平上去三聲各十三部，入聲八部。這些申論，已記述於第三章，請參見。

江愼修先生在他的聲韻學三書中，很少專門談到對上古聲母的意見。雖然古韻標準一書，每一個韵字都注以反切，如：

平聲第一部　重、直容切　（按：廣韵：直容、直勇、直用三切。）

平聲第二部　罘、扶之切　（按：廣韵：縛謀切。）

平聲第七部　蛇、唐何切　（按：廣韵：託何、弋支、食遮三切。）

平聲第十二部　風、孚金切（按：廣韵：方戎、方鳳二切。）

輕脣音者未改讀重脣，舌上者未改讀舌頭，而其韵母，則或改注以古韵部了，可見無法憑古韵標準的反切來推定江氏上古聲母的看法。要得知江氏古聲母說，只得從他的書中去搜尋一鱗半爪。江氏在四聲切韵表凡例第五十九條說：

「舌脣二音，古或用隔類切，或以舌頭切舌上，舌上切舌頭，或以重脣切輕脣，輕脣切重脣，今一用音和，免致滋誤。」（註二）

這里所說的「古」，也許是以唐宋爲主的中古，也許還包含以詩經時代爲主的上古，但至少表示江氏已經注意到舌頭舌上的混淆於古代，也已經注意到重脣音輕脣音的混淆於古代。對於舌上舌頭，江氏未進一步提出導致混淆的解說。對於重脣與輕脣的古讀，江氏說：

「尤有有別分一類，古音通之止志者，得其牧、郁、福、服字，福、服今音輕脣，古音重脣，如職韵之愎、逼也。」（註三）

所謂「如職韵之愎、逼」，除了指出「福」與「逼」諸聲偏旁外，還告訴我們「福、服」上古讀音如「愎、逼」二字。四聲切韵表蒸拯證職三等開口呼：「逼、彼力（切）」「愎、弼力（切）」，前者爲幫母，後者爲並母；又尤有宥屋三等開口呼：「福、方六（切）」「服、房六（切）」，前者屬非母，後者屬奉母。江氏是告訴我們廣韵（中古）的輕唇音，古音（上古）要讀爲重唇，因爲四聲切韵表表現的是中古韵書（尤其是廣韵）的音讀，所以所謂「古音重唇」應該是指廣韵以前之古，那應該是「詩經時代」吧？江氏這個「今音輕唇、古音重唇」，不就是後代人稱許錢大昕「古無輕唇音」的發現嗎？江氏四聲切韵表完成的年代，最遲是西元一七五九年（註四），時錢大昕才成進士四年，三十一歲（註五），錢氏十駕齋養新錄自序於嘉慶三年，阮元爲之作序於嘉慶九年（西元一八〇四年，即錢氏卒年），其刊刻必在九年之後，距四聲切韵表成書已四十五年，無論如何，最先提出「輕唇音古讀重唇」的，應該是江慎修永而不是錢大昕，錢大昕被稱爲研究上古聲母最早的一個人，已經很久了，應該改指江永才對。——這是多麼值得重視的史實啊！

除了「輕唇古讀爲重唇」以外，未發現江氏還有其他上古聲母的看法，以下則專就江慎修的上古韵部說加以敍述：

一、江永對吳楊陳毛顧的批評

鄭玄箋注毛詩，已經有「古聲」「古者聲」的話語（註六），顏師古注急就篇，也論古韻（註七），可知讀書而論及古音者，代有其人。但是對古音開始提出韻部劃分的是宋代的吳棫，顧炎武稱吳棫爲「古音學之鼻祖」（註八）。吳棫之後，歷程迥、鄭庠、而楊慎，明代的楊慎，有轉注古音略、古音叢目、古音略例等古音學專著，以增補吳棫韻補等書之未備（註九）。江慎修說：

「唐人釋經不具古音，且云：古人韻緩不煩改字。宋吳棫才老始作韻補，蒐羣書之韻異乎今音者，別之爲古音。明楊慎用修又增益之爲轉注古音，言韻學者謂二家爲古韻權輿，而韻補尤毛詩功臣。余謂凡著述有三難：淹博難、識斷難、精審難，二家淹博有之，識斷精審則未也。三百篇後古音亦漸尨矣，屈宋辭賦往往有齟齬之韻，漢雖近古，時有古音，而椿駁舛謬者亦不少。其故有數端：一則方音有流變，一則臨文不細檢，一則讀古不審沿古而反致誤，一則韻學不精，雜用流於野鄙，一則恃才負氣，以爲不妨自我作古。夫音有流變，時爲之，韻之舛錯，則才人爲之也。魏晉而後，古韻益微。降及唐宋，日習今韻，而又間爲古韻。如習漢音者，強效鄉音，其似者如叔敖之貌，其劣者若東施之顰，此何足爲典據。而二家惟事徵引，殊少決擇，古韻亦茫無界畔，似諸韻皆可混通，此識斷之難言也。古有韻之文亦未易讀，稍不精細，或韻在上而求諸下，韻在下而求諸上，韻在彼而誤叶此，或本分而合之，本合而分之，或間句散文而以爲韻，或是韻而反不韻，甚則讀破句，據誤本，雜鄉音，其誤不在古人，而在我，二家往往不免，此精審之難言也。余爲是書，淹博遠遜吳楊，亦安敢言識斷精審，有疎繆處，伏俟方家指摘焉。」（註一〇）

首先，江氏謂唐人釋經不具古音，也許是就大多數而言，因爲至少上引顏師古之注急就篇和漢書便曾注意到古韻。其次，江氏先讚頌吳棫爲毛詩功臣，而與楊愼同爲古韻權輿，然後提出淹博、識斷、精審之三難，一方面固然在說明爲學的三要，一方面也因此指出吳、楊二家淹博有餘，而識斷與精審不足，其言誠是，張世祿、陳新雄，以及近世聲韻學皆如是觀（註一一）

陳第作毛詩古音考與屈宋古音義，二書互相發明，其毛詩古音考，舉出四百四十四字，每一個字，皆指明古代音讀，列有「本證」「旁證」。張世祿說他「臚列鉤稽參驗，本末秩然」（註一二），四庫提要說他「廓清妄論，開除先路」（註一三），江氏說：

「萬曆間，閩三山陳第季立，著毛詩古音攷，又有屈宋古音義，其最有功於詩者，謂古無叶音，詩之韵即是當時本音。此説始於焦竑弱侯，陳氏闡明之。焦氏爲之作序，其書列五百字，以詩爲本證，他書爲旁證，五百字中有不必攷者，亦有當攷而漏落者。蓋陳氏但長於言古音，若今韵之所以分，喉牙齒脣之所以異，字母清濁之所以辨，概乎未究心焉。故其書皆用直音，直音之謬不可勝數，以此知音學須覽其全，一處有闕，則全體有病。全書本證旁證之法本之，其説之善者多采錄，若其舛誤處，間摘一二，不能盡舉正也。」（註一四）

江氏推崇他，説他「最有功於詩者，謂古無叶音，詩之韵即是當時本音」，這就是所謂「廓清妄論」之功。又説古韵標準中「本證、旁證之法本之」「其説之善者多采錄」，這只是稱許他「本末秩然」而多有可取，其讚譽不可説不大了。但是，江氏又深惜於陳氏之疏於今韵、等韵，以及使用直音之謬，此皆自語音分析之觀點立論，審辨語音之鋭利，江氏較之陳氏自然遠遠超越，以此評論陳氏，陳氏亦當心服。

除江氏外，四庫提要以爲陳第之書「其中如素音蘇之類，不知古無四聲，不必又分平仄；家又音歌，華又音和之類，不知漢魏以下之轉韵，不可以通三百篇；皆爲未密。」曹學佺亦評其一字數音，漫無條理（註一五），這些話也可以做爲江氏評陳第語的佐證。陳第除毛詩古音考，屈宋古音義二書以外，其讀詩拙言，雖不全是討論古音的，但闡明古音學的地方很多，對後世的啓發也很大。所敍述的大旨大概有以下幾端：㈠古今音不同，無所謂「叶」音；㈡三百篇是韵書的祖宗；㈢從說文形聲字的聲符和「讀若」的注音方法，可以考求古音；㈣從經傳異文，可以知道字音相通的痕跡；㈤詩經用韵之例，並不一致；㈥古人並未分辨四聲；㈦群書用韵的情形，多有和詩經相符合之處；㈧漢魏押韵的情形和詩經、楚辭相合；㈨易經的用韵和詩經可互爲表裏。陳第這些話，當然亦有可議，如㈥㈦㈧便是，但實多精要，可惜江永並未提出來評論。

江氏對於顧炎武的音學五書，非常佩服，說他有「特識」，江氏說：

> 「近世音學數家，毛先舒稚黃，毛奇齡大可，柴紹炳虎臣各有論著，而崑山顧炎武寧人爲特出。余最服其言曰：『孔子傳易亦不能改方音』。又曰：『韓文公篤於好古，而不知古音』。非具特識，能爲是言乎？有此特識，權度在胸，乃能上下考其同異，訂其是非，否則彼以爲韵則韵之，何異侏儒觀優乎？細考音學五書，亦多滲漏，蓋過信古人韵緩不煩改字之說，於『天』『田』等字皆無音。古音表分十部，離合處尚有未精，其分配入聲多未當，此亦考古之功多，審音之功淺，每與東原歎惜之。今分平上去三聲，皆十三部，入聲八部，實欲彌縫顧氏之書。顧氏嘗言五十年後當有

知我者（見李榕村集），蓋同時若毛氏奇齡輩，自負該博，未肯許可。余學譾陋，匪云能知顧氏，然已傾倒其書；而不肯苟同，是乃所以爲知；更俟後世子雲論定之。毛氏著古今通韵，其病即在「通」字，古韵自有疆界，當通其所可通，毋強通其所不可通。若第據漢魏以後樂府詩歌，何不反而求之三百篇？某韵與某韵果通乎？有數字通矣，豈盡一韵皆通乎？偶一借韵矣，其他詩亦常通用乎？今書三聲分十三部，入聲分八部，疆界甚嚴，間有越畔，必求其故，正所以遏其通也。」（註一六）

江氏論顧氏古音學而連及其他各家，茲先看江氏討論顧氏之處。

江氏首先用「比較突出法」來推崇顧氏，並且用「特識」來指出顧氏之能分辨古今，也能認識到雅俗音。江氏自己在他的韵學三書中，非常重視古今方俗，能辨析並且能嚴守，頗知方音之多存古，亦知方音之多混淆，今音古音之研究，多能切中肯綮，詳見前數章。正因如此，所以對於顧氏古今南北之語音認識，特別賞識。

江氏在學術上確實能審斷優劣，於顧氏一人，愛之、善之，卻又能知其缺失。江氏所指顧氏之缺失有：

1. 過信古人韵緩不煩改字之說。

2. 韵部離合未精。

3. 入聲分配未當。

4. 審音之功淺。

關於1.，和顧氏古音觀的基本觀點有關，蓋顧氏常有一「復古」的想法横梗在心中，像唐韻正一書，唐韻本爲唐人而設，顧氏偏要「正」之以復古。所以陳新雄先生說：

「今言顧氏古韻學說之缺失，於其古韻分部之未盡精密，入聲改配之未能盡善，猶不與焉。蓋古韻研究，作之難精，述之者之易密，此固學術上自然之理也，原不足爲顧氏病。今所言者，指其語音觀念而言，顧氏之於語音，横存一復古之觀念，頗與語音之實際情形不合。」（註一七）

關於2.，顧氏分上古韻爲十部，計爲：

第一部：（東部）包括東、冬、鍾、江上去從略。

第二部：（脂部）包括脂、之、微、齊、佳、灰、咍、又支半、尤半。去聲祭、泰、夬、廢。入聲質、術、櫛、物、迄、月、沒、曷、末、黠、鎋、屑、薛、職、德、又屋半、麥半、昔半。

第三部：（魚部）包括魚、虞、模、侯、又麻半。入聲燭、陌、又屋半、沃半、藥半、鐸半、麥半、昔半。

第四部：（真部）包括眞、諄、臻、文、殷、元、魂、痕、寒、桓、刪、山、先、仙。

第五部：（蕭部）包括蕭、宵、肴、豪、幽、又尤半。入聲屋半、沃半、藥半、鐸半、錫半。

第六部：（歌部）包括歌、戈、又麻半、支半。

第七部：（陽部）包括陽、唐、又庚半。

第八部：（耕部）包括耕、清、青、又庚半。

第九部：（蒸部）包括蒸、登。

第十部：（侵部）包括侵、覃、談、鹽、添、咸、銜、嚴、凡。入聲緝、合、葉、帖、洽、狎、業、乏。

而江氏將顧氏的魚部（第三部）和蕭部（第五部），析爲魚、宵、尤三部；把顧氏的眞部（第四部）、侵部（第十部）各分爲二部，詳見後文。換句話說，江氏把顧氏的十部再加析分，當然要説顧氏「離合未當」了。關於3.，江氏説顧氏的入聲分配未精當，並不是説顧氏的努力全白費了，江氏的意思是説顧氏「只知其一，不知其二」，只知道入聲是配陰聲韻的，不知道入聲韻也可以兼配陽聲韻，也就是説：顧氏不知道「數韻同一入」的道理。這一點，已經評論於前一章了。關於4.，顧氏等韻審音之學確實疏漏，我們也大可不必替顧氏迴護。只是如果純粹拿考古之功來研究上古音，未始不是一個純任材料和證據的學術，審音之功只是在彌補考古之不足，考古之功到底是比審音之功重要，所以顧氏此病，尚非大病。

江氏以爲顧氏除了這些缺點之外，還有其他的缺失，江氏說：

「顧氏詩本音改正舊叶之誤頗多，亦有求之太過，反生葛藤。如一章平上去入各用韵，或兩部相近之音各用韵，率謂爲一韵，恐非古人之意。小戎二章，以「合」「軜」「邑」叶「驂」，以「念」字叶「合」「軜」「邑」，尤失之甚者。今隨韵辨正，亦不能盡辨也。」（註一八）

這些缺點，比起前述的四病，並不是大毛病，但也有損顧氏音學之精，江氏古韵標準隨處指正，茲不贅述。

至於江氏之評毛奇齡古今通韵，並非因毛氏專以難顧而有偏見，所批評的實爲公論。毛氏書中有五部，三聲、兩界、兩合之說，四庫提要以爲他：「「五音」「兩界」皆自亂其例，而「三聲」「兩合」也自相淆亂（註一九）。其病殆皆出於想要比合上下數千年的韵文，而使之「通」，一通遂至漫無界畔，而自毀其例，難怪江氏要直斥「其病即在『通』字」了。

二、江氏的詩韻舉例

江慎修論學謹篤，不爲無據之言，其古韻學之建立，專在詩經三百篇的用韻，但詩經所憑語音既爲上古，後人不可得而聞，又非唐宋以後的律詩，用韻有一定的形式，爲了避免拿非押韻字爲韻脚，或把韻脚當成非韻的字，便應該講究詩經各篇各章押韻的例式，江氏說：「古有韻之文，亦未易讀，稍不精細，或韻在上而求諸下，韻在下而求諸上，韻在彼而誤叶此，或本分而合之，本合而分之，或閒句散文而以爲韻，或是韻而反不韻，甚則讀破句，據誤本，雜鄉音，其誤不在古人而在我。」（註二〇）正因爲考慮到押韻字的或在上、或在下、或分或合，所以江氏才精心整理出詩經用韻之例式。江慎修的「詩韻舉例」是這樣的：

㈠連句韻：

(1)連兩句：如關關雎「鳩」，在河之「洲」。(2)連三句：如言告言「歸」，薄污我「私」，薄澣我「衣」。(3)連四句：如維葉莫「莫」，至服之無「斁」。

(4)連五句：如揆之以「日」，至爰伐琴「瑟」。(5)連六句：如北流活「活」，至庶士有「朅」。(6)連七句：如老使我「怨」，至不思其「反」。

(7)連八句：如氓之蚩「蚩」，至子無良「媒」。(8)連九句：如匪居匪「康」，至爰方啓「行」。(9)連十句：如濟濟蹌「蹌」，至孝孫有「慶」。

(10)連十一句：如黃耇無「疆」，至湯孫之「將」。(11)連十二句：如秋而載「嘗」，至魯邦是「常」。

又分三例。

(二)閒句韻：

(1)閒一句：如窈窕淑女。君子好「逑」。(2)閒二句：如嗟我婦子，曰爲改歲，入此室處。(3)閒多句而遙韻者，別見後。按即隔數句遙韻，隔韻遙韻，隔章尾句遙韻，隔章章首遙韻諸例是。

(三)一章一韻：如關雎首章。

(四)一章易韻：如關雎二章。江氏云：「易韻不可不審，如斯干八章乃生男子，不易韻，而九章，乃生女子，則易韻，詩體固不拘也。如謂是一韻，以舊讀瓦儀議罹皆叶地裼，以非古音，从顏氏讀地如陀既未安，而裼字亦不可強讀如唾，以爲閒句又非體，惟陳氏轉韻之說得之，但陳氏不知瓦字韻連下耳。若鹿鳴首章，大東二章，易韻甚分明，誤叶而平聲第一部與第八部混而一之，有乖古韻矣。今正之。」

以上體例之常，不可枚舉；以下體例之變，詳舉以證。

(五)隔韻：兎罝一二三章，首句與第三句韻，次句與第四句韻，後倣此。行露三章。殷其靁一二三章。小星一二章。野有死麕首章。何彼襛矣首章。柏舟三章。燕燕一二三章。雄雉首章。谷風首章。載馳二三章。氓五章。黍離一二三章。揚之水一二三章。葛藟一二三章。大叔于田首章。擇兮一二章。揚之水一二章。南山一二三四章。甫田一二章。碩鼠二三章。蟋蟀一二三章。采苓一二三章。終南一二章。無衣一二三章。下泉一二三章。東山首章二章四章。狼跋首章。四牡二章。皇皇者華首章。常棣七章。天保五章。采薇一二三四章。出車二章。杕杜二三章。魚麗一二三章。六月首章二章。吉日二章。沔水二章。白駒三章。節南山八章。十月之交四章。小宛五章。巧言六章。大東三章。魚藻一二三章。菀柳一二章。白華四章七章。瓠葉二三四章。漸漸之石三章。何草不黃四章。大明六章七章。皇矣二章。行葦二章。卷阿九章。桑柔四章五章六章七章九章。瞻卬五章六章。召旻五章六章。雝。酌。泮水一二三章。閟宮三章。

(六)三句隔韻：葛覃首章。采芑首章二章三章。韓奕首章。

(七)四聲通韻：關雎三章，漢廣一二三章。鵲巢首章。小星二章。行露二章。野有死麕首章，日月首章、擊鼓二章谷風四章五章。泉水三章。君子偕老二章三章。桑中首章。定之方中二章。蝃蝀三章。干旄首章。淇奧一二章。考槃首章。氓三章四章六章。黍離一二三四章。揚之水三章。中谷有蓷二章。兔爰二章。緇衣一二三章。叔于田二章。大叔于田三章。清人三章。遵大路首章。丰首章。風雨三章。子衿二章。野有蔓草首章。溱洧首章。著首章。甫田三章。猗嗟三章。碩鼠首章。蟋蟀首章。揚之水二章三章。綢繆二章。杕杜二章。羔裘首章。葛生四章。駟鐵首章。小戎首章。宛丘三章。墓門二章。月出三章。羔裘三章。匪風二章。蜉蝣二章。侯人首章。七月首章二章。鴟鴞首章。東山三章。鹿鳴二章。四牡五章。伐木三章。采薇首章三章。出車首章二章，杕杜四章。魚麗六章。南有嘉魚首章。彤弓首章二章三章。采芑首章三章四章。車攻二章六章。斯干首章三章九章。無羊二章。節南山首章五章六章。小宛二章。小弁六章七章。巧言首章。何人斯五章六章。蓼莪三章。大東二章四章。楚茨首章四章五章。大田二章。裳裳者華四章。桑扈首章。頍弁二章。車舝二章五章。賓之初筵二章三章四章。采菽三章五章。角弓二章三章五章六章。菀柳一二章。瓠葉二章。何草不黃三章。文王首章八章。大明首章。綿九章。旱麓四章六章。皇矣二章四章八章。靈臺二章。文王有聲三章。生民首章三章五章七章八章。行葦三章。既醉五章六章。假樂首章。公劉二章六章。洞酌首章。卷阿八章。民勞五章。板首章四章六章八章。蕩五章七章八章。抑首章四章五章六章十一章。桑柔二章三章五章八章九章十章十二章十三章。雲漢四章五章六章。崧高二章。蒸民六章。韓奕首章五章。江漢二章五章六章。常武五章。瞻卬五章六章。維清、潛。閔予小子。載芟。勺、泮水二章八章。閟宮二章。元鳥。長發五章。殷武三章四章。

(八)三句見韻：東山一二三四章。正月十二章。大田首章。賓之初筵首章。假樂首章。洞酌一二三章。抑六章。蒸民三章六章。韓奕四章。江漢五章。常武首章。召旻七章。豐年一章。

(九)四句見韻：賓之初筵三章。生民首章、桑柔八章。常武三章。有客一章。

(十)五句見韻：巷伯六章。

(十一)隔數句遙韻：抑三章。臣工一章。有客一章。

(十二)隔韻遙韻：桑中首章。巧言首章。楚茨首章。生民首章三章八章。瞻卬二章。酌一章。

(十三)隔章尾句遙韻：麟之趾一二三章，騶虞一二章。桑中一二三章。君子揚揚一二章。褰裳一二章。權輿一二章。文王有聲一至八章。有駜一二三章。

(十四)隔章章首遙韻：東山一二三四章。瞻彼洛矣一二三章。蕩二章至八章。

(十五)分應韻：有瞽一章。設業設虡以下應瞽字韻，喤喤厥聲以下應庭字韻。

(十六)交錯韻：烈文公邦崇功疆皇忘相錯爲韻。絲衣紑俅觩柔敖休基牛鼐相錯爲韻。

(十七)句中韻：小星二章。柏舟五章。匏有苦葉二章。北風一二三章，君子偕老首章。陟岵首章二章三章。候人四章。巷伯首章。卷阿八章。那。

(十八)疊句韻：車舝四章析其柞薪疊句，二薪字自爲韻。

(十九)雅無韻之句：巷伯六章首二句。谷風三章末三句。賓之初筵首章首二句，三章首二句，假樂首章首二句。抑三章顛覆厥德四句無韻，九章其維哲人三句。桑柔八章首二句，十六章末二句。蒸民二章末二句。常武三章首三句。召旻四章末句。

(二十)頌無韻之句：思文後四句。豐年首二句。訪落末二句。載芟末二句。良耜播厥百穀二句無韻。末句無韻。

(二一)雅無韻之章：思齊三章四章五章。召旻四章。

(二二)頌無韻之章：清廟。維天之命。昊天有成命。時邁。噫嘻。武。桓。般。（註二一）

以上共二十二個例，爲例不可不說他詳密，除小疵外，大體是正確的（註二二）。

考詩經用韻之研究，陳第讀詩拙言和顧炎武詩本音都曾經論及用韻之例，但所說的都很簡略，不過是一種發凡起例而言，並未舉詩經而全體分析，江氏說：「韻本無例，詩用韻變動不居，衆體不同，則例生焉。不明體例，將有誤讀韵者，故先舉此以發其凡，自是而古韵可求，其非韵者，亦不知強叶誤讀矣。」（註二三）詩經用韵例的探討是非常重要的，不知韵例，小者誤歸韵部，大者泯亂韵部之疆界，而江氏之前，似未有言之者，然則江愼修豈非先行從事的第一人了嗎？

後來孔廣森在詩聲類之末，亦繼江氏而探討詩經用韵之例，稱做「詩聲分例」，計有：偶韵例、奇韵例、偶句從奇韵例、疊韵例、空韵例、二句獨韵例、末二句換韵例、兩韵例、三韵例、四韵例、兩韵分協例、兩韵互協例、兩韵隔協例、三韵隔協例、四韵隔協例、首尾韵例、二句不入韵例、三句不入韵例、二句閒韵例、三句閒韵例、四句閒韵例、聯韵例、續韵例、助字韵例、句中韵例、句中隔韵例、隔協句中隔韵例，合計二十七例。孔氏說：「如是精求之，近代詩律疏於三百篇多矣！」又說：「以上通例十門、別例十三門、雜例四門，凡舉式百有三十。」（註二四）他自認爲所論析的詩經用韵例，已經非常精密了，其實比起江氏，實在是長短互見，而最根本的是，既然對古音還不十分清楚的時候，也就是在歸納出韵部以前，如何知道那一個字是韵脚呢？在邏輯的推理上，要知道上古韵部，便先要知道上古韵文押韵的韵脚，要知道何者爲韵脚，又需要先知道上古音韵的情形，這不是走入無尾巷了嗎？陸志韋說得好：

「詩韻沒有一定的體例，孔廣森在詩聲分例裏……仍然說得不週到。古詩隨口用韻，隨時轉韻，不遵照任何規律。……徹底的說，人要是不預先知道韻脚在哪裡，斷不能從詩經歸納出古韻部的界綫來。怎樣才會知道韻脚在哪裏呢？必須先從諧聲推求字的元音跟收聲。這樣才可以讀詩經，然後可以用詩經韻脚跟諧聲的分部互相校對，看合適不合適。」（註二五）

陸志韋說詩經用韻「不遵照任何規律」，這句話也是批評江永的，應該加以說明。詩經裏的詩篇，在寫作當時，也許正是不遵守任何既定規律，但是，有兩個事實不能不承認：第一，詩經是配合音樂來唱的，要接受音律的限制。第二，詩經的用韻也許不經意去講求，但是這種不經意去講求的自然規律，我們後人可以用歸納之法去找出來。這兩點，陸氏沒有考慮到。至於說「如何才能會知道韻脚在哪裏？」爲了避免循環論證，陸氏建議先從諧聲字的研究下手，原則上是對的，只怕諧聲的研究到目前仍有基本上的困難（如諧聲的確切時代，諧聲的原則），所以在諧聲的研究未有滿意的成績以前，江氏的詩韻學例還是值得參考的，當然了，使用江氏詩韻學例時，應該要參酌其他人的詩經韻例，如孔廣森、夏燮等（註二六）。

此節之末，我們可以來看看夏燮的詩經韻例，以瞭解江慎修詩韻學例之影響，及其周密之處。夏氏的詩經用韻研究成果見於〈詩四聲分韻學例〉（註二七），計有：

1. 一章一韻（六十例）

2. 同章分韻（三十四例）

3. 隔句韻（七例）

等三例，比起江氏，眞有天壤之別。夏氏還說：

「今據三百篇所用四聲，有同在一部而分用畫然者，仿古韻標準詩韻舉例，條繫于左方。」

夏氏的意思是說，上述三個例只是異調分用的例子，不是全部詩經的用韻例式，但他仍然要說仿自江氏的古韻標準，足見江氏聲韻學影響夏氏之大（註二八），而此古韻標準詩韻舉例在道光之後尚且一直被學者重視著。

三、江氏的古韻分部和收字

從第一節江氏對諸家古韻研究的評論，以及第二節的詩韻舉例，我們已經知道他在整理古韻時，態度非常嚴謹。我們可以從他的古韻標準例言裏，看出他在研究古韻時，是結合了研究今韻與等韻的成果，並且考慮到方言的問題，思想是相當周密的。他說：

「人靈萬物，情動聲宣，聲成文謂之音，錯綜縱橫，四七經緯，由是侈弇異呼，鴻殺異等，清濁異位，開發收閉異類，喉牙齒舌脣，輾轉多變，悉具衆音，音之諧謂之韻。前聖作書，江从工，河从可，霜从相，雪从彗，即韻之萌芽；古人命物，日者實，月者缺，水者準，（準、古音之水切）火者毀，（火、古音虎洧切）亦韻之寄寓。屬而爲辭，詩歌箴銘，宮商相調，里諺童謠，矢口成韻，古豈有韻書哉？韻即其時之方音，是以婦孺猶能知之協之也。時有古今，地有南北，音不能無流變，音既變矣，文人學士騁才任意，又从而汩之，古音于是益淆訛，如棼絲之不可理。三百篇者，古音之叢，亦百世用韻之準。稽其入韻之字，凡千九百有奇，同今音者十七，異今音者十三。試用治絲之法，分析其緒，比合其類，綜以部居，緯以今韻，古音犂然。其間不無方語差池，臨文假借，按之部分，間有出入之篇章，然亦可指數矣。以詩爲主，詩傳騷子爲證，詩未用而古今韻異者，采它書附益之。標準既定，由是可考古人韻語，別其同異，又可考屈宋辭賦，漢魏六朝唐宋諸家有韻之文，審其流變，斷其是非，視夫泛濫羣言，茫無折衷，槩以後世淆訛之韻爲古韻者，不有間乎。余既爲四聲切韻表，細區今韻，歸之字母音等，復與同志戴震東原商定古韻標準四卷，詩韻學例一卷，於韻學不無小補焉。」（註二九）

這段話，分爲幾小段，「謂之韻」以上說明江氏的語音分析的觀點，「前聖……韻之寄寓」

說明諸聲與聲訓之研究與古韻研究有關，「屬而……協之也」說明上古詩歌即當時之方音，「時有……不可理」說明音有古今南北之變而或有淆訛之者，「三百篇……犂然」說明董理詩韻之法，「其間……指數矣」說明詩韻中或有方語、假借出入之篇，「以詩爲主……不有間乎」說明所使用的韻文材料間的主從關係，最後略述研究的情況。

這一段文字，實際上敍述了江氏心目中理想的研究理論與研究方法，我們從他考察詩經入韻之字，而用「治絲之法，分析其緒，比合其類，綜以部居，緯以今韻」，知道他善用分析與歸納之法，又能從古今音的演變來看上古音，不孤立的觀察問題。他對於研究材料的別擇，相當用心，此亦表現了「識斷」的能力，他「以詩爲主，經傳騷子爲證」便是由時代的眼光來選擇時代大約相近的材料，免除歷來時代混雜的毛病，在純客觀的材料整理之後才運用聲韻學的音理與辨析能力，探討上古各韻部，也就是說，在考古的基礎上，加上審音之功。

江氏說：

「今書三聲分十三部，入聲分八部，疆界甚嚴，間有越畔，必求其故，正所以遏其通也。」（註三〇）

所謂「必求其故」者，大多就是從音理來推尋其緣故。

江愼修先生所分的上古韻部，後世學者多指爲「十三部」（註三一），此或出於與不分四聲的古韻家比較時的方便，但因此抹煞了江氏分部的事實，實在不應該。江氏是主張上古有四聲的，只是有時會四聲通押（註三二），江氏他把古韻分爲：

平聲十三部

上聲十三部

去聲十三部

入聲八部

合計四十七部。關於上古有四聲，已敍述於第三章。江氏把四十七部，依四聲分爲四卷，每卷依部之先後，由第一部到第十三部（入聲到第八部）排列。每部之中，先列韻部之名（如第○部），次列廣韻韻目，次爲「詩韻」（舉詩經韻脚之字，依廣韻韻次字次排列，每字注以切語，時有論辯），「詩韻」中或列有「本證」「旁證」，本證舉詩經本書用韻之例，旁證則取諸經傳、楚辭、子史、百家。江氏曰：

「經傳、楚辭、子史、百家，可證詩韻者引之，亦不必多引，取證明而已。凡旁證取其近古者，魏晉以後間引一二，欲考其詳，自有顧氏專書，音變源流及詩外之字，亦多採顧說。」（註三三）

「詩韻」之後有「補考」（考詩經未入韻的字），最後有詳論古今方俗，析其音理的「總論」。

關於上述四十七部的內容與體式，已敍述於第二章，此處不贅述，謹摘錄其各部收字，省其字下之詳論與部後「總論」，略據各本（註三三）加以校訂，列成長表如左，以便次節之敍述江氏古韻的特點：

〔江永上古四十七韻部收字切語表〕

平聲第一部

（一東）東德紅○同從紅童僮○中陟躬○蟲直躬沖沖○忡丑中○終職戎螽○崇鉏躬○戎如融○躬居戎宮○融以戎○窮渠紅○豐芳戎○充昌終○空苦紅○公古紅工功攻○蒙莫紅濛○巃盧紅○訌戶公○潨徂紅○聰倉紅○恫它紅○總祖紅豵○蓬蒲紅逢莑

（二冬）冬都宗○宗祖冬

（三鍾）鍾職容○龍力鍾○松祥容○衝尺容罿○容餘封庸墉鏞○傭敕龍○葑方容○凶許容訩○顒魚容○雝於容廱饔○濃女容襛○重直容○從疾容○縫符容○蜂方容丰○邛渠容○恭居容共○樅七恭

（四江）厖莫工○邦卜工○降戶工○雙所工

補考

（一東）聾盧紅

（三鍾）封方容

（四江）江音工釭杠○尨莫工駹○窻初工○舡戶工洚○逢薄工○腔苦工○幢宅工撞橦○惷丑工○椿株工淙鉏工

平聲第二部

（分五支）支章移枝○觽許規○萎於危倭○吹昌垂○岐巨支伎疧祁○提是支○卑賓彌○紕蒲支○斯息移○雌此移

○知陟移○箎直斯○

（六脂）脂旨移○祇○夷以旨姨桋○師疏夷○毗頻脂膍○資即夷○饑居夷○鴟處夷○茨疾資○遲直尼坻○私息移○

尸式之蓍○黎力脂○葵渠惟○追陟誰○龜居追○維以追惟遺○纍力追○綏息移○逵渠追騤○眉旻悲湄麋郿○悲

駓

逋眉○騅職追○伾攀悲駓○屎馨夷

（七之）之止而○飴與之○時市之塒○疑語其○思息茲絲○期渠之淇騏○詩書之○僛去其○姬居之其基箕○狸

里之○熙許其○治直之○蚩充之○茲子之鼒

（八微）微無非○薇○圍雨非違○霏芳非騑○飛甫微○腓符非○威於非○祈渠希畿頎○幾居衣晞○衣於希依○歸

舉章

（十二齊）齊徂奚蠐○妻七稽萋淒○氐都奚○蓖田黎○兮胡雞○棲先稽屖○躋祖稽隮懠○迷莫兮○圭古攜○攜

戶圭

（十三佳）

（十四皆）皆居奚湝○懷胡偎○霾謨悲

（十五灰）虺呼恢○回戶恢○枚模杯梅媒梅○雷魯回畾○隤陟回頹○崔倉回○摧昨回○嵬魚回○推他回

（十六咍）哀於希○來陵之萊○臺田飴○哉將黎○偲桑之○才前栖○能奴怡

（分十八尤）尤于其訧郵○牛魚其○邱袪其○裘渠之俅仇○紑符其○謀謨悲

〔別收二十三魂〕敦都回

〔別收八戈〕和戶危

〔別收去聲八未〕畏於非

〔別收去聲十六怪〕壞胡威

補考

〔十三佳〕佳古兮涯○崖魚兮

〔十四皆〕荄居奚痎○諧胡奚○排步迷○乖姑回○淮胡威○豺土之儕○埋謀悲○齊側其

〔十六咍〕治呼其○開苦回○埃烏衣○菭徒尼駘○該古衣○財前栖裁材○灾將黎○胎它飴○孩戶黎

〔十八尤〕肬于其○不古字丕○罘扶之

〔一先〕蠲顧氏古音圭

〔二仙〕鮮顧氏古音犀

〔八戈〕蓑顧氏古音初危反

平聲第三部

〔九魚〕魚語居○書傷魚舒紓○居九魚車○渠強魚○餘以諸輿旟礜畬○胥相居○苴七魚砠沮○樗抽居○邪詳余

○廬力居蘆○除直魚○且子余○袪去魚○虛朽居○葅側魚

（分十虞）虞元俱娛○吁況于訏盱芋○夫風無膚

（十一模）蒲蒲胡○胡戶吳乎壺狐○辜古胡呱○徒同都塗圖屠瘏荼○帑乃都○幠荒烏○租則吾○徂昨胡○蘇素姑○烏哀都○都當胡○鋪普胡痡

（分九麻）罝子余○華芳無○家古胡葭○瓜古胡○瑕洪孤騢○豝博胡○牙五胡○闍當胡

補考

（九麻）蟆莫胡奢賒○邪以諸○遮止余○姱苦胡夸○豭古胡○遐洪孤霞鰕○巴博姑○芽五乎冏○窊哀都○查側孤

（去聲五寘）戲荒胡

（九御）去邱於

平聲第四部

（十七眞）振之鄰○姻於眞駰禋○新息鄰薪○辰時鄰晨臣○人如鄰仁○神食鄰○親七人○申失人身信○賓必鄰濱○粼力珍鱗○陳直珍塡塵○頻毗賓蘋○巾居銀麕○囷去淪○民彌鄰泯緡瘖○貧皮巾

（十八諄）詢相淪洵○淳常倫錞○漘船倫○春昌脣○淪力迍輪○旬詳遵○鈞居勻均

（十九臻）臻側詵榛蓁溱○莘所臻詵

〔二十文〕聞無分○雲于分云耘員○焚符分○羣渠云○薰許云○君舉云○芬敷文雰

〔二十一殷〕殷於巾慇○勤巨巾芹○欣許斤

〔二十三魂〕昆古渾○門莫奔璊亹○孫思渾飧○存徂尊○錞都昆○奔博昆

〔二十四痕〕詩未有韻

〔分一先〕先蘇鄰○千倉新○天鐵因○堅居因○賢下珍○田徒鄰○年泥因○顛典因巔○淵一均○玄胡勻

〔別收二僊〕翩批賓○川樞倫○鳶以旬

〔別收二十八山〕鰥居銀○艱居銀

〔別收八微〕煇許云○旂渠斤

〔別收十二齊〕西蘇鄰

〔別收十五青〕令力珍苓零

〔別收十六蒸〕矜居銀

〔別收上聲十六軫〕畛之人

〔別收去聲三十二霰〕甸直鄰

補考

〔二十三魂〕淳他屯

（二十八山）慳苦銀

（一先）芊倉新○煙於眞○咽○憐力珍○畋徒鄰佃賓○濱典因○牽去眞○眠彌鄰○蠙毗賓○編卑鄰

（二仙）偏批賓篇○穿樞倫○幁于分

（八微）揮許云暉翬○沂魚斤

（去聲五寘）賁符文

平聲第五部

（二十二元）原愚袁園垣援媛○燔符袁樊繁袢○番孚袁蕃幡藩翻○諼況袁貆○言語軒○軒虛言

（二十五寒）翰胡安○單都寒○安烏寒○難那干○餐七安○嘆他干嘽○壇徒干○殘昨干○干古寒乾

（二十六桓）丸胡官完○溥度官博○冠古丸○欒落官○寬苦官

（二十七刪）關古還○環戶關○蠻莫還○顏五姦○菅古顏

（二十八山）山所閑○閒古閑蕑○閑戶閑

（分一先）肩古前

（二僊）僊相然○遷七然○旃諸延○梴丑延○廛直連○連力延漣○泉疾緣○宣須緣○儇隳緣○還似宣○悁縈緣○虔渠焉○愆攄虔○卷巨緣鬈○焉于虔

〔別收去聲二十五願〕憲許言

補考

〔十歌〕鼉徒丹

〔八戈〕皤符袁○鄱薄官○番音翻

〔上聲二十四緩〕煖況袁

平聲第六部

〔分三蕭〕恌吐彫○苕徒僚蜩○僚落雕膋○嘵馨幺

〔四宵〕消思邀逍翛○朝陟遙○調駝遙○囂虛嬌驕○譙昨焦○驕舉喬鷮○椒即消○蕘如招○遙餘昭搖謠瑤○昭止遙○鑣悲驕麃瀌○苗眉鑣○要於消葽○喬巨嬌○夭於喬○漂紕招飄嘌○翹渠遙荍○燎力昭

〔分五肴〕郩何交○郊古肴○巢徂交

〔分六豪〕號胡刀○勞魯刀○高古勞膏○蒿呼高○毛莫勞旄○刀都牢忉○桃徒刀○敖五勞嗷囂

平聲第七部

〔七歌〕歌古俄○磋倉何傞○多得何○娑素何○佗徒何紽沱○瘥才何○莪五何俄峩○他湯何○羅魯何○那諾何難

○何胡歌荷河○阿烏何

〔八戈〕過古禾○婆薄波○磨莫婆○吪五禾訛○波博禾○薖苦禾

〔分九麻〕麻莫婆○髽子娑○蛇唐何○嘉居何加○差倉何○沙桑何鯊

〔分五支〕爲吾何○陂彼禾羆○錡居何○犧虛何○宜牛何儀○皮蒲何○離良何罹○椅於何猗○池唐何馳

〔別收上聲四紙〕靡莫婆

〔別收去聲五寘〕議牛何

補考

〔五支〕移弋多扅匜○麾許戈撝○倭於危○糜莫何縻○垂徒何○羸力禾○披普禾○隨徒何○虧去禾窺○奇古何羈

畸義巇○崎去何碕○犧魚何鸃○疲蒲何罷○籬良何蘺蠡醨○彲丑戈螭○漪於何○規居何○菙徒何○齹在何

〔八戈〕和戶戈

〔九麻〕騧居何○髽莊何

〔上聲四紙〕蟻牛何○觭于何○陁唐何

〔去聲五寘〕義牛何僞

〔四十禡〕化毀禾

平聲第八部

〔十陽〕陽與章楊揚鍚羊洋痒○詳似羊祥翔○良呂張梁粱糧涼○香許良鄉○商式羊傷湯觴○房符方魴防

○章諸良璋○昌尺良○羌去羊○姜居良疆彊○長直良腸場○張陟商粻○穰汝羊瀼○方府良○襄息良驤相箱○

將即良漿○亡武方忘望○牀仕莊○常市羊裳嘗○霜色莊爽○牆在良○鏘七羊將蹌瑲鶬牄○筐祛王○王雨方○

央於良泱○狂巨羊

〔十一唐〕唐徒郎螗堂○狼魯堂稂○倉七岡蒼○岡古郎剛綱○桑息郎喪○康苦岡○荒呼光○黃胡光簧皇煌遑○

光古黃洸○湯吐郎鏜○行戶郎杭頏○芒謨郎○臧咨郎牂○囊奴當○雱鋪郎○旁補郎傍○卬五剛○藏昨郎

〔分十二庚〕庚古郎羹○蝱謨郎○喤胡光○祊補光○觥古黃○彭溥郎○英於良○亨鋪郎○京居良○明謨良盟○兵

補芒○兄虛王○卿祛良○衡戶郎珩

〔別收上聲三十六養〕享虛良饗

〔別收去聲四十一漾〕讓如羊

〔別收去聲四十二宕〕抗居郎○伉苦郎

〔別收去聲四十三映〕慶祛羊

補考

〔十二庚〕更古郎秔○阬苦岡○盲彌郎○橫戶光鍠○亨許郎○鎗七羊○瑲於良○⿰明鳥謨郎○棖直良牚○鯨渠良○迎

五剛○䀨戶郎蘅

（十三耕）萌謨郎

（十四清）餳徒郎

（去聲四十二宕）當都郎○浪魯當

（四十一漾）愴初良

平聲第九部

（分十二庚）平蒲兵苹○鳴眉兵○驚舉卿○瑩永兵○生所庚甥牲笙

（十三耕）丁中莖○嚶烏莖○爭側莖

（十四清）清七情○菁青並子盈旌○盈以成楹嬴○營余傾○楨陟盈禎○成是征城○程直貞酲○聲書盈○正諸盈征

○名彌并○傾去營○瞏渠營○縈於營

（十五青）青倉經○經古靈涇○刑戶經○庭特丁霆○馨呼刑○星桑經○靈郎丁○寧奴丁○聽他丁○冥莫經○屏薄經

補考

（去聲四十三映）醟永兵

（四十六徑）甯奴丁

平聲第十部

（十六蒸）蒸煮仍烝○承署陵○懲直陵○陵力膺○膺於陵○馮皮冰○冰筆陵掤○繩神陵乘○升書蒸勝○陾如乘○兢居陵○興虛陵

（十七登）登都騰登○崩悲朋○增作滕憎○朋步崩○弘胡肱○肱古弘○薨呼肱○騰徒登滕○恒胡登

（別收一東）弓古弘○夢莫登○雄于陵

補考

（一東）熊羽陵

平聲第十一部

（分十八尤）憂於求優○流力求旒劉○秋七由○由以周悠滺游遊猶揄○酋自秋遒○脩息流○抽丑鳩妯瘳○周職流洲舟○讎市流○柔耳由蹂○收式州○鳩居求○搜所鳩○休虛久○囚似由○裯直由○求巨鳩絿觩球銶逑仇○浮縛牟罦○矛莫浮髦

（十九侯）侯戶鉤○婁力侯○諏子侯○裒薄侯

（分十虞）愚魚侯隅○芻窗侯○濡而由○株陟由○殳從侯○渝容周榆愉○驅祛由○趨七驅○蔞力侯○孚方由○樞昌由姝○蹰直由○駒居侯

〔分三蕭〕蕭蘇鳩瀟○條徒求○聊力求

〔分四宵〕陶以周○儦必幽

〔分五肴〕膠居由○怓奴侯呶○茅莫侯○包逋侯苞○匏蒲侯炮

〔分六豪〕牢郎侯○聱居侯櫜○滔他侯慆○騷蘇侯○袍蒲侯○陶徒侯綯翿○敖五侯○曹祖侯漕

〔別收上聲四十五厚〕叟蘇侯

補考

〔十虞〕禺魚侯鸀○儒而由臑○須思由需○誅陟由邾跦裯○貙樁俱○殊魚侯○俞容周踰羭臾○區祛由軀摳○

朱章由珠○膢力侯○符扶由凫瓿○雛仕由○郛方由○輸式由○厨直由○拘居侯

〔三蕭〕簫蘇侯○寥力求

〔五肴〕咆蒲侯

〔六豪〕嗥胡侯○皋古侯○搔蘇鳩○褒博侯○濤直由檮○遭作侯○螬徂侯○猱女由

平聲第十二部

〔二十一侵〕駸七林○鬵徐林○林力沈臨○琛丑林○煁知林○諶氏壬○深式針○心息林○琴巨金芩○欽去金衾○

歆許金○今居吟金衿○音於金陰○參取今

〔分二十二覃〕驂(疏簪)○南(泥心)男○湛(持林)耽

〔分二十三談〕三(疏簪)

〔分二十四鹽〕綅(息林)

〔別收一東〕風(孚金)

〔別收去聲五十六㮇〕僭(子林)

補考

〔二十二覃〕潭(徐林)○楠(泥心)

〔二十四鹽〕潛(昨林)

〔一東〕楓(孚金)

平聲第十三部

〔分二十二覃〕涵(胡婪)

〔分二十三談〕談(徒甘)惔餤○甘(古酣)○藍(魯甘)

〔分二十四鹽〕詹(職廉)襜

〔分二十五添〕詩未有韻

〔二十六嚴〕嚴(語杴)

（二十七咸）讒士咸

（二十八銜）巖五銜○監古銜

（二十九凡）詩未有韻

上聲第一部

（一董）幪莫孔○總作孔○唪補孔○動徒總

（二腫）龍丑勇○勇余隴○尰市勇○竦息供

（三講）詩未有韻

補考

（三講）港古永○蚌步孔玤○項胡孔

上聲第二部

（分四紙）砥諸氏○氏承紙○燬許委○泚雌氏○爾兒氏邇○瀰綿婢濔○訿將此

（五旨）旨職雉指底○視承豕○美母鄙○否補美○兕徐姊○几居履○姊將几秭○匕卑履妣○失式視○洧榮美鮪○死息姊○履力几○水式誄○藟力軌○秠普鄙○唯以水鷕

〔六止〕止諸市沚趾○恃上止○喜虛里○紀居里○以羊已已苢○似詳里耜祀汜○史疎士使○耳而止○里良已理

李鯉裏○始詩止○起虛里芑杞屺○士鉏里仕俟涘○子祖里梓耔○齒昌里○矣于紀○薿偶起○耻敕里祉

〔七尾〕尾無匪○依於豈○豈去幾○菲敷尾○韡于鬼煒葦

〔十一薺〕薺徂禮○禮盧啓醴鱧○體他禮涕○濟子禮泲○弟徒禮○禰奴禮泥濔

〔十二蟹〕詩未有韻

〔十三駭〕詩未有韻

〔十四賄〕悔虎洧○罪徂洧

〔十五海〕海虎洧○宰獎里○殆養里怠○采此禮○在此里

〔分四十四有〕有羽已右友○久舉里玖○婦扶委負

〔分四十五厚〕母滿彼畝

〔別收十六軫〕敏母鄙

〔別收十七準〕隼息止

〔別收十九隱〕近渠豈

〔別收二十八獮〕鮮想止

〔別收三十四果〕火虎委

（别收平聲十四皆）皆舉里偕

（别收去聲七志）事鉏里

（别收去聲十八隊）悔虎洧晦

（别收去聲四十九宥）舊巨巳

補考

（四紙）徙斯氏

（十二蟹）解舉履

（十三駭）駭侯已○楷苦已

（十五海）醢虎洧○改居里○亥胡豈○茝昌止

（十六軫）牝毗履

（十七準）準之水

（十九隱）巹居里

（二十八獮）獮斯民癬

（四十三等）等多改

（四十四有）臼其以○不方彼

〔四十五厚〕拇滿彼

上聲第三部

〔八語〕語魚巨圉禦○旅力舉○紵直呂羜○與余呂予○渚章與○女人渚茹○暑舒呂鼠黍○處昌與○湑私呂○女尼呂○許虛呂○虡其呂秬○所疎舉○楚創舉○阻側呂○沮慈呂○舉居許筥○緒徐呂鱮藇

〔分九麌〕麌虞矩噳俁○羽王矩雨宇○甫方矩父脯黼○武文甫舞務○父扶雨釜輔○咠況羽栩詡○踽俱雨

〔十姥〕土它魯吐○杜徒古土○魯郎古虜○堵當古○鼓公戶瞽罟酤盬股羖○五疑古午○祖則古組○虎呼古滸許○怒奴古○苦康五○戶侯古祜岵怙酤扈○浦旁古○補博古

〔分三十五馬〕馬滿補○者掌與○野上與○椵果五○夏後戶下○寫想羽○且七羽○舍商羽○寡果五

〔別收四十五厚〕垢果五

〔別收平聲一東〕戎而渚

〔別收去聲九御〕助牀所

補考

〔三十五馬〕社辰五雅阮古○假果五○赭章與

〔三十七蕩〕莽滿補

〔平聲九麻〕嫆後五

上聲第四部

〔十六軫〕眕章忍○忍而軫○盡慈忍○引余忍○閔眉隕○隕于閔

〔十七準〕詩未有韻

〔十八吻〕詩未有韻

〔十九隱〕詩未有韻

〔二十一混〕壼苦本

〔二十二很〕詩未有韻

〔分二十七銑〕詩未有韻

〔别收二十阮〕苑於粉

上聲第五部

〔二十阮〕遠雲阮○反府遠阪○婉於阮○綣苦遠○咺火遠

〔二十三旱〕亶當旱癉○罕許旱

〔二十四緩〕管古滿館痯

〔二十五潸〕板布綰○僩下赧

〔二十六產〕簡古限

〔分二十七銑〕殄徒典

〔二十八獮〕衍以淺○踐慈演○墠常演○幝昌善○巘魚蹇○孌力袞○轉陟袞○卷居轉○選思袞○橪而善

〔別收十四賄〕洒先典○浼美辨

上聲第六部

〔二十九篠〕皎古了○鳥都了○僚盧鳥蓼

〔三十小〕小思兆○旐治小趙○沼之少○少書沼○摽婢小○紹市沼○蹻居夭糾○悄親小

〔分三十一巧〕詩未有韻

〔分三十二晧〕鎬胡潦○潦盧倒○倒都鎬○藻子鎬○懆七早

上聲第七部

〔三十三哿〕瑳此我○我五可○儺乃可○可枯我○左臧可

〔三十四果〕禍胡果

〔分三十五馬〕瓦五果

〔分四紙〕掎居我○杝湯可

上聲第八部

〔三十六養〕養餘兩○兩良獎○仰魚兩○掌諸兩○爽疏兩○罔文兩○往于兩王

〔三十七蕩〕蕩徒郎湯○廣古晃

〔分三十八梗〕梗古黨○炳比郎○景居養○永于廣

補考

〔三十八梗〕炳比郎

上聲第九部

〔分三十八梗〕頴俱永

〔三十九耿〕詩未有韻

〔四十靜〕騁丑郢○屏必郢○領良郢

〔四十一迥〕冥莫迥

上聲第十部

〔四十二拯〕詩未有韻

〔四十三等〕詩未有韻

上聲第十一部

〔分四十四有〕柳力韭罶懰○杻女九狃○朽許久○韭擧丑○首始九手○醜齒九䰩○阜房九○缶方九○舅其九咎

○誘與九莠槱○受殖酉○酒子酉

〔四十五厚〕厚胡口后後○牡莫厚○斗當口○耇古厚笱枸○藪蘇后○口苦後奏○趣此苟取

〔四十六黝〕詩未有韻

〔分九麌〕侮莫厚○愈容九瘉楰○主當口○醹而口○數蘇后

〔分二十九篠〕詩未有韻

〔分三十一巧〕飽補苟○卯莫后茆昴

〔分三十二晧〕昊胡口皓○老魯吼○道徒苟稻○埽蘇后○禱丁口擣○草此苟慅○蚤子苟棗○阜徂苟造○好許厚

〇寶補九保鴇〇考去九栲

〔別收五旨〕軌居酉簋

〔別收去聲五十侯〕戊莫口茂

補考

〔九麌〕部薄口僂郎口〇傴烏合〇俯方九〇乳忍久

〔二十九筱〕擾而九

〔三十一巧〕巧去久

〔三十二皓〕嫂蘇后討抱〇鴇都后

〔三講〕講古厚〇垢胡口〇棓薄口

上聲第十二部

〔四十七寢〕寢七稔〇枕章荏〇諗式荏〇甚常枕〇葚食忍黮〇錦居飲

〔分四十八感〕莕徒稔

〔分五十一忝〕簟徒錦

補考

〔四十八感〕坎苦錦

上聲第十三部

〔分四十八感〕詩未有韻

〔四十九敢〕敢古覽○菼土敢

〔五十琰〕貶非歛

〔分五十一忝〕玷多忝

〔五十二广〕儼魚檢

〔五十三豏〕斬側減

〔五十四檻〕檻胡黤

〔五十五范〕詩未有韻

去聲第一部

〔一送〕送蘇弄○控苦貢○仲直衆

〔二宋〕宋蘇總

（三用）用余頌○誦似用訟

（四絳）巷胡貢

去聲第二部

（分五寘）辟毗智○詈力智○積子智柴○刺七賜○易以豉

（六至）至脂利○位于愧○遂徐醉隧檖䃍穗○醉將遂○誶息悴○類力遂○閟兵媚毖○匱求位○備平祕○利力至○棄詰利○穊直利○寐彌二○悸其季○佽七四○四息利駟○季居悸○比毗至○畀必至○萃秦醉瘁○地徒四○肄羊至勩○懟直類○出尺類

（七志）識職吏○寺詳吏嗣○試式吏○字疾置○異羊吏貽○事鉏吏○忌渠記○熾昌志饎

（八未）謂于渭渭○蔚於胃○溉居毅○塈許既

（十二霽）濟子計○穧在詣○裼他計髢替○帝都計嚏○棣待計○翳於計曀○惠胡計○嘒呼惠○戾郎計

（十三祭）歲相銳○衞于歲○稅舒芮說○蹶居衞○晢征例晣○逝時制○泄餘制○厲力制栵○憩去例愒揭○世始制○偈其例○揥丑例○泄四世

（十四泰）艾魚肺○大特計○害胡憩○帶丁計○肺普蓋○旆蒲蓋茷○兌杜會○噦呼會○外五會○祋都會○薈烏兌○脫吐肺

（十五卦）解居寐○粺蒲寐
（十六怪）瘵側例○屆居氣介○拜博制
（十七夬）邁莫制○敗蒲寐○蠆丑制
（十八隊）駾徒對○佩蒲味悖拔○妹莫佩痗○誨荒內晦○對都隊○退他內○潰胡對○內奴對○背蒲味
（十九代）逮徒既○載子置○愛於既僾
（二十廢）吠符廢○喙許穢
（分四十二宥）又夷至侑囿○疚居至○富方未

補考

祐夷至○憊平祕○饋求位○貴居胃○貝博寐○沛普寐○沫莫佩○快苦貴○氣去既○疐敕置○躓陟利○代徒既○槩胡計○睨五計○刈魚肺○穢於廢○詒羊吏○蔽必袂○曳餘制○掣尺制○劓牛例○裔餘制○澨時制○蓋古憩○態他既○娭鉏志○汰特計○滯直例○締特記○置陟吏○再之既○慨苦既○示神至○怪古喟○喟苦胃○昧莫佩○磕苦既○濭餘制○霈普寐○竄七芮○摯脂利○蔕都計○會黃沛○籟郎既○鼻毗至○淚力遂○藹於會○蔡倉貝○勢舒制○弊毗祭○吏力置○思相吏

去聲第三部

〔九御〕御魚據○據居御○去邱倨○庶商署○著直慮除○助牀據○飫依倨○茹而恕洳○豫羊洳譽

〔分十遇〕附符遇○畀之戌○瞿九具○孺而遇○具其瞿

〔十一暮〕莫莫佩○度徒故○斁都故○路洛故露○吐他故○顧古暮故固○愬蘇故素○怒乃故○圃博故○惡烏故○

呼荒故○作臧助

〔分四十禡〕禡莫故○稼古護罦○暇胡故○夜羊茹○射都故柘

〔别收五十候〕豆徒故

〔别收入聲十九鐸〕穫胡誤

補考

著陟慮○舍始故○步薄故○索蘇故○妒當故○錯倉故○洿烏故○寤五故○迎魚據○數色句○懼其遇○璐洛故○慕莫何

○慮良倨○曙常恕○瓠胡誤○傅方具○遽居女○處昌據○絡洛故○賦方具○菟湯故○賈古暮○袴苦故○躇丈預○假

古暮○詐側助○賂洛故○詛側助

去聲第四部

〔二十一震〕信息晉○胤羊進○燼餘刃○墐其刃

〔二十二稕〕順食閏

〔二十三問〕問云運○訓許運○慍於問

〔二十四焮〕有詩韻未

〔二十六慁〕遯徒困

〔二十七恨〕有詩韻未

〔分三十二霰〕先蘇晉○倩倉晉○電徒震甸

〔分三十三線〕有詩韻未

〔別收三十一襇〕盼匹晉

〔別收四十三映〕命彌客

〔別收四十五勁〕令力震

補考

〔四十六徑〕佞奴震

去聲第五部

〔二十五願〕願魚怨○怨於願○獻許建

〔二十八翰〕旦得案○岸五旦○衎苦旰○漢呼旰○爛郎旰○粲倉案

（二十九換）渙呼玩○貫古玩○亂郎段○鍛丁貫○袢博漫○泮普半

（三十諫）諫古晏澗○晏烏澗○鴈魚諫○汕所晏○慢謨晏○丱古患

（三十襉）詩未有韻

（分三十二霰）霰蘇晏○眴呼縣○見古霰○晏於見燕

（分三十三線）展之彥○彥魚戰○援王眷媛○弁皮變○羨似面

補考

變彼眷○宦胡慣○半博漫○縵莫半○旰古案○禪時戰○縣黃練○判普半○贊則旰○歎他旦○賤才線

去聲第六部

（分三十四嘯）弔多叫

（三十五笑）笑私妙○照之笑炤○曜弋照○召直照○燎力照

（分三十六效）傚胡教○敎古效○罩陟教

（分三十七號）盜徒到悼○到都道倒○敖五到○芼莫到耄○勞郎到○懆七到○暴薄報

補考

約於笑○効胡教○燿弋照

去聲第七部

〔三十八箇〕賀何佐○佐子賀

〔三十九過〕侂湯臥○破普過

〔分四十禡〕駕古臥

補考

貨呼臥○化呼臥

去聲第八部

〔四十一漾〕向式亮○上時亮尙○望巫放○䀮許旺○相息亮

〔四十二宕〕藏徂浪○喪蘇浪

〔分四十三敬〕競其亮○泳于誑

補考

亢苦浪○匠疾亮○壯側亮○放甫妄○恙餘亮○量力讓○暢丑亮○狀鉏亮○葬則浪○將子亮

去聲第九部

〔分四十三敬〕敬居命

〔四十四諍〕詩未有韻

〔四十五勁〕政之盛○正○姓息正○聘四正

〔四十六徑〕定徒徑○聽他定

補考

命眉病○令力正

去聲第十部

〔四十七證〕乘繩證

〔四十八嶝〕詩未有韻

去聲第十一部

〔分四十九宥〕救居袖究疚○狩舒究○咮陟救○臭尺救○祝之救○秀息救繡○裦似秀○售市呪

〔五十候〕鏃徒候逅○豆徒候○句古候媾覯○漏盧候

〔五十一幼〕詩未有韻

〔分十遇〕傴烏候○樹上晝○附符晝○裕羊晝

〔分三十四嘯〕歗息救

〔分三十七號〕蹈徒候○翿○冒莫候○報博候○好許候

〔別收三十六效〕覺古候○孝許候

〔別收入聲二沃〕鵠胡候

補考

〔十遇〕遇牛候

〔三十七號〕告居候○奧烏候○竈側候

去聲第十二部

〔五十二沁〕譖莊蔭

〔分五十六㮇〕僭莊蔭

去聲第十三部

〔五十三勘〕詩未有韻

（五十四闞）濫盧瞰

（五十五豔）詩未有韻

（分五十六㮇）詩未有韻

（五十七釅）詩未有韻

（五十八陷）監格懺

（五十九鑑）詩未有韻

（六十梵）詩未有韻

入聲第一部

（一屋）屋烏谷○讀徒谷獨○轂古祿穀谷○樕桑谷○祿盧谷鹿○族昨木○僕蒲木○卜博木○木莫卜沐霂○腹方六復覆○六力竹陸○軸直六蓫○菊居六鞠○淑殊六○俶昌六○育余六○祝之六○菽式竹○畜許六慉○蹙子六○燠於六奧薁○肅息逐夙宿○穆莫六

（分二沃）毒徒篤○篤冬毒○告告篤

（三燭）屬之欲○玉魚欲獄○蠋殊玉○辱而蜀○束書玉○欲余蜀○綠力玉○曲邱玉○局渠玉○足即玉○續似足藚○粟相玉

〔分四覺〕角古屋○椓都木○濁徒谷○渥於谷

〔別收二十三錫〕迪徒六○戚七六

〔別收去聲五十候〕奏倉木

補考

覿徒谷○餗蘇谷○桷古木○瀆徒谷○目莫六○鵒余蜀○哭空谷○樸普木○笁冬毒○慼七六○孰殊六○縠胡谷○俗似足○嶽五谷○肉如六○觸尺玉○縟而蜀○漉盧谷○戳力竹○竹張六

入聲第二部

〔五質〕質之日○日人質○實神實○秩直一○一於悉○壹○七親吉○漆○匹譬吉○吉居質○逸夷質○桌力質○慄○窒陟桌

桎○疾秦悉○室式質○畢卑吉○珌韠○怭毗必○吉○佶其吉○密美畢

〔六術〕述食聿○卒即聿○卒昨律○恤辛聿○律呂恤○出赤律

〔七櫛〕櫛阻瑟○瑟所櫛

〔八物〕物微律○弗分勿○拂茀芾

〔九迄〕仡魚乞

〔十一沒〕沒莫勃○忽呼骨

〔分十六屑〕結居質○節資悉○噎於悉○血虛屈○闋苦聿○穴戶橘○垤地一耋眣

〔分十七薛〕設書質○徹直質

〔別收二十四職〕即子悉

入聲第三部

〔十月〕月魚厥○伐房越○越于伐鉞○蕨居月○闕去月○髮方越發○揭居謁○竭其謁碣

〔十二曷〕害許葛褐○怛當割○闥他達達○曷烏葛○渴苦曷○櫱五葛○葛古曷

〔十三末〕秣莫撥○撥北末○括古活佸活○闊苦括○活戶括○奪徒括○濊呼括○撮子括○說他括○捋郎活○掇丁括

〔十四黠〕詩未有韻

○茇蒲撥軷

〔十五鎋〕牽胡鎋

〔分十六屑〕結古屑袺○節子結○威許劣○襭胡結○截昨結

〔十七薛〕烈食列傑○舌食列○孽魚列○滅亡別○雪相絕○說弋雪閱○說失爇○惙陟劣○孑居列偈

補考

末莫撥○刖魚厥○缺苦穴○割古達○熱如列○䁾莫結

入聲第四部

〔十八藥〕藥以灼籥躍○蹻居約○若而灼○綽昌約○虐魚約○削息約○爵即略○臄其虐○謔虚約

〔十九鐸〕度徒落○莫慕谷瘼○落盧冬樂駱雒○橐他各[扌橐]○作則落鑿○錯七各○閣古落○恪苦各○咢五各○惡烏各○薄旁各○壑呵各熇○貉下各○酢在各○博補各襮○諾奴各○藿虚郭○穫胡郭濩○廓苦郭鞹

〔分二沃〕沃鬱縛

〔分四覺〕較古岳○駁北邈○邈美駁○濯直駁○翯胡學

〔分二十陌〕貊末各○白僕各○伯逋各柏○戟○柞疾各○綌去略○逆宜略○客克各○赫黑各○格剛鶴○宅達各澤

〔分二十一麥〕獲黃郭

〔分二十二昔〕昔七各○舄七略○踖○繹弋灼奕懌斁射○尺昌約○石常約碩○炙陟略○席祥勺蓆夕○藉秦勺

〔分二十三錫〕櫟歷各○的丁藥○翟直駁○溺昵剝

〔別收去聲九御〕庶陟略

〔別收去聲四十禡〕夜弋灼

補考

虢許郤○啞烏各○索蘇各○矍居縛○柝他各○射時若○怍在各○酪盧各○帛僕各○朔所駁○魄僕各○擇徒落○蒪補各○迫卜各○簙補各○邈美駁○釋施灼○託他各○蹠職略○掖弋灼○諤五各○陌末各○百卜各○縛符矍○鵲七略○寞

慕各○亳傍各○譯弋灼○幕慕各○斮之若○喔於剝○頟五各○樂五剝○籍秦勺○霍虛郭○斥勑略○激訖約○雀即略○
昨疾各○酌之若○爵即略○皪歷各○赤勑略○檄奚約○約於略

入聲第五部

（分二十一麥）簀側厄○適勿予○厄於隔

（分二十二昔）脊資益○蹐○益伊脊○易羊益○蜴○適施益○辟毗益○璧必益○辟

（分二十三錫）錫思歷○晳○嫡都歷○弔○鷊五歷○狄徒歷○翟○剔他歷○惕○績則歷○幭莫狄○甓蒲歷○鶪古闃

（别收三燭）居居亦

入聲第六部

（分二十一麥）麥莫革○馘古域○革古麥

（二十四職）職之翼○織○直除力○力林直○敕恥力○飭○食桀力○息相力○識賞職○飾式○奭許極○極渠力○匿女力
○億於力○色所力○穡○棘紀力○𣗋亟○弋與職○翼○稷子力○蜮雨逼○域緎○洫況逼○側阻力○嶷魚力

（二十五德）德多則○得○則子德○忒他德○慝○克苦得○特徒得○螣○黑呼北○賊昨則○塞蘇則○北必墨○匐蒲北○
國于逼

〔別收一屋〕福筆力輻葍○伏蒲北服○穋六直○彧于逼○牧莫逼
〔別收去聲七志〕意於力
〔別收去聲十六怪〕戒訖力
〔別收去聲十八隊〕背必墨
〔別收去聲十九代〕載即力
〔別收平聲十六咍〕來六直
〔別收二沃〕告古得

補考

纆莫北○惻初力○昃阻力○劇其力○殛紀力○惑胡國○默莫北○軾賞職○殖常職○翊與職○索山側

入聲第七部

〔二十六緝〕隰似入○輯昨合集○入人執○濕失入○揖子入○及其立○蟄直入○笠力入○急居立○泣去急○翕許合
○濈阻力○邑於合
〔分二十七合〕合侯閤○納奴合
〔分二十九葉〕楫即入○厭於合

〔分三十二洽〕洽侯合

補考

〔二十六緝〕悒於汲○諳去急

入聲第八部

〔分二十七合〕合納見前

〔二十八盍〕詩未有韻

〔分二十九葉〕葉與涉○涉時攝○韘書涉○捷疾葉

〔三十帖〕詩未有韻

〔三十一業〕業魚去

〔分三十二洽〕洽字見前

〔三十三狎〕甲古協

〔三十四乏〕詩未有韻

補考

〔三十四乏〕法古乏○乏房法

四、江永上古韻部的特點

看了上節（江永上古四十七韻部收字切語表），我們便可以提出江氏在上古韻部的一些特點：

㈠、江氏的上古韻部是以四聲來分部的，不同聲調的字在不同的韻部中。這是因爲江氏發現詩經中「平自韻平，上去入自韻上去入者，恆也。」（註三三）而一章中或有異調之字者，是由於四聲通押的關係，像後世詞曲一樣，因此江氏認爲上古有四個聲調。關於這一點，在本書第三章已討論過，不用再說。這個以四聲分部的做法，在清代各古音學家中，是相當突出的特點，也是古韻研究中，値得重視、値得嘗試的，因爲漢語到底是有聲調的語言啊！

㈡、江氏主張分出四聲而可以通押。這一點在本書第三章已經敍述過了。

㈢、以序數做爲韻部之名。中國早期的韻書，如切韻、廣韻，每一個韻部都用一個字當做韻部的名稱，叫做韻目。整理上古韻部，自然有人要找一個字去標名了。顧炎武以前的古韻家到底有沒有韻部標目，不太清楚，顧氏的古音表分爲十部，計有「東冬鍾江第一」「

支脂之微齊佳皆灰咍第二」「魚虞模侯第三」……至「侵覃談鹽添咸銜嚴凡第十」等（註三四），他是先列出韵部中所含廣韵韵部，再賦予韵部序數。江氏蓋有見於列擧廣韵韵目爲部名，實在太累贅了；同時對於廣韵一韵而分入上古不同韵部的，顧氏之法將有所窮，便逕取「第一」「第二」……至「第十三」（入聲至第八）爲部名，避免以單字爲名之掛一漏萬，此乃廓清誤會的純符號性之命名法。

㈣、比顧氏多分出三部。如果不計聲調，江氏比顧氏要多出三部，比起後來的古韵家呢？那是不用說的，「後出轉精」，在上古韵部方面是愈分愈細，江氏的十三部比起來便非常遜色了。我們不談與後人比較的結果（因爲不是必要的），只談顧江之異。顧炎武是清代樸學之父，他的考據工夫在清初是非常受重視的，所以江氏能在顧氏十部，再細分爲十三部，是值得標榜的。多分出的那三部呢？戴震在許多地方表揚江氏的十三部（註三五），戴震聲韵考說：

「近崑山顧炎武作音學五書，更析東陽耕蒸而四，析魚歌而二，故列十部。吾郡老儒江愼修永據三百篇爲本，作古韵標準，于眞以下十四韵，侵以下九韵，各析而二，蕭有肴豪及尤侯幽亦爲二，故列十有三部，而入聲分八部。顧君轉侯韵入虞，江君轉虞韵入侯，江君得之。」（註三六）

戴氏說江氏分列十三部是錯的，應該說平上去各分爲十三部，其餘的話大抵無誤。戴氏在答段若膺論韻又說：

「江慎修先生見於覃至凡八韵字實有古音改讀入侵者，元寒至仙七韵字實有古音改讀入眞者，音韵即至諧，故眞以下十四韵，侵以下九韵，各析而二，自信剖別入微在此。」（註三七）

戴氏是參與古韵標準編纂的人，他說江氏於此自信入微，必爲事實，此正爲江優於顧之處。故胡秉虔古韵論特爲標揚之曰：「顧氏以三十年蒐討之勤，……江氏猶謂其攷古功多審音功少，於是分眞元爲二，侵談爲二，蕭尤爲二。」（註三八）其實這些話都是根據江氏自己的話而來，江氏說：

「顧氏分十部，今何以平上去皆十三部也，第四部爲眞文魂一類，第五部爲元寒僊一類，顧氏合爲一也。第六部爲蕭肴豪分出一支，不與尤侯通，第十一部爲尤侯一類，當分蕭肴豪之一支，不與第六部通，而顧氏亦合爲一也。第十二十三自侵至凡九韵，當分兩部，而顧氏又合爲一也，其說詳於各部總論。」（註三九）

今將江氏所析論之三端，分述於下：

甲、第四部眞文魂爲一類，第五部元寒仙爲一類：顧氏把眞、諄、臻、文、殷、元、魂、痕、寒、桓、删、山、先、仙、等十四韻合爲一部，江氏則分先之半與眞、諄、臻、文、殷、魂、痕爲第四部，另一半與元、寒、桓、删、山、仙、爲第五部。江氏在平聲第五部總論說：「此部字詩中自爲韻，不與第四部通，說見第四部總論。一先韻分入此部者，詩有肩字，易有戔字，賁于丘園，束帛戔戔，餘可類推。躚與先、豣枅與堅、燕與煙咽、蓮與憐、岍汧與牽、騈胼軿與濱、邊籩與編、縣與玄、皆今音同而古音異也。」（註四〇）在平聲第四部總論說：「自十七眞至下平二僊，凡十四韻，說者皆云相通。愚獨以爲不然，眞、諄、臻、文、殷與魂、痕爲一類，口斂而聲細，元、寒、桓、删、山與僊爲一類，口侈而聲大，而先韻者，界乎兩類之間，一半從眞、諄，一半從元、寒者也。詩中用韻本截然不紊，讀者自紊之耳。自二十八山以前，所當辨者，艱鰥二字，艱字說文本从艮聲，不猶銀垠根痕之从艮得聲者乎？宜古音爲居銀切不爲古閑切也。鰥字以眔猶昆弟之昆，古亦从眔作䍈，鰥與矜古皆作一字通用，宜其亦爲居銀切不爲古頑切也。此二字後來音轉始入二十八山，古音實从眞、文。故敝笱以鰥韻雲，猶何草不黃以矜韻民，北門、何人斯、鳧鷖三用艱字韻門殷等字，皆是本部自韻，未嘗溢出第五部。次當辨一先韻，先爲蘇鄰切，千爲倉新切，天爲鐵因切，堅爲居因切，賢爲下珍切，田闐爲徒鄰切，年爲泥因切，顚巓爲典因切，淵爲一均切，玄爲胡云切，證諸秦、漢以前之書皆同，至漢時此音猶不改，後來音轉始通僊耳。先韻入第五部，詩中唯有肩字，即堅肩之不同音可知，此韻元有二類，詩所未用如躚、前、戔、箋、枅、研、燕、蓮、研、研、姸、研、駢、胼、軿、鵑、涓、邊、籩、縣之屬皆當通僊，幷通元、寒、桓、刪、山。考韻者不察此韻之有二類，見詩中用天字多與人字韻，槩云眞、先本相通，通先則亦通元、寒、刪，甚且議前人天字不當鐵因反，何其考韻之不精，讀詩之不審乎？至二僊一韻，宜其通元、寒、桓、山、刪矣。然而猶有辨，翩川鳶三字詩中與此部字韻，後來音轉始从僊韻耳。以上諸字皆考定，始知詩中用韻條理秩然，斷當分爲兩部，兩部同在一章而不雜者，采苓首章，嵩高首章是也。兩部分兩章而不雜者，伐檀、伐輪，緝緝翩翩，捷捷翻翻，青蠅首末是也。兩部多用韻而不雜者，出其東門首章，殷武末章，上聲去聲，氓末章，猗嗟末章是也。」（註四二）又說：「天田年賢顚千玄等字，兩晉人用之皆如古音，至晉初猶未變，不知何時始變爲今音，遂與前箋肩姸等字合爲一部，以顧氏記覽之富，蒐討之勤，蔽於十四部通爲一韻之說，此等處全無所考，令人歎其書之未完。」（註四三）又說：「按：先部之字偏旁从眞部字者，其音如眞之類，若䍐、前、箋、幷、冐、邊之屬；不从眞部者，別是一音，如仙之類，本不與天田等字同，亦不與眞部通者也。今之言韻者皆曰眞先相通，顢頇甚矣，以顧氏之淹博精勤，猶不能辨，此先入蔽之耳。」（註四〇）

以上只是摘錄，詳細內容要看江氏本文，江氏在平聲第四部總論和第五部總論中，從詩經用韵的實際情形，加上諧聲偏旁的分析，而後運用他審音的功夫，指出第四部眞文一類「口斂而聲細」，主要元音可能部位偏高；第五部「口侈而聲大」，主要元音可能部位較低，響度較高。江氏在這兩部的辨析，可以看出他在整理古書時的態度和方法。他的成就如何呢？請看段玉裁所說的：「江氏之功，在眞文、元寒爲二。」（註四三）再看陳新雄先生所說：「江氏據詩之用韵及聲之歛侈洪細析眞、諄以下十四韵爲眞、文；元、寒二部，實發千古不傳之秘，於古韵分部，功莫大焉。」（註四四）可知江氏析分四、五、部的功勞是肯定的。但是，猶未完善，陳新雄先生說：「按江氏所分除眞、文一部，所析猶未精密外，其元、寒别立爲部之説，於古韵分部已成定論，莫可移易。」（註四五）

乙、第十二、十三自侵至凡九韵，當分兩部：顧氏把侵、覃、談、鹽、添、咸、銜、嚴、凡九韵合爲一部，江氏則析爲二，以侵韵與覃韵之驂南男湛耽潭柟，談韵之三，鹽韵之綅潛諸字爲一部，口弇而聲細。以添、嚴、咸、銜、凡與覃韵之涵，談韵之談惔餤甘藍，鹽韵之詹瞻襜爲另一部，口侈而聲洪。情形和第四部第五部的劃分相似，江氏説：「二十一侵至二十九凡九韵，詞家謂之閉口音，顧氏合爲一部，愚謂此九韵與眞至仙十四韵相似，當以音之侈弇分爲兩部。神珙等韵分深攝爲內轉，咸攝爲外轉是也。南男參三等字古音口弇呼之，若巖詹餤談甘藍等字，詩中固不與心林欽音等字爲韵也，雖諸韵字有參互，入聲用韵復寬，若不可以韵爲界，然謂合爲一部，則太無分別矣，今不從。」（註四六）又說：

「文楠心南通爲一韵也。此部字，詩及易間有與東冬蒸登韵者，方音也。亦因呼彼韵音細，有似此部，非此部往而從彼也。若眞先諸韵與此兩部絕不相通，吳氏韵補謂侵古通眞，覃古通刪，鹽古通先，咸古通刪先，誤甚。」（註四七）

此侵以下九韵，因行徑類似眞至仙十四韵，其用爲詩經韵字並不多，不能全憑詩經用韵以定其當分，佐以諧聲偏旁，衡以元音開口之大小，江氏的析分是對的，已成定案了。

丙、魚侯分部，有幽分部與侯幽合一：

顧氏把魚、虞、模、侯合爲一部，蕭、宵、肴、豪、幽合爲一部。江氏則使侯部自魚部分出，魚模一部，侯別出而併入於幽。另將虞韵分爲二部分，其虞娛吁訏盱芋夫膚等字入魚部，而禺齵儒繻須誅邾跦貙殊俞踰褕臾區軀樞朱珠膢符鳧瓿雛郛輸廚拘等字則隨侯入幽部。簡言之，如下表：

顧氏	江氏
魚（第三部）	第三部（魚、分虞、模、分麻）
魚（第三部）、蕭（第五部）	第十一部（分尤、侯、幽、分虞、分蕭、分宵、分肴、分豪）
蕭（第五部）	第六部（蕭、宵、分肴、分豪）

詳細的討論，要看江氏在各部後之總論了。關於第三部的建立，江氏說：「顧氏注十虞韵云：『古與九魚通爲一韵。』注十九侯韵云：『古與九魚、十虞、十一模通爲一韵。』按此說顧氏持久之甚堅，古音表直移侯韵繼虞模，愚竊謂不然，十虞正猶五支，一韵分爲二，其與魚模通者，乃是虞無于吁諸字，若與侯韵通者，則是隅儒駒驅等字，而侯自通十八尤之大半，及蕭、肴、豪分出之字與十二幽也。虞韵亦當以偏旁別之，凡从吳从無从巫从于从瞿从夫从甹从夸从具从奭者皆通魚、模，其从禺从芻从句从區从需从須从朱从殳从俞从臾从婁从付从音从孚从取从厨从求者皆通侯、尤，顧氏但分出从孚之字及捄字，謂當入憂韵，不知禺區諸字，亦與从孚者相類，侯字自當別出一韵，次於尤、幽之間。而顧氏直讀侯爲胡，舉一韵盡盡歸之虞、模，上聲厚，去候亦如之，其意見牢不可破。」又云：「五支本有一類通歌、戈，及其音之變，變而定也，則通歌、戈者盡入五支而不可反；十虞本有一類通侯、尤，及其音之變，變而定也，則通侯、尤者盡入十虞而不可反，二韵正相類也。侯韵固有從虞、模之方音，厚、候亦有從麌、姥、遇、暮之方音，此猶歌韵亦有從支、脂之方音，昔之編韵書者，固不能反虞、麌、遇三韵內之字使之從古音，而猶截然分出侯、厚、候三韵異其部居次第，不使其牽連而溷於虞、模、麌、姥、遇、暮，不可謂不精審。顧氏則皆牽連而溷同之矣，毋乃失昔人之精意乎！且謂書之有侯、厚、候三韵，亦非編書者所能爲，自是溥天之下有此音，聲音之理，異中有同，同中有異，不變中有變，變中有不變，編書者非不知，自秦、漢以來，侯有胡音，厚有戶音，候有互音，而不能不別之爲侯、厚、候，所謂同中有異，變中有不變者也。如顧氏說，幾欲舉侯、厚、候三韻之名而盡削之，豈能上合遠古之遺音，放諸四海而皆準，俟諸後世而不惑乎！觀今所分出虞娛吁訏盱芋夫膚八字，與第十一部所分出遇隅等字，上聲侮愈等字，去聲傴樹等字，詩中絕無同用在一章者，可知今音通而古音不相通，正猶支韻支枝與移蛇不相通之說也。顧氏明於支韻而虞韻則昧焉何也？侯有胡音，先入爲主，凡與侯相通驅駒等字盡歸之十虞，而不知其非也。其獨分出從孚字者，因詩中萬邦作孚與臭韻，成王之孚與求韻，不可通也。非此二詩，則亦謂孚古音夫矣，而不知詩中如孚字比者正有之。」（註四八）關於第六部的建立，江氏說：「按此部爲蕭、肴、豪之正音，今古皆同，又有別出一支與十八尤二十幽韻者，乃古音之異於今音，宜入第十一部，本不與此部通，後世音變始合爲一。顧氏總爲一部，愚謂不然，此部之音，口開而聲大，十一部之音，口弇而聲細，詩所用畫然分明，其間有當入此部，如四宵之儦字，本爲悲驕切，而載驅五章以韻滔，滔字據江漢韻浮遊求，則儦字轉爲必幽切，入十一部，又敖字碩人三章，鹿鳴二章，車攻三章，及去聲之謔浪笑敖，偏旁之哀鳴嗸嗸皆在此部，而桑扈彼交匪敖，絲衣不吳不敖，皆以韻觩柔休，君子陽陽二章，以韻陶翿，載驅四章以韻滔，疑此字方音有異，故兩用之，又如以敖以遊，敖遊亦似雙聲也。然則詩所用韻，偶出入者，唯儦敖二字，其他字之入十一部，如平聲所分之三蕭五肴，上聲所分之三十一巧，三十二皓，去聲所分之三十四嘯，其字皆當入彼部，考之偏旁而可知，證之他書而皆合者也。雖偏旁諧聲，若儵从攸，朝从舟，荍从收，椒从叔，不無介於疑似，而諧聲亦有轉紐，則偶有相通之字，亦無可疑，吳氏叶音雖有誤叶之字，如風雨二章，隰桑三章，猶是分爲兩韻，顧氏通爲一韻，則黍離首章，苗搖與憂求，音豈能相諧乎？考顧氏詩本音誤韻者數章，柏舟髦字不入韻而以爲韻舟也。彤弓三章弨字非韻，而以爲韻櫜好醻也，十月之交，交字不入韻，而以爲韻卯醜也，魚藻首章，藻鎬一韻，首酒一韻，而併爲一韻也，采綠三章，狩釣非韻，而亦以韻讀也。思齊三章無韻，而誤以廟韻保也，公劉二章，舟字不入韻，而以韻瑤刀也。抑三章，以政刑遙韻，酒紹非韻，而以韻讀也，良耜茶蓼朽止，黍稷茂止二句易韻，而猶與上文糾趙蓼韻也，於是兩部混同，不復細尋其脈絡矣。試以同音之字別之高膏櫜鼛似一也。而高膏之音洪，必與勞朝諸字韻，櫜鼛以咎得聲其音細，則與醻州妯猶諸字韻矣，倒禱擣似一也，而倒从到得聲，到从刀得聲，則與召韻，禱擣从壽得聲，則與阜醜首諸字韻矣。若夫好爲許厚、許候切，道爲徒苟切，草爲此苟切，老爲魯吼切，詩中俱是此音，經傳諸子皆可旁證，非雜用有、皓兩韻於一章，其他以此類推，可知兩部截然不亂。顧氏於十八尤韻，臚舉詩用憂流秋猶等字，其同章有蕭、宵、肴、豪韻字者，謂此尤韻之入蕭、宵、肴、豪，不知此蕭、宵、肴、豪分出一支，古音通尤韻，非尤韻雜入蕭、宵、肴、豪也。即其臚舉之外，有無尤韻字者甚多，今併平上去三聲數之；柏舟四章，終風首章，凱風首章，干旄首章，碩人三章，氓五章，河廣二章，木瓜二章首二句，黍離首章首四句，清人二章，園有桃首章，碩鼠三章，駟鐵三章，防有鵲巢首章，月出首章三章，檜、羔裘首章三章，匪風二章，下泉四章，七月四章，鴟鴞五章，鹿鳴三章，出車二章，車攻三章，鴻雁三章，白駒首章，正月十一章，蓼莪首章，北山五章，信南山五章，車舝二章，魚藻一二三章，藻與鎬韻，角弓七章，黍苗首章，旱麓五章，公劉二章末二句，板三章，抑十一章，韓奕五章，小毖末三句，載芟厭厭其苗二句，良耜其笠伊糾三句，泮水二章，此皆不入十八尤，十四有，四十九宥，朗然自爲一音，故當分爲第六部。魚藻首章兼用兩部爲隔句韻，月出全篇以第六部爲首章三章韻，以第十一部爲二章韻，尤見用韻之有條理，一篇數章用一部爲韻，全詩所未見，月出二章之易韻其明也。」（註四九）關於第十一部的建立，江氏說：「十八尤，十九侯，二十幽，除尤韻分出尤牛等字入第二部，其餘皆與侯、幽通又十虞韻分出愚隅等字與尤、侯韻通，又蕭、宵、肴、豪各有分出之字與尤、侯、幽通，上聲有、厚、黝，去聲宥、候、幼大約如之，詩中歷歷分明，顧氏必欲畫出侯韻，使从魚、虞、模，不得與尤、幽通，凡有讀虞韻出入之字从侯韻之音者，一切反之使从魚、虞、模，有用侯韵字與尤韵叶老，概謂後人之誤，上聲厚去聲候亦如之，持之甚堅，牢不可破，此因侯有胡音之説先入爲主，又見秦、漢以來，侯韵與魚、虞模韵雜然並用，遂變詩中之音以就之，此顧氏之大惑也。今當先審定侯字之本音，詩用侯字者三，載馳首章，與驅悠漕憂爲韵，驅者虞韵分出之字，漕者豪韵分出之字，悠憂皆尤韵之正音，即此一詩而侯之不爲胡也審矣。羔裘首章，洵直且侯，與濡渝爲韵，濡渝者虞韵分出之字，凡虞韵分出之字與尤、侯韵者，皆彼之來而从此，非此之往而从彼也。白駒三章，爾公爾侯與駒游爲隔句韵，而來期思自爲韵，駒者虞韵分出之字，游者尤韵之正音，即此詩合之載馳，又見侯韵與尤韵之正音相通也審矣。因此三詩而知詩中驅字皆袪由切，伯兮首章，山有樞首章，小戎首章，皇皇者華二章，板八章皆此音，而小戎以驅韵收輈尤分明也。凡偏旁从區者可知矣；又知詩中駒字皆居侯切，廣漢三章，株林二章，皇皇者華二章，角弓五章皆此音，而凡偏旁从句者可知矣。又知濡字必爲而由切，渝字必爲容周切，而凡偏旁从需从俞者可知矣。由此輾轉以推，凡虞韵分出之字，及與侯韵並收之字，皆可決其本音之在此部矣。若無羊二章之餱字，不入韵者也，行葦三章之餱與句與遇韵分出之樹字，虞韵分出之侮字爲韵，亦彼之來而就此也。侮字詩中似有二音，或上去聲當時有異音，若平聲則今所分出之字，未有與魚、模叶者可知矣，顧氏音既有偏主，於載馳讀侯从驅，而謂驅馬悠悠以下别自爲韵，白駒讀侯从驅，而游下不以入韵，既失驅字之本音，則小戎首三句分明一韻者，不使其通下文，與驅字本不相關者，強使之合，甚且轉入聲爲平以就之，豈其然乎？驅駒之音皆失，而凡與驅駒相韵之字，皆入魚、虞、模，不得通幽、尤，豈其然乎？」（註五〇）江氏對於三、六、十一部的劃分，說明得非常清楚，大體還是依據詩經用韵，參以諧聲偏旁，衡以元音之侈弇，以爲第六部「口開而聲大」，第十一部「口弇而聲細」，似乎和前述第四部與第五部，第十二部與第十三部之劃分情形類似。這裏似乎是一種類推的推理方式。第四與第五部的區分、第十二與第十三部的區分，除了還可再求細密外，似乎是可以成立的，第三、六、十一部的析分，是否也可說是大體成立呢？

江氏把侯韵從魚模一類分出，把幽韵從蕭宥一類分出來，這是對的，但是將尤侯幽合成一部，卻有考據不精，審音不密的毛病。江有誥說：「顧氏改侯從魚，昚齋改侯從尤，均未善也。」又說：「婺源江氏始專就三百篇以求古韵，故得十三部，然猶惑於今人近似之音也。」（註五一）段玉裁則指江慎修合侯於尤爲「考之未精」，都是說他分部尚有不妥。但是，韵部的釐分，後人可以參酌前人，前人則開路爲難，此韵部之不密，固宜修訂，卻不可苛責。

㈤、運用審音的觀點來整理上古韵部。吾人研究上古音，可以有考古與審音二種觀點，所謂考古，就是純粹利用既有書面材料（也許會有非書面材料）來分析歸納；所謂審音，就是利用語音的原理來考索。沒有審音的知識，考古所得的材料，無法進一步的組織、運用、解釋；沒有考古的工夫，審音的知識無所附麗，便成了主觀的擬測。江愼修之前，研究上古韵部的人，少數人已經知道分別韵文材料的時代，大多數人不知道應該分別材料的時代，而幾乎都不懂得用審音得來的知識來辨析考古的收穫。江氏可以說是開始把語音原理運用到古韵研究工作上（參見本節之㈣），不管成就有多大，聲韵學史上都應該記一筆。

㈥、在上古韵部的研究上運用了「數韵同一入」的學說：江氏數韵同一入的學說，是一個重大的發現，它的意義不僅是韵部的體系化，也是音理的嚴整性的追求，這些已敍述於上一章了。在上古韵部的數韵同入配置方面，江氏說：

「細考音學五書……古音表分十部，離合處尙有未精，其分配入聲多未當，此亦考古之功多，審音之功淺。」（註五三）

顧氏是以入聲韵配陰聲韵，江氏以爲除了配陰聲韵之外，還要配陽聲韵，說見四聲切韵表凡例第三十條，評於上一章第四節。在四聲切韵表所論及的「數韵同一入」，是就廣韵韵部與江氏廣韵一百零四類而說的，其中雖運用諧聲偏旁來確立入聲配置何韵，但卻未替上古韵部來配置入聲與他韵的關係；而古韵標準一書，限於體例，依韵部次第而敍述，亦未指示上古韵部的數韵同入的關係。江氏的上古韵部中，入聲如何配置他聲，後人竟無從得知。（註五四）從前夏炘的古韵二十二部集說製有江氏十三部表（應該說是平上去各十三部入聲八部相承表）：

部	平	上	去	入
一部	東 冬 鍾江	董 腫 講	送 宋 用絳	
二部	支脂之 微齊佳 皆灰咍尤	紙旨止尾 薺蟹駭賄 海有厚	寘至志未霽 祭泰卦怪夬 隊代廢宥	麥昔錫五部 職德六部
三部	魚 虞 模麻	語 麌 姥馬	御 遇 暮禡	藥鐸沃 覺陌麥 昔錫四部
四部	眞諄 臻文 殷魂痕先	軫準 吻隱 混很銑	震諄 問焮 慁恨霰	質術 櫛物 迄沒屑薛二部

五部	六部	七部	八部
元寒 桓刪 山先僊	蕭 宵 肴豪	歌 戈 麻	陽 唐
阮旱 緩潸 產銑獮	篠 小 巧皓	哿 果 馬	養 蕩
願翰 換諫 襉霰線	嘯 笑 效号	箇 過 禡	漾 宕
月曷 末黠 轄屑薛 三部			

	九部	十部	十一部	十二部
	庚耕清青	蒸登	尤侯幽	侵覃談塩
	梗耿靜迥	拯等	有厚黝	寑感忝
	敬諍勁徑	證嶝	宥候幼	沁㮇
			屋沃燭覺一部	緝合葉洽七部

十三部	覃談鹽添嚴咸銜凡	感敢琰忝广豏檻范	勘闞豔添釅陷鑑梵	合盍葉帖業洽狎乏八部

（註五五）

在夏炘這個表中，入聲韻有的配陽聲韻，有的配入聲韻，實在未符合江氏的意思，江氏是要求入聲韻兼配陰聲韻和陽聲韻的，因此，陳新雄先生代江氏所製的陰陽入配合表比較合用，其表如左：

陽聲	入聲	陰聲
第一部東冬	第一部屋燭	第十一部尤侯
第八部陽唐	第四部藥鐸	第三部魚模 第六部宵豪

第五部元寒 第四部眞諄 第九部耕清 第十部蒸登	第十二部侵覃	第十三部談添
第三部月曷 第二部質術 第五部昔錫 第六部職德	第七部緝合	第八部盍帖
第七部歌戈 第二部支脂之微齊佳皆灰咍尤		

（註五六）

說明：1.舉平以賅上去。

2.韻目選取二韻爲代表，其詳請見本章第三節或第三章第二節。

(七)、「方音偶借」說的提出：江氏深知方音之價值，所論方言之是非，衡之今日漢語方音，實多相合，其說詳見於音學辨微。在古韻標準的例言第一條，江氏開宗明義的便說：

又說：「古豈有韵書哉？韵即其時之方音。」

「時有古今，地有南北，音不能無流變。」（註五七）

江氏頗知當時之方音，也推論上古亦多方音，故常在古韵標準中，引「方音」之觀念來解說。茲只舉一例，以見其餘，如平聲第一部首字「東」字下，江氏說：

「德紅切。桑柔四章，自西徂東，韵慇、辰、瘩、其音稍轉，似德貞切，乃從方音偶借，非本音，詳見總論。」（註五八）

在平聲第一部總論說：

「按此部東冬鍾三韵本分明，而方音脣吻稍轉，則音隨而變，試以今證古，以近證遠。如吾徽郡六邑，有呼東韵似陽唐者，有呼東冬鍾似眞蒸侵者，皆水土風氣使然，詩韵固已有之。文王以躳韵天，桑柔以東韵慇、辰、瘩，召旻以中躳韵頻，似第四部之音矣。小戎以中韵驂，七月以冲韵陰，雲漢以蟲宮宗躳韵臨，蕩以終韵諶，似第十二部之音矣。其詩皆西周及秦豳，豈非關中有此音，詩偶假借用之乎？夫子傳易，於屯、於比、於恒、於艮、以窮、中、終、容、凶、功韵禽、深、心，皆在侵韵，豈非魯地亦有此音，假借用之乎？又於蒙、於比、於未濟，用應字皆與中、蒙、功、從、窮諸字韻。應之平聲在蒸韻，蒸侵之音相似，詩中亦有從方音借韻，東冬鍾既借侵，亦可借蒸，皆轉東冬鍾以就侵蒸，非轉侵蒸以就東冬鍾也。要之，此皆方音偶借，不可爲常。其轉東冬鍾似陽唐者，詩中未見，桑中首章及二三章，大東二章，自是後人訛讀。然而烈文一篇用公疆兩韻交錯爲韻，亦是後世之音之萌芽，審定正音乃能辨別方音，別出方音，便能審定正音，諸部皆當如此。」（註五九）

由這段話我們可以知道，江氏於詩經韻部偶或出入處，常引方音以說之。在採用方音來解說時，一則憑著「以今證古，以近證遠」的原則，二則歸納詩經出韻之詩屬西周及秦豳，或亦見於魯地，故其「方音偶借」說並非完全無據之言。可惜的是，江氏在古韻標準一書的大多數地方，都不說明所說的「方音偶借」現象其證據何在？難以取信於人。再說：「以今證古，以近證遠」的原則是否合用於詩經用韻的探討上，「方音偶借」說如何運用才不會淪爲「無據之言」？這些問題在目前恐怕都難以得到好的答案。

末了，還有一點要申述：顧炎武研究古韻，意在復古，故處處矯今以正古；江氏則不然，江氏是擁有正確的歷史觀的人，注意材料的時代性，以三百篇用韻爲主，來研究上古韻部，便是一例。他又說：

還說：

「……甚則依吳楊二家之書，雜採漢晉唐宋舛謬鄙俚之韵，而命之曰，『此古韵也』，其紛亂曷有極乎！韵書流傳至今者雖非原本，其大致自是周顒沈約陸法言之舊。分部列字，雖不能盡合於古，亦因其時音已流變，勢不能泥古違今。」（註六〇）

此說亦大難。

「顧氏又曰：『天之未喪斯文，必有聖人復起，舉今日之音而還之淳古者』。愚謂古人之音，雖或存方音之中，然今音通行既久，豈能以一隅者概之天下？譬猶窯器既興，則不宜於籩豆；壺斟既便，則不宜於尊罍。今之孜孜考古音者，亦第告之曰：古人本用籩豆尊罍，若非今日之窯器壺斟耳。又示之曰：古人籩豆尊罍之制度本如此，後之摹倣爲之者或失其眞耳。若非今人之所日用者，而强易以古人之器，天下其誰從之？觀明初編洪武正韵，就今韵書稍有易置，猶不能使之通行，而況欲復古乎？顧氏音學五書與愚之古韵標準皆考古存古之書，非能使之復古也。」（註六一）

這些話裏所談到的觀點，實在非常珍貴，所謂「不能泥古違今」，以及拿「窯器壺斟」和「籩豆尊罍」來比喻今器不能易以古器，古音無法復原於今時，而鄭重的告訴後人上古韵部之研究，只能考古存今，不能復古。這是多麼明睿的智者之言啊！

【附註】

註一　見四庫全書總目經部小學類。

註二　見四聲切韻表葉十九上。

註三　見前引書凡例第三十三條。

註四　見本書第一章與第二章。

註五　見清史儒林錢大昕傳。

註六　毛詩東山鄭箋：「古者聲栗裂同也。」小雅常棣鄭箋：「古聲填、寘、塵同。」

註七　急就篇卷一：「曹富貴，尹李桑；蕭彭祖，屈宗談。」師古註：「以『談』合『桑』，古韻疏也。」又卷二註：「以『朝』韻『吾』者，古有此音，蓋相通也。」等等，詳見董忠司所撰顏師古所作音切之研究第六章第五節。

註八　見顧氏韻補正。

註九　見張世祿中國古音學第二至六章，陳新雄古音學發微第一章等。

註一〇　見江氏古韻標準例言第二條。

註一一　見同註九。

註一二　見張著中國古音學第六章第二節。

註一三　見四庫全書總目經部小學類毛詩古音考提要。

註一四　見古韵標準例言第三條。
註一五　此爲曹學佺顧氏音學五書序的話。
註一六　見古韵標準例言第四條。
註一七　見陳氏古音學發微第二章第一節。
註一八　見古韵標準例言第九條。
註一九　見四庫全書古今通韵書首提要。
註二〇　見古韵標準例言第二條。
註二一　見四庫全書本古韵標準卷首葉一至葉十四。此爲摘錄，省其夾行小字。
註二二　陳新雄先生以爲：「隔韵例謂載馳三章丘懷尤爲隔韵，按實非韵。」
註二三　見古韵標準卷首「詩韵舉例」四字下夾行小字。
註二四　以上俱見皇清經解續編卷二百六詩聲分例。
註二五　見陸志韋詩韵譜序。
註二六　孔廣森的詩經韵例見他所著詩聲類，夏燮則見於他所著的述韵卷四詩四聲分韵舉例。
註二七　同註二六。
註二八　夏燮非常佩服江氏的學術，在他的述韵中常常提到江氏，其書自序中說到得自江氏學說者很多，可以參見。

註二九　見古韻標準例言第一條。

註三〇　見前引書例言第四條。

註三一　如張世祿的中國古音學第八章第二節便用「江氏古韻十三部」做標題，類此者衆，不一一舉出。

註三二　見古韻標準例言第十條。

註三三　見前引書例言第六條。

註三四　見顧氏古音表，四庫全書本，經部小學類三韻書之屬。

註三五　戴震在江慎修先生事略狀、聲韻考、答段若膺論韻等都提到江氏古韻分部。

註三六　見聲韻考卷三、葉三下～四下。

註三七　見聲類考卷首。

註三八　見胡氏古韻論卷上葉五下。

註三九　見古韻標準例言第五條。

註四〇　見四庫全書本古韻標準卷一、葉四十一上。

註四一　見貸園叢書本古韻標準卷一，葉四十八下～四十九上。按：四庫全書本第四部總論漏抄四分之三的文字。

註四二　見前引書卷一，葉四十八下。

註四三　見段氏答江晉三論韻書。

註四四　見陳氏古音學發微第三章第二節。

註四五　同前註。

註四六　見古韵標準卷一，平聲第十三部總論。

註四七　見前註。

註四八　見前引書卷一，平聯第三部總論。

註四九　見前引書卷一，平聲第六部總論。

註五〇　見前引書卷一，平聲第十一部總論。

註五一　見江有誥古韵凡例頁三上與頁一下。

註五二　見段玉裁六書音均表今韵古分十七部表葉九下。

註五三　見古韵標準例言第四條。

註五四　夏燮述韵會說：「江氏分入聲爲八，較顧氏爲精密，實不能斷其爲何部之入。」

註五五　見夏炘古韵二十二部集說。

註五六　見陳新雄古音學發微第二章第二節。

註五七　見古韵標準例言第一條，葉一上、一下。

註五八　見前引書卷一，葉一上。

註五九　見前引書卷一，葉六下。

註六〇　見古韵標準例言第十一條。

註六一　見前引書例言第十三條。

第七章　江永的等韻學與反切之學

江愼修先生的等韻學，表現在四聲切韻表的凡例、韻圖，以及音學辨微二書中。所謂等韻學可以說是聲、韻、調配合之學，也是中國本土發生的語音學。詳細一點，也許可以暫時這麼說：等韻學是分析研究了漢語的聲、韻、調，參酌梵文的悉曇章，所產生的聲、韻、調配合學、和聲、韻、調分析學。在這個定義下，等韻學是包含字母、清濁、發送收、等呼、韻母（主要元音、韻尾）、四聲（或者八聲）、……以及聲韻調結合圖等方面的研究。江氏的等韻學也應該這樣來看待它，有關三十六字母的清濁、發送收、和音讀等問題，已經敍述於第四章；有關聲調的，已經敍述於第三章；有關韻母的開合、四等、數韻同入、四聲相承、韻部和韻類，已經敍述於第五章；有關韻圖的結構，已敍述於第二章，所剩下的等韻問題已經不多了。本章只就未及討論的，略述一二。至於反切之學，本與等韻學有密切關係，江氏在音學辨微中專闢一節來討論，亦分述於本章。

一、三十六字母的等位合圖

在第五章韻母論㈠第三節，列有「一等等位圖」「二等等位圖」「正齒二等等位圖」「三等等位圖」「四等等位圖」，「等」指四等，「位」指字母，現在把這些圖合起來，可以看出在四聲切韻表中，江慎修如何來安排三十六字母在韻圖上的位置，同時和韻鏡的字母等位圖比較（註一）：

〈四聲切韻表〉　三十六字母等位合圖　〈韻鏡等位圖〉

	牙音			
一等	見	溪	●	疑
二等	見	溪	●	疑
三等	見	溪	羣	疑
四等	見	溪	羣	疑

脣音	舌音
幫滂並明	端透定泥
幫滂並明	知徹澄孃
幫滂並明 非敷奉微	知徹澄孃
幫滂並明	端透定泥

舌頭音	舌上音	重脣音	輕脣
端透定泥		邦滂並明	
	知徹澄孃	邦滂並明	
	知徹澄孃	邦滂並明	(非)(敷)
端透定泥		邦滂並明	

	牙音	齒音	喉音	舌齒音
一等	見溪　疑	精清從心	影曉匣	來
二等	見溪　疑	照穿牀審禪	影曉匣	來
三等	見溪羣疑	照穿牀審禪	影曉　喻	來日
四等	見溪羣疑	精清從心邪	影曉匣喻	來

音		齒頭音					正齒音					喉	
		精	清	從	心	●						曉	匣
							照	穿	牀	審	●	曉	匣
(奉)	(微)						照	穿	牀	審	禪	曉	●
		精	清	從	心	邪						曉	匣

音		半舌	半齒
影	●	來	●
影	●	來	●
影	喻	來	日
影	喻	來	●

比較江永四聲切韵表的三十六字母等位合圖，與韵鏡的等位圖，其同異如左：

1.同用三十六字母。江氏四聲切韵表凡例第二條說：

「昔人傳三十六母，總括一切有字之音，不可增減，不可移易，凡欲增減移易者，皆妄作也。列於表上，如網在綱。」（註二）

2.發聲部位名稱大同小異。江氏說：

「見溪羣疑牙音，端透定泥舌頭音，知徹澄孃舌上音，邦滂並明重脣音，非敷奉微輕脣音，精清從心邪齒頭音，照穿牀審禪正齒音，曉匣影喻喉音，來半舌音，日半齒音，此一定之七音，易之者亦妄作也。審音辨似之法，别有音學辨微詳之。」（註三）

韵鏡把三十六字母分爲「脣音」「舌音」「牙音」「齒音」「喉音」「舌齒音」。又把「唇音」分爲「唇音重」「唇音輕」，「舌音」分爲「舌頭音」「舌上音」，「齒音」

分爲「齒頭音」「正齒音」（而又有「細齒頭音」「細正齒音」之細分）等，除了韻鏡的「舌齒音」江氏分稱爲「半舌」「半齒」外，其餘都相同，因爲江氏這些都是承自古代而來。

3. 清濁之名有異。江氏把清濁細分爲七類，與韻鏡的四分法不同，這個不同大多是在名稱上，其類别大體還是一致的，只有粗細之别。

4. 三十六字母，江氏排成三十六行，韻鏡排成二十三行。韻鏡排成二十三行，也許是爲了節省篇幅，排在書頁的左右兩面上，合成一圖，便於省覽；也許是由於字母間有互補關係，如重唇與輕唇互補、舌上與舌頭互補，正齒與齒頭互補等。而江慎修也許看到了韻鏡三十六字母在安排上的偪促不便，採每字母一行，共計用三十六行的辦法，於是兩面容不下，只好排列在書頁的四面上，造成了閱讀上新的麻煩。

5. 江氏七音的次序與韻鏡不同。江氏七音的次序是牙音、舌音、唇音、齒音、喉音、半舌、半齒，韻鏡則爲唇音、舌音、牙音、齒音、喉音、半舌、半齒。這是江氏改變舊韻圖的地方。考康熙字典所附明顯四聲等韻圖與等韻切韻指南二圖，以及音韻闡微、音韻述微等，皆先牙音、次舌音、次唇音、次齒音、次喉音、次半舌音、次半齒音，與江氏相同，這大概是江氏取法於清初韻書，而清初的韻書又取法於四聲等子、切韻指掌圖、經史正音切韵指南等早期韵書。當然了，也有可能是江氏直接取法於四聲等子，而不轉借於清初韵書韵圖，疑不能定。

6. 喉音四母的次序，江氏不同於韵鏡。江氏喉音四母的次序是「曉、匣、影、喩」，韵鏡是「影、曉、匣、喩」，七音略、切韵指掌圖與韵鏡同，而四聲等子、經史正音切韵指南、音韵闡微、等韵切韵指南諸書，和江氏相同，大概也和前條相同，是江氏取法於早期韵圖中等子、指南，和清初韵書韵圖，不是偶然湊巧的。

7. 各等出現的字母，江氏和韵鏡絕大多數相同，不同的只有二等禪母的有無問題。江氏在四聲切韵表對四等與字母的配合，是這樣說明的：

「一等有牙，有喉，有舌頭，無舌上，有重脣，無輕脣，有齒頭，無正齒，有半舌，無半齒，而牙音無羣，齒頭無邪，喉音無喩，通得十九位，見、溪、疑、端、透、定、泥、邦、滂、並、明、精、清、從、心、曉、匣、影、來也。

二等有牙，有喉，有舌上，無舌頭，有重脣，無輕脣，有正齒，無齒頭，有半舌，無半齒，而牙音無羣，正齒無禪，喉音無喩，亦通得十九位，見、溪、疑、知、徹、澄、孃、邦、滂、並、明、照、穿、牀、審、曉、匣、影、來也。

三等有牙，有喉，有半舌半齒，有舌上，無舌頭，有正齒，無齒頭，而脣音不定，或有重脣，或有輕脣，喉音則無匣母，通得二十二位，見、溪、羣、疑、知、徹、澄、孃、照、穿、牀、審、禪、曉、影、喻、來、日，及脣音之四母也。四等與一等同，有牙，有喉，有舌頭，無舌上，有重脣，無輕脣，有齒頭，無正齒，有半舌，無半齒，而牙音有羣，齒頭有邪，喉音有喻，亦通得二十二位，見、溪、羣、疑、端、透、定、泥、邦、滂、並、明、精、清、從、心、邪、曉、匣、影、喻來也。

凡牙音有羣母者，必三四等。（原註：歌韻一等有翻字，渠河切，俗字俗音也。今不取。）

凡有舌頭齒頭者，非一等即四等，以粗細別之。

凡舌上非二等，即三等，亦有粗細。

凡重脣一二三四皆有之，輕脣必三等。

凡三等脣音輕重不兼，有輕脣而復有重脣之明母者，惟尤韻之謀字，屋韻之目牧等字，腫韻之䳄字，三等之變例也。古音風字方愔切，入侵韻，侵韻已有重脣，而復有輕脣，亦此類。

凡邪母必四等，禪母日母必三等。

凡喻母必三四，而四等爲多。

凡半舌一二三四皆有之。」（註四）

以上的話，除了說到風字古音以外，只有二等禪母的有無，江氏不同於韻鏡，其餘都相同。江氏一則說二等正齒無禪，二則說凡禪必三等。在他的四聲切韻表二等確實是無禪母的，而韻鏡呢？它和七音略都在內轉第八止韻二等禪母下有「俟」字，七音略在內轉第八之韻二等禪母母下還有「漦」字。龍宇純先生韻鏡校注內轉第八開說：「切二、切三、全王、廣韻之韻有「漦」字，切二、全王「俟淄反」，切三「俟之反」，廣韻「俟甾切」，當補於此，七音略此正有漦字。」（註五）董同龢先生漢語音韻學說：「『俟』與『士』廣韻反切本來可以系聯，平聲之韻，『漦』『俟之切』；又上聲止韻，『俟』『牀史切』，牀屬士類，……對照切韻殘卷與王仁昫刊謬補缺切韻，知道『俟』的反切上字不是『牀』而是『漦』，原來『漦』『俟』兩字互切，不與其他反切上字系聯。」（註六）換句話說，二等禪母在韻鏡和七音略是有「漦、俟」二字的。江氏四聲切韻表未見「漦、俟」二字，大概是併於牀母了。

二、韻部、韻類、與韻鏡的異同

江愼修的韻書韻部與韻類，已詳述於第五章，請參看。簡單的說，江氏是採用廣韻二百零六韻，根據韻母的元音、韻尾以外，還根據開合、四等，古今音而析分爲一百零四個韻類（以平聲賅上去入）。而韻鏡則分爲九十一個韻類，比較於左：

（四聲切韻表與韻鏡韻類比較表）

江永韻類名稱	開合	等第	韻鏡韻類
東一董一送一屋一	合	一	東一 董 送一 屋一
東二董二送二屋二	合	三	東二 送二 屋二
冬 送 沃	合	一	冬 （湩） 宋 沃
鍾腫用燭	合	三	鍾 腫 用 燭
江講絳覺		二	江 講 絳 覺
支一紙一寘一	開	三	

支二紙二寘二昔一	開	三	支一 紙一 寘一
支三紙三寘三	合	三	
支四紙四寘四昔二	合	三	支二 紙二 寘二
脂一旨一至一質一	開	三	脂一 旨一 至一
脂二旨二至二術	合	三	脂二 旨二 至二
之止志職	開	三	之 止 志
微一尾一未一迄	開	三	微一 尾一 未一
微二尾二未二物	合	三	微二 尾二 未二
魚語御藥	合	三	魚 語 御

虞一麌一遇一藥二	合	三	
虞二麌二遇二燭	合	三	虞 麌 遇
模姥暮鐸	合	一	模 姥 暮
齊一薺一霽一屑一	開	四	齊一 薺一 霽一
齊二薺二霽二屑二	合	四	齊二 薺二 霽二
祭一薛一	開	三	祭一
祭二薛二	合	三	祭二
泰一曷	開	一	泰一
泰二末	合	一	泰二

佳一蟹一卦一麥一	開	二	佳一 蟹一 卦一
佳二蟹二卦二麥二	合	二	佳二 蟹二 卦二
皆一駭怪一黠一	開	二	皆一 怪二
皆二怪二黠二	合	二	皆一 駭 怪一
夬一鎋一	開	二	夬一
夬二鎋二	合	二	夬二
灰賄隊沒	合	一	灰 賄 隊
咍海代德一	開	一	咍 海 代
			廢一

廢　月一	合	三	廢二
眞一　軫一　震一　質一	開	三	眞　軫　震　質
眞二　軫二　質二	合	三	
諄　準　稕　術	合	三	諄　準　稕　術
臻　櫛	開	二	臻　櫛
文　吻　問　物	合	三	文　吻　問　物
殷　隱　焮　迄	開	三	殷　隱　焮　迄
元一　阮一　願一　月一	合	三	元一　阮一　願一　月一
元二　阮二　願二　月二	開	三	元二　阮二　願二　月二

魂混慁沒	合	一	魂　混　慁　沒
痕很恨	開	一	痕　很　恨
寒旱翰曷	開	一	寒　旱　翰　曷
桓緩換末	合	一	桓　緩　換　末
刪一潸一諫一黠一	開	二	刪一　潸一　諫一　黠一
刪二潸二諫二黠二	合	二	刪二　潸二　諫二　黠二
山一產襇轄一	開	二	山一　產一　襇一　轄一
山二　　轄二	合	二	山二　產二　襇二　轄二
先銑霰屑	開	四	

先一銑一霰一	合	四	
先二銑二霰二屑二	開	四	先一 銑一 霰一 屑一
先三銑三霰三屑三	合	四	先二 銑二 霰二 屑二
僊一獮一線一薛一	開	三	仙一 獮一 線一 薛一
僊二獮二線二薛二	合	三	仙二 獮二 線二 薛二
蕭一篠一嘯一錫一屋五	開	四	
蕭二篠二嘯二錫二	開	四	蕭 篠 嘯
宵小笑藥三	開	三	宵 小 笑
肴巧效覺	開	二	肴 巧 效

豪一皓一號一鐸二	開	一	豪　皓　號
豪二皓二號二沃	開	一	
歌哿箇曷	開	一	歌　哿　箇
戈一果過末	合	一	戈一　果　過
戈二	開	三	戈二
戈三	合	三	戈三
麻一馬一禡一麥三	開	二	麻一　馬一　禡一
麻二馬二禡二麥四	合	二	
麻三馬三禡三陌一	開	二	

麻四馬四禡四陌二	合	二				
麻五馬五禡五	開	三	麻二	馬二	禡二	
麻六馬六禡六昔三	開	三	麻三	馬三	禡三	
陽一養一漾一藥一	開	三	陽一	養一	漾一	藥一
陽二養二漾二藥二	合	三	陽二	養二	漾二	藥二
唐一蕩一宕一鐸一	開	一	唐一	蕩一	宕一	鐸一
唐二蕩二宕二鐸二	合	一	唐二	蕩二	宕二	鐸二
庚一梗一敬一陌一	開	二	庚一	梗一	敬一	陌一
庚二梗二敬二陌二	合	二	庚二	梗二	敬二	陌二

庚三梗三敬三陌三	開	三	
庚四梗四敬四	合	三	
庚五梗五敬五陌四	開	三	庚三　梗三　敬三　陌三
庚六梗六敬六	合	三	庚四　梗四　敬四
耕一耿諍麥一	開	二	耕一　耿　諍　麥一
耕二　麥二	合	二	耕二　麥二
清一靜一勁一昔一	開	四	清一　靜一　勁　昔一
清二靜二勁二昔二	合	四	清二　靜二　昔二
青一迥一徑一錫一	開	四	青一　迥一　徑　錫一

青二迥二徑二錫二	合	四	青二	迥二		錫二
蒸拯嶝職一	開	三	蒸	拯	嶝	職一
職二	合	三				職二
登一等嶝德一	開	一	登一	等	嶝	德一
登二德二	合	一	登二			德二
尤一有一宥一屋三	開	三				
尤二有二宥二屋二	開	三	尤	有	宥	
侯厚候屋一	開	一	侯	厚	候	
幽黝幼屋四	開	四	幽	黝	幼	

侵寑沁緝	開	三	侵	寑	沁	緝
覃感勘合	開	一	覃	感	勘	合
談敢闞盍	開	一	談	敢	闞	盍
鹽琰豔葉	開	三	鹽	琰	豔	葉
添忝㮇帖	開	四	添	忝	㮇	帖
嚴儼釅業	開	三	咸	豏	陷	洽
咸豏陷洽	開	二	銜	檻	鑑	狎
銜檻鑑狎	開	二	嚴	儼	釅	業
凡范梵乏	開	三	凡	范	梵	乏

（註七）

由這個比較表看來，江氏在支韻多出二類，虞韻多出一類，眞韻多出一類，先韻多出兩類，蕭、豪各多出一類，歌韻多出一類，痲韻多出三類，庚韻多出二類，尤韻多出一類，合計多出十四類，而廢韻江氏只一類，韻鏡分爲開合二類，是江氏少一類。廣韻廢韻，韻鏡分出「廢、計、刈」（註八）三字爲開口呼，其餘爲合口呼，江氏則皆歸入之等合口字，這是江氏析分未精，或者以字少而權宜併合。其餘多出之十四類，殆皆有見於古音之來源不同而析分，已詳細討論於第五章第一節，此處不再重複。

在一百零四韻類上，每類都標明開合、等第、以及所收納的聲母，這些也已詳述於第五章最後一節的〔江永一百零四韻類等呼標註表〕。這些標註，和韻圖的編排有關，請看次節。

三、韻圖編排

四聲切韻表的韻圖編排，當然和其他大多數韻圖相同，也是經聲緯韻，不過在聲和韻的編排上有些不同。縱列聲母三十六行，取乎三十六字母，這和切韻指掌圖相同，和其他宋元韻圖有殊。橫列一百〇四韻類，分爲二十六表，每表四欄，每欄四韻，四聲相承。宋元韻圖開合分圖，前後相次，每圖或先分四聲再分四等，或先分四等再分四聲，與江氏異，蓋江氏將開合四等之異，用文字標註於每欄之前，而不用圖表位置來表示，這是最大的差異。請看下面二圖：

〔四聲切韻表第二十五表〕

	一等開口呼	一等開口呼	三等開口呼	四等開口呼
			正齒有二等字 齒頭四等喉音有四等字	
	覃感勘合	談敢闞盍	鹽琰豔葉	添忝㮇帖
見	弇古南 感古禫 紺古暗 閤古沓	甘古三 敢古覽 䣭古盍	檢居奄	兼古甜 頰古協
溪	堪口含 坎苦感 勘苦紺 厒渴合	闞苦濫 榼苦盍		謙苦兼 慊苦簟 歉詰念 篋去劫
羣			箝巨淹 儉巨險 鐱巨驗 笈其轉	
疑	玵吾含 頷五感 儑五紺 哈五合	儑五盍	齞牛廉 广魚檢 驗魚窆	
端	耽丁含 紞都感 答都合	擔都甘 膽都敢 擔都濫 耷都盍		佔丁廉 點多忝 店都念 喋的協
透	貪他含 嗿他感 探他紺	聃他酣 毯土敢 賧吐濫 榻吐盍		添他兼 忝他點 㮇他念 帖他協

定	泥	知	徹	澄	孃	邦	滂	並	明
覃徒含 禫徒感 沓徒合	南那含 腩乃感 枏奴紺 納奴荅								
談徒甘 澹徒敢 淡徒濫 蹋徒盍	耼乃甘 魶奴盍								
		霑張廉 輒陟葉	覘丑廉 諂丑琰 覘敕驗 鍤丑輒	灵直廉 牒直葉	黏女廉 聶尼輒	砭悲廉 貶悲檢 窆彼驗 鴘筆輒	姂匹乏		
甜徒兼 簟徒玷 磹徒念 牒徒協	鮎奴兼 淰乃點 念奴店 捻奴協								

非	敷	奉	微	精	清	從	心	邪	照
				簪作含 昝子感 篸作紺 帀作荅	參倉含 慘七感 參七紺 䟃錯合	蠶昨含 歜祖感 襍祖合	毿蘇含 糝桑感 俕先紺 趿蘇合		
						慙昨甘 槧在敢 暫藏濫 [illegible]才盍	三蘇甘 三蘇暫 [illegible]私盍		
				尖子廉 [illegible]子琰 接即葉	籤七廉 憸七琰 塹七豔 妾七接	潛昨廉 漸慈染 [illegible]昨贍 捷疾葉	銛思廉 [illegible]思檢 [illegible]思豔	爓徐廉	詹之廉 颭之琰 占章贍 讋之涉 [illegible]莊涉
				僭子念 浹子協			燮思協		

四聲切韻表

	一	二	三	四
穿			幨 蚩占 襜 昌贍 謵 尺涉 插 [illegible]	
牀				
審			苫 失廉 閃 失冉 掞 舒贍 攝 書涉 萐 山輒	
禪			蟾 視占 剡 時冉 贍 時豔 涉 時攝	
曉	顑 呼感 [貝甘] 呼紺 欱 呼合	蚶 呼甘 [盍欠] 呼盍	姭 火占 險 虛儉	[火兼] 許兼 [女夾] 呼帖
匣	含 胡男 頷 胡感 憾 胡紺 合 侯閤	酣 胡甘 譀 下闞 盍 胡臘		嫌 戶兼 鼸 胡忝 協 胡頰
影	諳 烏含 黭 烏感 暗 烏紺 姶 遏合	闇 烏敢 鰪 安盍	淹 央炎 厭 一占 奄 衣檢 檿 於琰 奄 於驗 厭 於豔 [忄奄] 於葉 厭 益涉	
喻			炎 于廉 鹽 余廉 琰 以冉 豔 以贍 曄 筠涉 葉 与涉	
來	嵐 盧含 拉 盧合	藍 魯甘 覽 魯敢 濫 魯瞰 蠟 魯盍	廉 力鹽 斂 良冉 斂 力驗 獵 良涉	甄 魯協
日			髯 汝廉 染 而琰 囁 口涉	

二十二

（註九）

〔七音略外轉三十一圖〕

外轉三十一 重中重

聲調	韻	幫	滂	並	明	端知	透徹	定澄	泥孃	見	溪	群	疑	精照	清穿	從床	心審	邪禪	影	曉	匣	喻	來	日
		羽				徵				角				商					宮				半徵半商	
平	覃					耽	貪	覃	南	弇	龕		誐	簪	參	蠶	毿		諳	峆	含		婪	
	咸					詀			諵	緘	鵮		喦			讒	攕		[illegible]	欿	咸			
	鹽	砭				霑	覘		黏		[illegible]	箝	[illegible]	詹	襜		苫	蟾	淹		嫌	炎	廉	髯
	添					髺	添	甜	鮎	兼	謙									馦			鬑	
上	感					黕	襑	禫	腩	感	坎		頷	昝	慘	歜	糝		唵	喊	頷		壈	
	豏						僴	湛		鰜	[illegible]		顩	斬	醶	巉	摻		黯		豏		臉	
	琰	貶			㚇		諂			檢	預	儉		颭			陝	剡	奄	險			斂	
	忝					點	忝	簟	淰	孂	歉		[illegible]		憯						[illegible]		[illegible]	
去	勘					駄	僋	醰	妠	紺	勘		[illegible]	篸	謲		俕		暗	顑	憾		顲	
	陷					鮎		賺	諵	[illegible]	歉		[illegible]	蘸		儳			[illegible]		陷			
	豔	窆					覘						驗	占	蹭		閃	贍	[illegible]				[illegible]	染
	㮇					店	掭	磹	念	趝	傔			僭		暫	[illegible]		酓				[illegible]	
入	合					答	錔	沓	納	閤	搕		[illegible]	匝	[illegible]	雜	趿		姶	欱	合		拉	
	洽					劄	[illegible]		笝	夾	恰		[illegible]	眨	揷	[illegible]	歃		[illegible]	[illegible]	洽			
	葉					輒	鍤	牒	聶	劫	[illegible]	笈		讋	謵		攝	涉	[illegible]			曄	獵	讘
	帖					聑	帖		捻	頰	愜			浹		[illegible]	燮			姎	協		[illegible]	

通志七音略卷三十 卅七

江氏四聲切韻表二十六表，各表所含的四欄，只是依照廣韻韻目的先後順序排下去，並無任何聲韻上的關係，請參見第二章第一節。我們在前面所看到的第二十五表，只是全書中，四欄關係最密切，而最適合拿來和七音略、韻鏡相比的。在比較當中，我們可以看到由於江永這種異乎宋元韻圖的作法，必須要有一些措施來解決歸字納音的新問題：

1. 既然無法在圖格上表現等呼，只有在每一韻類的前面標明「○等○口呼」，如「四等開口呼」「二等合口呼」之類。

2. 由於三等韻以及少數一、二、四等韻，有溢乎該等之其他等列的字，必須要特別安排。如果在韻鏡和七音略等宋元韻圖，便可借用他等地位來安置（沒有他等地位，可以置於他圖或新立一圖）；而江氏的四聲切韻表，四等是用文字說明而不列格表示，便無位可借了。怎麼辦呢？江氏說：

「凡二等有前後諸位者，通一韻爲二等也，無前後諸位者，但有照、穿、牀、審四位，則附於三等韻，小字左書之，三等無正齒，乃大字書之，無三等，則附一等。凡四等與三等同韻者，舌頭、齒頭大字書之，牙音、重脣、喉音，小字左書之，無三等，乃大字書之，皆於韻首註明。」（註一一）

關於這些話，我們分幾點來敍述：

①所謂通一韻爲二等者：如江、佳一、佳二、皆一、皆二、夬一、夬二、删一、删二、山一、山二、麻一、麻二、麻三、麻四、庚一、庚二、耕一、耕二、咸、銜等韻類。

②所謂「附於三等韻，小字左書之」，此處強調「三等韻」而非「三等」，此指所有三等韻中出現照穿牀審之二等字者，都把照二系的字「小字左書之」，如前引四聲切韻表第二十五表中三等開口鹽琰豔葉一類的正齒音下「插」「萐」二字便是。

③所謂「三等無正齒，乃大字書之」，此指二等開口呼臻櫛一類。

④所謂「無三等則附一等」，是指一等韻類，而標註以「正齒二等」者，如一等開口呼哈海代德一類中有「茝、昌亥（切）」，一等開口呼侯厚候屋一類中有「鯫、仕垢（切）」。但「茝、昌亥（切）」「昌」字屬穿母，是三等字，見於江氏四聲切韻表後切字母位用字表，那麽江氏在那一韻類標註以「正齒二等」者，「二」應該改爲「三」。眞正二等附一等者，只有「鯫、仕垢（切）」，此音出自廣韻上聲四十五厚。

⑤所謂「四等與三等同韻，舌頭、齒頭大字書之」，意思是說，凡是三等韻的齒頭音都屬四等字，但是因爲在位置上没有衝突，所以仍然大字書之。如前引第二十五表三等開口呼鹽琰豔葉精母下諸字便是。此外，三等韻例無舌頭音，舌頭音通常只出現在一、四等，舌頭音出現在三等韻的，以四聲切韻表而言，只有鍾、脂一、麻五三韻類。鍾

韵中的四等舌頭音有上聲的「湩、覩勇（切）」「䙚、乃鍾（切）」二字音，根據廣韵應該是「冬」韵的上聲（註一二），本來移入冬韵類之下。但是江氏說：「平聲五十七部，上聲少二部者，冬臻無上也，或謂腫韵之湩字是冬之上聲，然古人既未立部，則亦不敢增，仍從舊覩勇切爲腫之四等。」（註一三）所以仍列在腫韵中。脂一類的去聲舌頭音有「地、徒四（切）」，恐爲古音之殘留。麻五類舌頭音平聲有「爹、丁邪（切）」上聲有「哆、丁寫（切）」，此二字，廣韵於平聲九麻「爹」字下說：「羌人呼父也，陟邪切。」是知母字，上聲馬韵「昌者切」韵「哆」字，屬穿母，和江氏的聲類不同，江氏「爹」字音是根據洪武正韵而來，「哆」字音是根據集韵而來，大概是因爲近俗通用的緣故，才不取廣韵音。

⑥所謂「牙音、重脣、喉音，小字左書之；無三等字，乃大字書之。」這是因爲三等韵唇牙喉音，常常有兩套的字，在無法借四等的情況下，只有左書而並列了。這種情形還可分兩類，一類是「喻」母常有喻三（爲）、喻四（喻）同時出現的情形。一類是支二、支四、脂一、脂二、眞一、諄、祭一、祭二、仙一、仙二、宵、侵、鹽等韵類。換句話說，就是出現所謂「重紐」的韵。江氏在這些地方，劃分了唇牙喉音的三等和四等界限，分別列出，如前引四聲切韵表第二十五表鹽韵類下喉音。江氏雖然沒有解

釋造成這個現象的原因，但是，在清代可以說是第一個反映了「重紐」問題存在的人，非常值得我們欽佩他眼光的清晰，和態度的嚴謹。

3.每韻類標註同一韻中異等的聲母，如「牙音、重脣、喉音有四等字。齒頭有四等。」這一類話，詳見第五章最末一節的表格，和第二章第一節二十六表簡錄。

這些措施，在江氏設置的韻圖上，也許是成功的，但是，跟宋元韻圖的措置比較，似乎不夠明白簡要。

除了上述三個新措施、以及字母的排列方式以外，四聲切韻表在韻圖的內容組織上，還有一些不同於宋元韻圖的地方：

甲、韻圖中各韻類四聲相承，實際上是依照「數韻同一入」的原則來配置的，詳見第五章「數韻同一入」一節。

乙、表中有同韻同呼同等，而分列爲二個以上的韻類，那是憑古音來源不同而決定的，詳見第五章第一節。

丙、無平上入聲的「祭、泰、夬、廢」四韻，韻鏡、七音略把祭韻開合兩類，分別置入十三、十四兩轉之空缺；把泰韻開合兩類、分別置入十五、十六兩轉之空缺；把夬韻開合二類轉置於十三、十四轉之入聲地位，尚註明「去聲寄此」。廢韻開合二類，則七音略安排在十五、十六兩轉之入聲地位，韻鏡則安排在第九、十轉之入聲地位。江氏則以「祭」「泰」「夬」三類的開合，分別獨立，廢韻不分開合，皆各有一圖，而且都配以入聲。江氏說：「去聲獨有六十者，臻無去，少一部，祭、泰、夬、廢無平上，又多四部也。四部無平上而有入，祭之入薛，泰之入曷末，夬之入轄，廢之入月卦者、佳蟹之去，其入爲麥怪者，皆駭之去，其入爲黠隊者灰賄之去，其入爲沒代者，咍海之去其入爲德，觀表所列音類，等第條理秩然。」（註一四）

丁、切韻表所收韻紐字，都注明反切於字下，這是一大特色，可以了解韻書和韻圖的關係。江氏說：「此表依二百零六韻，條分縷析，四聲相從，各統以母，別其音呼等列，字之切即註本字下，閱卷了然，學者由此研思，音學庶無差舛。」（註一五）

戊、切韻表最後數韻的次序是「嚴、咸、銜、凡」。

本來四聲切韻表的韻類次序是依廣韻二百零六韻的先後來排的，但是到了切韻表的最後，卻變更了，原因是，這四個韻，江氏要依據集韻；而集韻則以爲鹽韻、沾韻（即廣韻添韻）與嚴韻相通，應該前後相次，才把廣韻下平二十八嚴調動到咸韻的前面，請看下表：

（廣韻舊次）	（集韻韻次）	（四聲切韻表韻次）
二十四鹽	二十四鹽	99鹽

二十五添	二十五沾	100 添
二十六咸	二十六嚴	101 嚴
二十七銜	二十七咸	102 咸
二十八嚴	二十八銜	103 銜
二十九凡	二十九凡	104 凡

由此可知江氏在最後數韵完全是根據集韵而改動，表示他也以爲嚴不與凡同用，而是與沾嚴通用。這也反映了他心目中鹽添嚴咸銜凡的音讀，才不惜放棄遵守廣韵韵次的原則。

（以上所論，舉平以賅上去入。）

己、除了嚴韵位置的更動外，四聲切韵表在韵目上除了採用廣韵以外，還採用了一些禮部韵略的韵部名稱。如：

〔廣韵韵目〕	〔禮部韵類韵目〕	〔四聲切韵表韵目〕
下平二仙	二僊	54，55僊
去聲三十七号	三十七號	60，61號
去聲四十七映	四十三敬	76，77，79，80，81敬
入聲十五鎋	十五轄	29，30轄

入聲三十怗　三十四帖　100帖

江氏雖然據禮部韻略改了五個韻目，但是卻是有選擇的；因爲禮部韻略韻目異於廣韻的有十一處（註一六），換句話說，有六個地方不被江氏採納：

〔廣韻韻目〕	〔禮部韻略韻目〕	〔四聲切韻表韻目〕
上平二十一殷	欣（按：避宋宣祖諱）	殷
上平二十三魂	䰟	魂
上平二十六桓	歡（按：避宋欽宗諱）	桓
下平五肴	爻	肴
上聲五十二儼	广	儼
入聲八物	勿	物

由此可知江氏所不取的大多是因避諱而改的、罕見的，而依禮部韻略所改的是通行常見的（唯「僊」字例外）。

四、歸字納音

江慎修先生在四聲切韻表凡例第一條說：

「此表依古二百六韻，條分縷析，四聲相從，各統以母，別其音呼等列。字之切即註本字下，開卷了然，學者此研思，音學庶幾無差舛。」（註一七）

在凡例後，韻表之前，又特別對讀者說明：

「此表爲音學設，凡有字之音悉備於此，審音、定位、分類、辨等，幾費經營，三四易稿，乃成定本，學者熟玩，音學可造精微，切字猶其粗淺者也。」（註一八）

在這兩段話裏，我們知道江氏撰著四聲切韻表的態度，是非常謹篤的，當他說到「幾費經營，三四易稿」時，幾乎可以讓我們看到一位精力旺盛，極有學術熱誠的老學者，坐在四壁典籍、一堆稿紙的書香中，搦管苦思，而未定稿的册頁上，朱墨粉揉，爛然如畫。他一定在全書的編排收字上幾番凝思，一再的修正改易，重謄又删棄，棄置之後，又重起爐灶，學術命脈的傳承，我們於此可以得到一個好典範，江氏所經營思索的在韻表的歸字納音上至少有兩件事：一是條分縷析，一是具備衆音。所謂「條分縷析」，也就是「別其音呼等列」、「審音定位、分類辨等」。江氏是重視語音分析的，他想釐分聲韻以至精微，然後再依音定位，這種想法不僅見於四聲切韻表，也見於古韻標準和音學辨微等書。

江氏幾費經營的結果，表現在韻表上，在收字納音方面，至少有以下幾點值得敍述：

㈠、韻表收字納音，依二百〇六韻爲主，以備衆音：

江氏說是「依古二百六韻」，並未說是專據廣韻，我們如果拿汪龍跋應雲堂藏版的四聲切韻表來看，所收四千零五十八字中，廣韻三千八百七十五個小韻之音，幾乎都收在內了。但是，雖然收納廣韻之音，卻或改其反切，所以四聲切韻表四千零五十八音中，同於廣韻者有二千九百五十二個反切。切韻表除了收納廣韻之音以外，還從其他韻書（尤其是屬於切韻系韻書的集韻）、字書採擇一些音切。其採自古今韻會、洪武正韻、玉篇、字彙的，約有五十字，其餘大多採自集韻，其採自集韻者，除了廣韻未收之音之外，採取集韻中比較合理的反切，來代替廣韻的舊有反切。綜計採收廣韻以外之音，約有二百之譜，（註一九）希望凡有字之音悉備於四聲切韻表中。

㈡、每字之下附有反切，以廣韻爲主，集韻爲輔，並參以己見：

江氏四聲切韻表四千零五十八個反切中，收字固然大同於廣韻，而收音則不全依廣韻，其反切同於廣韻的有二千九百五十二個，約佔百分之七十三。其餘百分之二十七，半爲集韻反切（五百四十九個），半爲江氏改易或取自廣韻集韻以外之韻書字書。（註二〇）江氏說：

「舌脣二音，古或用隔類切，或以舌頭切舌上，舌上切舌頭，或以重脣切輕脣，輕脣切重脣，今一用音和，免致滋誤。諸切大抵本舊韻書，有未安者，或字書多者，間有改易，亦不盡改以存古。古今異音之字，亦不爲古音切，恐滋惑也，明者自當知之。韵內字甚少，間有借相近韵爲下一字者，亦仍舊。」（註二一）

根據江氏之言，他的改易，至少有三個原因，一爲隔類（即類隔）切，二爲音有未安，三爲字畫多。今將選用集韵切語與江氏改易或取自他書者，分別舉例於後，另詳筆者四聲切韵表與四聲韵譜比較研究一文：

1.取自集韵反切者：

〔江〕腔　廣韵苦江切　集韵枯江切　韵表枯江切（註二二）

〔之〕擬　廣韵魚紀切　集韵偶起切　韵表偶起切

〔麻五〕咩　廣韵無　集韵彌嗟切　韵表彌嗟切

〔文〕皸　廣韵無　集韵區云切　韵表區云切

〔眞〕貧　廣韵符巾切　集韵皮巾切　韵表皮巾切　廣韵類隔 集韵音和

2.江氏改易或取自廣韵、集韵以外者：

〔痕〕崀　廣韵無　玉篇魚很切　韵表魚很切

〔覃〕倸　廣韵蘇紺切　玉篇先紺切　韵表先紺切　取字畫少

〔腫〕湩　廣韵都　切　古今韵會覩勇切　韵表覩勇切

（魂）䙡　廣韻無　古今韻會吐困切　韻表吐困切

（痲五）爹　廣韻陟邪切　洪武正韻丁邪切　韻表丁邪切

（唐一）夯　廣韻無　字彙呼朗切　韻表呼朗切

（虞一）㜷　廣韻憂縛切　集韻鬱縛切　韻表紆縛切（取字畫少）

（豪二）媢　廣韻武道切　集韻武道切　韻表母道切（廣韻集韻皆類隔）

（徽一）費　廣韻芳未切　集韻芳未切　韻表扶沸切（改敷母爲奉母）

㈢、收字納音時，有某等韻中出現異等字者（如：三等韻中有四等之脣、牙、喉音、或有二等正齒音），在措置上有困難，必須有變通辦法。此變通辦法已述於上節中。

㈣、收字納音時，於平上去入相承之韻類中（同一直行），儘可能選取諧聲偏旁相同者。如：

（之）疑母下　疑平　擬上　○去　嶷入

（支三）禪母下　垂平　菙上　睡去

（魚）知母下　豬平　褚上　著去　著入

（虞二）見母下　拘平　枸上　句去　挶入

（泰一）溪母下　○平　○上　愒去　渴入

（痕）見母下　根平　頣上　艮去　○入

（寒）影母下　安平　侒上　案去　頞入

（蕭一）定母下　條平　○上　蓧去　滌入

（宵）見母下　驕平　蟜上　○去　蹻入

（肴）見母下　交平　狡上　敎去　覺入

（肴）並母下　庖平　鮑上　炮去　雹入

（麻三）照母下　○平　鮓上　詐去　窄入

（清一）照母下　征平　整上　正去　○入

（覃）心母下　參平　慘上　參去　趁入

（鹽）影母下　淹平　奄上　奄去　晻入

（鹽）影母下　猒平　檿上　猒去　猒入

諸如此類的字，眞是煞費苦心，得來不易呀！後江有誥也有見於這個工作足以讓人看出平上去入的統系、陰陽入的串聯，於是便繼承江愼修的工作，寫了一部入聲表，當然是「後出轉精」了。至於梁僧寶的切韻求蒙，也有同樣的努力，成績也不錯。

在江氏的四聲切韻表上，收字納音有以上四種方面的表現，其中「悉備衆音」和「取同諸聲偏旁之字」二端，產生了一些副作用，使韻表中的字，無法多收常用字，有時要捨棄廣韻韻紐（即「小韻」）首字，而改用他字。其「悉備衆音」這個理想，甚至不惜收取「𩕻」（脂一、徹母、上聲）「㓟」（模、心母、上聲）等俗字（註二三），所以該書凡例第六十一條所說的：「表字取備音，稀僻俚俗不論也。」當然了，這些俗字，也有可能是傳抄轉刻時所誤入的，證據不足，疑而不定。

江氏爲了「悉備衆音」還把廣韻的一字又音也收進韻表來，像：

廣韻樅字即容切又七恭切　韻表有樅字七恭切

廣韻卻字居勺切又去約切　韻表有卻字去約切

廣韻敗字薄邁切又北邁切　韻表有敗字北邁切（註二四）

這種措施並不算錯誤，相反的，符合了江氏自己的理想。只是一則因爲廣韻又音很多，恐怕韻表容受不下，要不就是掛一漏萬；二則由於廣韻又音的來源與性質未明以前，把又音納入韻表，恐怕容易造成字母與等列混亂的現象，不可不愼。江氏所收又音不多，幸未成大病。

江氏在收字納音上，還有若干小毛病。一個是借用之誤，一個是疏忽之過。

先談借用之誤。江氏自己曾說：「韻內字甚少，間有借相近韻爲下一字者，亦仍舊。」（註二五）意思是說舊切由於韻內字少而借用者，亦沿襲不改，如夏燮校正提到的「凡、符咸切」，「凡」是個凡韵，因字少而借咸韵字爲反切下字。江氏在四聲切韵表切字母位用字中明母後說：「重唇四母，一等與四等可通用，三與四不可通，三等亦不得借用一等。」（註二六）這樣的申明，似乎表示在「借用」上是相當嚴格的。但實際上略有出入。夏燮四聲切韵表校正說：

「眞軫震質三等開口呼重唇竝母弼薄密切，案：表例重唇三等不得借用一等，薄爲一等音，弼爲三等音，是三等借用一等，又紙韵彼補委切，旨韵鄙補美切，庚韵兵晡明切，砰普庚切，平蒲兵切，此皆三等借用一等，與例不合。」

又說：

「僊韵三等開口呼。牙音見母甄稽延切，案：音學辨微言牙音一二三四等可通用，惟用四等字必是切四等之音，甄爲三等，稽爲四等，是以四等切三等，與例不合。」（註二七）

這種借用現象也許有承用舊切之處，但是江氏可以改易而不改，也算微有小疵。

再談疏忽之過。前引夏燮校正曾指出江氏書有字誤者三，誤置者一。他說：

「魚語御藥三等合口呼，正齒審母鑠書樂切，樂非藥韵，字當爲藥字之譌。佳蟹卦麥二等合口呼牙音疑母覎五駭切，駭非蟹韵字，當爲蟹之譌，集韵作五買切，買在蟹韵或亦可作買字。○先生言無本韵字者，可借相近之韵，此與鑠字皆有本韵之字，可用不必借也。

桓緩換末一等合口呼，牙音見母官古凡切，凡非桓韵字，當爲丸之譌。

删潸諫黠二等開口呼，喉音曉母下有左書之莞字，合𠴨切。案合𠴨係匣母之上聲，當改入匣母𠴨字之次，左書之，於「二等開口呼」注增「喉音有一等字」。又案莞字有平聲胡官切之音，若莞字作平聲讀，則當移入匣母𠴨字之上，改合𠴨切爲胡官切，亦可，然其誤入曉母則無疑也。」（註二八）

除了夏氏之語以外，像「㑌」字廣韵集韵皆收入平聲江韵，「𤸎」字廣韵多年切皆應入平聲而誤入上聲，亦屬疏忽之過，也許不出於江氏，而是傳寫刊刻之訛也說不定。羅有高說：「觀母位用字之例，其于分等嚴矣，然詳按表中，尚有殽者，蓋傳寫多手，非復江氏自定之舊矣！」（註二九）羅氏之音學雖未臻至善，而此言可見彼時於刊刻之前，實已傳抄而或淆訛，惜無江氏原本，無由舉正。

江氏這個四聲切韵表，雖然有些小毛病，但是大體是相當精妙的，清代許多學者從江氏這個韵表上學到了許多寶貴的審音知識（註三〇），甚至有人仿照江氏韵表的辨法，或得到啓發之後，再進一步發展：如梁僧寶的切韵求蒙和四聲韵譜、陳澧的切韵考和切韵考外篇。但也有不深入瞭解而產生誤會的，如汪曰楨和趙蔭棠。汪氏之書名爲四聲切韵表補正，實際上在基本觀念上和江氏多所牴牾，非江氏之友，反爲江氏之敵了。如汪氏不以古音區分韻類、附等之音皆獨立、入聲專配陽聲等，皆與江氏不合，故本章不論，讀者可參見應裕康清代韻圖之研究第二章第三節之三，與傅兆寬四聲切韻表研究第三章第五節。至於趙蔭棠，他曾說：「他既不贊成十六攝，他必須去尋求比此再古一點的東西。他找着了，他找着鄭樵的七音略。這七音略所排的二百六韻，尚沒有大的紊亂。我說這話，似乎又是驚人之談。因爲切韻表與七音略的面目不同，而且他自己未曾這樣聲明過，他以後的學者也未曾這樣揭發過。但我現在要大膽的揭發這個秘密了。二十二年冬在書肆以重價購得四聲切韻表一部，署名婺源江永愼修屬藁。此藁最可以透露消息者，就是表之第一行仍標『重中重』與『輕中輕』等字樣。這是七音略的派頭，江氏定稿所以削之者，大概是他不懂輕重而視爲贅疣的緣故。幸而未定稿尚存人間，使我們由此可以知道他之本七音略與他的弟子戴東原之本楊倓韻譜，俱是要復等韻之古。」（註三一）趙氏只憑一個「重中重」「輕中輕」的證據，便可以說四聲切韻表的底本是七音略，證據未免太少了。何況這些「重中重」字眼是不是江氏原有，實不無可議。至於因爲這樣而帶輕蔑的口吻說江氏「不懂」，說他要「復等韻之古」，那眞是太無理據的推論了。我們只要看到江氏字母的三十六行，不爲等呼列表而只以文字標注、因古音來源而析分韻類、字下註以反切、數韻同一入、悉備衆音等等觀念的提出，便知江氏並不要韻圖復古，而是想創立新表以表音學之精微。趙氏誤矣！

五、江永論反切之法

江愼修在四聲切韻表表前附以小語，說：「此表爲音學設，……學者熟玩，音學可造精微，切字猶其粗淺也。」（註三二）音學就是現代所謂「聲韻學」，是指對漢語古今聲、韻、調的研究而言，韻表以及韻表上面的反切只是聲韻學最粗淺的一部份而已，所謂粗淺也許是表面的、運用的學問，而不是精密而深入探討的音理。但是，切字（即切語或反切）雖然不是精微的「音學」，卻也與讀書、注書、著書有重大關係，江氏說：

「音學不止爲切字用，而切字爲讀書之一事。……讀書而不知切字，譌讀必多；爲師而不知切字，授讀必誤；著書而不知切字，流傳必謬。如陳第毛詩古音攷皆用直音，直音多謬；張自烈正字通全憒於音韻源流、字母清濁，顧強不知爲知，憑臆造切，貽譏字典。今字典之書每一字之音必連引玉篇、唐韻、廣韻、集韻、諸書，不厭其煩複者，所以正其失也。」（註三三）

現代人讀書、注書，有注音符號可資運用，但仍有許多古書是用反切來注音的。古人沒有注音符號，當然唯有依賴直音和反切了，直音的注音方法，必不可局限於各人的方音，也不可不注意到不要受時代限制，最好是以廣韵之音爲準，在廣韵書中找同音字。反切也一樣，要瞭解反切結構的原則和方法。江氏所譏評的陳第、張自烈二人，便是不瞭解直音與反切，才有所謬誤的。

那麽，反切之法到底是怎樣的方法呢？江氏說：

「切字者兩合音也，字或無同音之字，以兩音合之，則無同音者亦有音，法之至善者也。漢以前注書者但曰某字讀如某，音或不甚的，孫炎爾雅音義始有反切之法，古曰反、或曰翻，後改曰切，其實一也。上一字取同類同位（原注：七音、同類，清濁、同位），下一字取同韵（韵窄字少者，或借相近之韵）。取同類同位者，不論四聲（原註：平上去入任取一字）；取同韵者，不論清濁（原註：清濁定於上一字，不論下一字，如德紅切東字，東清而紅濁；戶公切紅字，紅濁而公清，俱可任取。蓋德與東、戶與紅，清濁是於此也。後人韵書有嫌其清濁不類，難於轉紐者，下一字必須以清切清、以濁切濁，固爲親切，然明者觀之，正不必如此。倘譏前人之切爲誤，則不知切法者矣！）」（註三四）

這一段話，有兩點值得強調：關於反切的起源和名稱，江氏說得少，關於反切的結構，江氏說得詳細。

關於反切的起源，論者紛紜，或以爲孫炎以前已有，如顧炎武音論、章太炎國故論衡音理論、劉師培正名隅論、吳承仕經籍舊音序錄、馬宗霍音韵學通論等，但是顏之推的顏氏家訓、陸德明的經典釋文條例、王應麟玉海引崇文總目，以迄清代許多聲韵學家，像戴震、錢大昕等人，幾乎都異口同聲的説孫炎始爲反語（註三五）。大抵孫炎是開始大量使用反切之法來注音的人；同時，到孫炎才發展出和後世相同的反切之法。江氏在這個問題上，也和其他問題一樣，沒有陷入紛爭難決的地步，他說「孫炎爾雅音義始有反切之法」，而不説是「始創反切」。所謂「始有」，是在爾雅音義開始採用反切之法，不一定是他創造發明的。他强調「反切」的「法」，是說反切之法，到孫炎的爾雅音義一書中才具備，也許孫炎以前有反切，而法不善，孫炎的反切之法才是善法。劉盼遂說：

「考孫氏爾雅音中反語，……其中惟犬字、輕字，不合於陸氏切韵聲母四百五十二文，餘則若合符契矣。再進而稽諸杜林、衞宏、許愼、高誘、服虔、張揖、王肅所用切語上字，則違牾滋多。」（註三六）

這是説反切到了孫炎才和廣韵一樣的精密。我們如果分析經典釋文所引孫炎爾雅音義六十六個反語（註三七），會發現：

⑴反切上下字不統一。

⑵反切上字必與被切字同聲類。

⑶聲調定於反切下字。

⑷反切下字殆必與被切字同等第、同開合、同主要元音、同韻尾。

⑸反切上字之等第與反切下字同者，約居百分之七十五。

⑹反切上字唯「騗、輕」二字不合廣韻四百七十一文，餘則各符合契。反切下字不合於廣韻者唯「貴、貧、郡、逸」四字。

上述六事中⑵⑶⑷⑸四事，可謂爲孫炎反切之法。其中第⑷⑸二端甚至比廣韻的反切還要謹嚴。由此而言，江氏所説「孫炎爾雅音義始有反切之法」之語，決不可輕易看過。

關於反切結構，江氏在音學辨微中，分三個層次而有三種説法：

1.「切字者兩合音也。」

2.「上一字取同類同位，下一字取同韻，取同類同位者不論四聲，取同韻不論清濁。」

3.「取一字有寬有嚴，其嚴者。三四等之重脣不可混也，照穿牀審四位之二等三等不相假也，喻母三等四等亦有別也。各母所用之字，分別等第，列於表末。」（

註三八）

（另有三十六字母反切上字表中之說明。）

我們可以把第一層次視爲總綱，第二層次爲申說，第三層次爲精密的探討。陳澧切韵考所述的反切結構法是學者最熟悉的，但是恐怕是承襲自江愼修的，而且只取至江氏的第二層次，江氏的第三層次，他似乎完全忽略了。陳氏說：

「切語之法，以二字爲一字之音。上字與所切之字雙聲，下字與所切之字叠韵。上字定其清濁，下字定其平上去入。上字定其清濁而不論平上去入：如東德紅切，同徒紅切，東德皆清，同徒皆濁也，然同徒皆平可也，東平德入亦可也。下字定平上去入而不論清濁：如東德紅切，同徒紅切，中陟弓切，蟲直弓切。東紅、同紅、中弓、蟲弓皆平也，然同紅皆濁，中弓皆清可也；東清紅濁，蟲濁弓清亦可也。東同中蟲四字在一東韵之首，此四字切語已盡備切語之法，其體例精約如此，蓋陸氏之舊也。」（註三九）

也許由於陳澧的影響力，近世聲韵學者言及反切之法，大抵也和陳澧相似（略有精粗之分），不出江氏的第二層次。爲表彰江氏，茲列學若干家之說於左：

黄季剛先生音略曰：

「反切之理，上一字定其聲理，不論其爲何韻；下一字定其韻律，不論其爲何聲。質言之，即上字祇取發聲，去其收韻；下字祇取其收韻，去其發聲。故上一字定清濁、下一字定開合。假定上字爲清聲，而下字爲濁聲，切成之字仍清聲，不得爲濁聲也。假定下字爲合口，而上字爲開口，切成之字仍合口也。」

黄季剛先生聲韵通例曰：

「凡反切上字，與本字同紐，必分清濁。廣韵舌頭常用舌上切之，重脣常以輕脣切之，謂之類隔切。凡反切下字，必與本字同韵，必分開合洪細。廣韵反切，有時用他韵字，然音之洪細必同；有時亦以開口切合口，當視其同類字以定之。」

林師景伊先生在中國聲韵學通論補充黄先生説者有三：

「1. 凡合二字爲一字之音，是爲『反切』。

2. 凡反切上字，取其與本字發聲相同，不論其收音之四聲。

3. 凡反切下字，取其與本字收音相同，不論發聲之『清』『濁』。」

高師仲華先生聲韵學講義曰：

「所謂反切上字與所切之字雙聲，反切下字與所切之字疊韵，乃衡諸絶大多數反切皆然者。所謂『雙聲』，應包括發音部位與發音方法，不僅僅表示『清濁』而已；所謂

『疊韻』，應包括四聲、韻的開合、洪細、元音，以及陰聲韻或陽聲韻。」

王力漢語音韻學曰：

「反切的規律有二：

㈠反切上字必與其所切之字同紐，非但發音部位相同，連清濁也是一樣的。例如東是德紅切，德與東都屬端紐，都是清音。

㈡反切下字必與其所切之字同韻，且同開合。例如知是陟離切，離與知都屬於支韻，開口。」

張世祿廣韻研究曰：

「反切之法，上字取其雙聲，下字取其疊韻。廣韻卷末所載雙聲叠韻法，即示人以反切之理：凡所切之字，必與上字同其聲類。」

姜亮夫中國聲韻學曰：

「反切者，其原理與拼音同，其方法與拼音異。」又述反切上下字與被切字之關係曰：

「㈠上字雙聲，下字疊韻。㈡清濁所關在上字。㈢四聲所關在下字。㈣等呼附下字。㈤類隔。」

李植反切之規律曰：

「反切之法，上字爲同紐之雙聲，下字爲同等之叠韵。紐有清濁，故清濁定於上一字韵有開合洪細，故開合洪細定於下一字。四聲相轉，韵調有高下長短之殊，故平上去入亦定於下一字。」

羅常培漢語音韵學導論曰：

「精密而言，上字既與所切之字雙聲，則部位音勢皆由之所定，並不限於清濁；下字既與所切之字叠韵，則開合洪細皆由之而定，並不限於四聲。」

董同龢先生漢語音韵學曰：

「反切就是利用兩個字來拼注另一個字的音，第一個字只取其聲母，第二個字只取其韵母與聲調，合起來成爲所要拼的字音。」

許詩英先生論反切與國語音讀曰：

「反切是東漢以後盛行的一種注音方法，是用兩個字去拼注一個字的音，它的拼音原則是：上字取其聲母，下字取其韵母跟聲調。」

龍宇純先生例外反切的研究曰：

「反切以二字定一字的音，上字定所切的聲母，下字定所切字的韵母和聲調。聲母的發音部位和方式，上字必須完全相同；韵母的介音、元音和韵尾，及聲調的平、上、去、入，下字亦必須絕對相合。」

江永以後諸家所論反切之法，殆皆不出江永之範圍。足見江永所定反切結構之法，沾溉後世者多矣！

至於江氏反切之法的第三層次，是由於他的發現反切上字的等第和被切字或反切下字的等第有時具備著密切的關係，有些字母的反切上字，異等可通用，有些字母的反切上字絕少通用。他在音學辨微的〔常用反切上字等第表〕（註四〇）中，曾有八處說明反切上字異等的通用與否，現在摘錄於下：

(1)牙音字須以取同等者爲的，然韻書亦不能審細，一二三等通用，唯用四等字必是切四等之音。

(2)舌頭母一二等字可通用。

(3)重唇母一二與四等字可通用，三與四不可通，三等亦不得借用一等。

(4)輕唇母皆三等。

(5)齒頭音唯邪母專四等，精清從心四母，一四等字可通用。

(6)正齒音唯禪母專三等，照穿牀審四母二三等不通用。

(7)喉音母匣無三等，喻無一二等，曉匣影諸等字可通定，喻母之三四等字不通用。

(8)來母半舌音一二三四等字可通用，日母半齒音專三等。（註四一）

以上八則不可視爲即韻圖而言者，乃歸納韻書反切上字而後參考韻圖分等所言，江氏原書言之綦詳，不可誤會。此八則中缺舌上音的說明，其中除(1)不盡符合，(4)所言未詳，(8)言之過略，以及未慮及重紐外，大抵與今人所論廣韻反切上字的分等而用，同爲極其綿密之見，而竟先兩百年而知之（註四二），江氏的眼光實在不同凡響啊！今人如果在研究反切時，如果攝取江氏的反切結構法，注意到反切上字不僅只表示聲母而已，反切上字常常選用和被切字或反切下字等第相同的，在研究結果上也許能有可觀的成績，像聲母的三等與一二四等分用，像董忠司的根據顏師古嚴謹的反切結構而提出「反切諧和說」（註四三）。

六、常用反切上字等第表

江氏注意到有些字母的反切上字分等而用，因此整理出一種〈常用反切上字等第表〉，錄於音學辨微和四聲切韻表，四聲切韻表把這個反切上字表取名爲「切字母位用字」。由於四聲切韻表成書在前，所以音學辨微的〈常用反切上字等第表〉收字較多，說明較詳。但音學辨微的版本很多（註四四），各本參差不少，現在以借月山房彙鈔本爲主，整理校訂成下列的面目：

取上一字有寬有嚴，甚嚴者三四等之重脣不可混也，照穿牀審之二等三等不相假也，喻母之三等四等亦必有別也，餘可從寬，不必以等拘矣。諸韻書所取上一字雖不能盡載，其常用者分別之如左：

見一二三四等　○公工姑沽古各一等　佳格二等　居俱拘舉几紀蹇九三等　稽堅頸規兼吉四等

溪一二三四等　○空枯康孔苦口顆渴恪廓一等　客二等　欺墟祛區驅卿傾丘欽綺起豈去乞三等　牽輕窺睽謙棄詰缺四等

羣三四等　○奇某渠強△求巨窘郡局極三等

疑一二三四等　○吾五偶咢一等　牙二等　宜疑魚虞牛元危語三等　妍四等

右牙音字母須取同等者爲的，然韻書亦不能審細，一二三四通用，唯用四等字必是切四等之音。

端一四等　○冬都當覩德得一等　丁典的四等

透一四等　○通他它台湯土吐託一等　天四等

定一四等　○同徒陀唐堂大度特一等　田四等

泥一四等　○奴那乃內諾一等　泥四等

右舌頭母一四等字可通用。

知二三等○中知株豬張陟竹三等

徹二三等○摛癡抽恥褚丑勅敕三等

澄二三等○宅△二等池治遲廚陳傳場佇丈直三等

孃二三等○尼女匿三等

邦一二三四等○逋晡補布博北△一等巴百伯二等悲兵彼鄙筆三等卑賓邊幷比俾畀必四等

滂一二三四等○鋪滂普一等拍扳△二等丕披三等紕批篇譬匹疋四等

並一二三四等○蒲裴部步傍薄一等白二等平貧皮弼三等毗頻駢便婢四等

明一二三四等○模謨忙莫暮母一等眉明謀靡美三等民彌弭米四等

右重脣母一二與四等字可通用，三與四不可通，三等亦不得借用一等。

非三等○封·分方甫府三等

敷三等○峯·妃芬孚敷芳撫·拂·三等

奉三等○馮逢符扶防房浮縛三等

微三等○無巫文亡武望三等

右輕脣母皆三等。

精一四等○臧祖則一等咨資津遵將子借即四等

清一四等○粗麄倉采錯一等雌親千青此取且七四等

從一四等○徂才藏在昨一等慈秦前牆情自匠疾四等

心一四等○蘇桑素一等斯雖私思司須辛先相損寫想息悉錫四等

邪四等○詞徐旬旋祥詳似寺夕四等

右齒頭音，唯邪母專四等，精清從心四母一四等字可通用。

照二三等○菑莊爭鄒簪阻側仄二等支脂之諸朱珠章征旨止主煮質隻職三等

穿二三等○窗初差叉芻楚厠創測二等充蚩昌稱齒處叱尺赤三等

牀二三等○鋤鉏查牀士仕助二等神船乘食三等

審二三等○雙師疏山沙所數色率二等施詩書舒商傷始賞式先識三等

禪三等○時殊臣常丞承氏是市視署豎上殖植三等

右正齒音唯禪母專三等，照穿牀審四母二三等不通用。

曉一二三四等○呼呵荒虎火黑霍一等赫二等吁虛香翾休許詡朽況三等隳馨四等

匣一二三四等○乎胡何侯黃戶合一等下二等

影一二三四等○烏哀安屋遏一等握二等於紆衣鷖央憂倚憶億乙委鬱三等伊淵烟縈益一四等

喻三四等○于爲云王羽禹雨洧遠永越三等餘余俞羊營移庾與夷以演欲弋翼悅四等

右喉音母、匣無三等，喻無一二等，曉匣影諸等字可通用，喻母之三四等字不通用。

來一二三四等 ○盧來郎魯朗浪落洛一等 △力離閭龍倫梁良林里呂三等

日三等 ○而兒如人仍耳汝忍日三等

右來母，半舌音，一二三四等字可通用。日母半齒音專三等。

已上諸字韻書所恆用，其餘倣此可知，學者或不能辨位辨等，熟玩當可會悟。（註四五）

附註：△表示移動位置。○表示改動文字。·表示增加字（比四聲切韻表切字母位用字表增多）

這一個表既然原是附在四聲切韻表的韻表後，本是爲了韻表上的反切上字使用情況而作的，但是移到音學辨微來的時候，略有更動增加。移到音學辨微來，便不是專爲四聲切韻表服務，而是爲所有韻書、字書、音義書服務了。事實上，此〔常用反切上字等第表〕，在四聲切韻表後名爲〔切字母位用字〕時，便已考慮到擴大他的用途了。江氏在〔切字母位用字〕下說：「此皆表所用者，其未用字見他切韻書者，倣此可知。」（註四六）「倣此可知」便是想擴大運用範圍，後來移到音學辨微書上便改口說：「已上諸字，韻書所恆用，其餘倣此可知。」這是江氏擴大運用範圍之後，設想到反切上字不止這些而說的。所謂「倣此可知」，還有一層意思，那就是各種韻書、音義書、字書上所用的反切上字，數量實在非常龐大，像慧琳一切經音義一書上所用反切上字就已經有一千七百零三字，光見母的反切上字便有一百三十八個，影母反切上字有一百一十九個（註四七），想一一列進此類（常用反切上字等第表），勢必不可能，也非必要，因此「倣此可知」這類話是少不得的。

這個表在四聲切韻表時，已經有人感覺不夠，或發現切韻表上所用反切上字有漏收的，而建議要增補，例如汪龍便曾說：

「去年冬，宗鈍齋喜得是書（按：指四聲切韻表）鈔本，出以示余，借歸錄之，中以傳寫譌脫，如表所已用之上一字，後母位用字中有失別者：若見母「光」、溪母「克」、疑母「愚」、透母「天」、定母「杜」、泥母「努」、徹母「椿」、澄母「杜、持、除、澄」、明母「尨」、精母「作」、心母「新」、匣母「獲」、喻母「勇、雲、筠」、來母「憐」，母位已列而表未用者見母「沽、各」、溪母「牽」、疑母「疑」、定母「堂」、邦母「邊」、明母「暮」、微母「望」、從母「牆」、照母「鄒、質」、曉母「勦、瞟」、影母「屋、鬱」、喻母「越、翼」、來母「倫」，又影母「乙、一」二字譌入喻母。凡此皆未敢刪補。」（註四八）

汪氏所說漏列之「天」字今表中不缺，他說的「乙、一」二字誤置，今表中並不誤，不知是汪氏收此表入音學辨微時所改，或是後人替江氏改正的。其他汪氏所提出的漏列字，確實有常見而宜補的，如「杜、作」等。但是否常見，也很難判斷。常見於此書，不見得常見於彼書。所以今人在整理各書反切上下字時，也爲了知道那些是常見的、那些是罕見的，如王力的漢語音韻學整理廣韻反切上下字（註四九），高明先生的反切上下字表（註五〇），都統計了各字的使用次數，而最周詳的是董忠司所整理出的〈顏師古、廣韻、曹憲三家韻類與反切下字使用次數比較表〉與〈顏師古、廣韻、曹憲三家聲類與反切上字使用次數比較表〉。（註五一）如果能再擴大範圍搜集更多家的反切上下用字與使用次數，那麼哪些是常見？哪些是罕見的？便可以決定了，然後再選取常見字列入江氏這種〈常用反切上字等第表〉來。當然了，這是將來的事。對於江氏的漏列，我們只能帶著寬恕而感激的心情，感激他率先指點我們要建立反切上字用字表，同時要以瞭解「前修未密、後出轉精」的心理，不要苛責江氏的疏漏。

江氏由於注意到反切上字在使用時，有些字有專用於某一等而不能與他等通用的現象，所以在此〈常用反切上字等第表〉上，替這些反切上字註明該字屬於第幾等。這樣做，方便了我們觀察反切上字與等第的關係，這眞是眞知卓見的做法。兩百多年來，居然少有人注意到他的貢獻而善加運用的。直到民國之後，才有白滌洲、李榮、龍宇純、董忠司等人在研究反切時，注意到等第與反切上字的關係。這個方面也許已略有成績，而最早的貢獻是江愼修的指點，決不可忘記。

附：江氏的類隔音和説與「借韻轉切」

江氏注意到使用反切上字在等等上，有相當精密嚴格的要求，同時也注意到發聲部位不同而反切上字淆亂的情形，那就是衆所周知的類隔與音和問題。這個問題實在太普遍而常見了，本節不想多加討論，只把江氏的話附列於左。江氏說：

「凡依音類母位取上一字者謂之音和，舌頭與舌上、重脣與輕脣、交互取上一字者，謂之類隔。（原註：如長幼之長、丁丈反，以舌頭切舌上也；綢繆之繆、武彪反，以輕脣切重脣也。）類隔之法，蓋古人審愼之意，亦見隔類而相對，然岐出此例，學者或不能通曉，則音誤而等亦誤矣，後人改用音和者爲是。陸德明經典釋文、徐鉉引唐韻釋說文，猶有用類隔者，須審之。」（註五二）

這段話只有兩處需要說明：一是「音類母位」；江氏曾說：「七音、同類、清濁、同位。」（註五三），「依音類母位」就是指發聲部位（七音）和發聲方法（如清濁）相同，那就可以造成音和切。一是「隔類相對」：「類」既指發聲部位，隔類就是發聲部位不同而相近，相對是說「位」相對，也就是發聲方法相同的意思，發聲方法相同而發聲部位相近，就可以造成類隔切。這種類隔切的存在，江永說是「古人審慎之意」，這些話說得不明白，不知道是否以爲古人發現舊切有類隔而不肯改爲音和，保留至後世，這態度和校勘者不輕改一樣，都是一種愼重不專斷的美德？

除了類隔切以外，江氏在論反切時還提到了「借韻轉切」。「借韻轉切」是一種通俗的反切法，懂得反切之法，便不必要再費神去使用「借韻轉切」法。實際上反切法極爲簡易，江氏說：

「此事（按：指反切）本非難明者，一轉即是，不煩將位次指數，亦不須他韻借轉，他韻借轉之法便初學，後亦列圖。且不必出聲調音，只見兩字便作一字讀之。聲音本自然也，而人每以爲難，彼固有所蔽也。」（註五四）

懂得反切便不需要「借韻轉切」法，但江氏爲初學有所蔽的人設想，還是在論反切之後附錄了「借韻轉切圖」，也說明了它的用法，全文是這樣的：

「借韻轉切圖

字母 見溪羣疑端透定泥知徹澄孃邦滂並明非敷奉微精清從心邪照穿牀審禪曉匣影喻來日

京卿鯨迎丁汀廷寧貞頳呈。女呈 兵俜平鳴分芬汾文精清情星餳征稱繩升承馨形嬰盈靈仍

堅牽乾妍顛天田年鱣梃廛。女年 邊篇駢綿蕃翻煩樠煎遷錢仙次氈燀潺擅禪嗎賢烟延連然

有借韻轉切之法，所以便於初學。如德紅切東字，則呼曰德丁顛東。戶公切紅字，則呼曰戶形賢紅。陟離切知字，則呼曰陟貞饘知。是支切匙字，則呼曰是承禪匙。他皆倣此。如切上去入字亦借平聲轉之，如徒總切動字，則呼曰徒廷田動。作貢切粽字，則呼曰作精煎粽。卑吉切必字，則呼曰卑兵邊必，他皆倣此。此便捷之法也。其孃母之位無親切字可塡者，以切代音，其女呈切之音，或借貞韻之紉字亦可，紉女鄰切。若切法既熟，一轉便是，一見便知，可不須此矣。」（註五五）

在借韻切圖上，江愼修在每個字母之左，舉兩個同聲母的字，這是利用相同聲母字的並列，幫助使用者歸納出相同的成分，而了解一個字音裏的「發聲」部份。這個辨法是很有歷史淵源的，可以推源於韻鏡的（三十六字母歸納助紐字）（註五六），四聲等子的（七音綱目）（註五七），與玉篇廣韻指南的（三十六字母切韻法）（註五八），而韻鏡與四聲等子兩個圖又源自敦煌歸三十母例（註五九）與玉篇廣韻指南中的（切字要法）（註六〇），茲先錄（影寫瀛涯敦煌韻輯S五一二卷抄本）於後，再將（三十六字母歸納助紐字）（七音綱目）（三十六字母切韻法）與江氏「借韻轉切圖」對照比較（由右向左讀）：

影寫瀛涯敦煌韻輯S五一二卷抄本

影寫瀛涯敦煌韻輯S五一二卷抄本

歸三十母例

端 丁當顛攱

透 汀湯天添

定 亭唐田甜

泥 寧囊年拈

審 昇傷申深

穿 稱昌嗔覿

禪 乘常神諶

日 仍穰忎任

心 修相星宣

邪 囚祥錫旋

照 周章征專

精 煎將尖津

清 千槍僉親

從 前墻晉秦

喻 延羊鹽寅

見 今京犍居

磎 欽卿褰祛

羣 琴擎䖍渠

疑 吟迎言魚

曉 馨呼歡祆

匣 形胡桓賢

影 纓烏剜煙

知 註屯貞珎

徹 倀忡檉縝

澄 長蟲呈陳

來 良隆冷隣

不 邊逋賓夫

芳 偏鋪繽敷

並 便蒲頻苻

明 綿模民無

（註六一）

三十六字母	歸納助紐字	七音綱目	三十六字母切韻法	借韻轉切圖
見	經　堅	見、經堅	經經堅見	見　京　堅
溪	輕　牽	溪、輕牽	牽輕牽溪	溪　卿　牽
群	勤　虔	群、勤乾	衢勤虔群	羣　鯨　乾
疑	銀　言	疑、銀研	魚銀言疑	疑　迎　妍
端	丁　顛	端、丁顛	多丁傎端	端　丁　顛
透	汀　天	透、汀天	他汀天透	透　汀　天
定	廷　田	定、廷田	徒廷田定	定　廷　田
泥	寧　年	泥、寧年	年寧年泥	泥　寧　年
知	珍　邅	知、珍邅	珍珍邅知	知　貞　鱣

徹	⿰犭緜 延	徹、⿰犭緜涎	敇侲延徹	徹 頳 梴
澄	陳 廛	澄、陳纏	持陳廛澄	澄 呈 廛
娘	紉 ⿰糸緜	孃、紉⿰女緜	女紉⿰女緜孃	孃 ○女呈 ○女年
幫	賓 邊	幫、賓邊	博賓邊幫	邦 兵 邊
滂	繽 篇	滂、砏篇	普繽偏滂	滂 伻 篇
並	頻 蠙	並、貧便	部頻蠙並	並 平 駢
明	民 眠	明、民綿	眉民綿明	明 鳴 緜
非	分 蕃	非、分蕃	匪分蕃非	非 分 蕃
敷	芬 翻	敷、芬翻	芳芬番敷	敷 芬 翻
奉	汾 煩	奉、墳煩	父墳煩奉	奉 汾 煩

微	精	清	從	心	邪	照	穿	牀	審
文 樠	精 煎	親 千	秦 前	新 仙	餳 涎	眞 氈	瞋 燀	榛 潺	身 羶
微、文 樠	精、津 煎	清、親 千	從、秦 前	心、新 先	邪、餳 涎	照、諄 專	穿、春 川	牀、神 遄	審、申 羶
無 文 樠 微	子 津 煎 精	七 親 千 清	牆 秦 錢 從	思 新 仙 心	徐 餳 涎 邪	之 征 氈 照	昌 嗔 昌 穿	仕 榛 潺 牀	式 身 羶 審
微 文 樠	精 精 煎	清 清 遷	從 情 錢	心 星 仙	邪 餳 次	照 征 氈	穿 稱 燀	牀 繩 潺	審 升 羶

禪	辰禪	禪、純船	時辰常禪	禪承禪
曉	馨祆	曉、馨軒	馨馨祆曉	曉馨嘕
匣	礥賢	匣、刑賢	轄礥賢匣	匣形賢
影	殷焉	影、因烟	於殷焉影	影嬰烟
喻	勻緣	喻、寅延	俞勻緣喻	喻盈延
來	隣連	來、鄰連	郎隣連來	來靈連
日	人然	日、人然	入仁然日	日仍然

由這個比較表，我們可以看出許許多多的消息（字誤、音誤的問題暫時不討論。），至少可以看出江氏列舉的這個「借韻轉切圖」之演化跡象，在〔三十六字母歸納助紐字〕，〔七音綱目〕每橫列的第二、三字，〔三十六字母切韻法〕每橫列的第二、三字，除了輕唇音四母以外，大多是採用開口細介音的字，就是輕唇音字也是細介音的字。其中每橫列大多以一眞（

或臻、欣、諄、青）韻的字和一先、仙韻的字配成對。到了江氏的借韻轉切圖便進一步的把每横列第二字，儘可能的採用清、青、庚韻等舌根鼻音韻尾的細介音字，又由於清、青、庚韻中無輕唇音字，才例外的採用了文韻的輕唇音字。横列的第三行，儘可能的採用先、仙韻舌尖鼻音韻尾的細介音字；又由於先、仙韻缺乏輕唇音字，才例外的採用了元韻的輕唇音字。這樣子，讓一舌根韻尾，一舌尖韻尾兩字配對，讀者可以因此韻尾的不同而更容易找到聲母部份的相同。

（借韻轉切圖）中，日母的横列上有兩個小圈，下有反切，那是因爲没有適當的字（江氏說：「無親切字」），只好用反切來代替。也可以放棄舌根鼻音韻尾的反切，而借用眞韻「紉」，前表上三種其他資料便是採取「紉」字。至於「女年切」那個位置，其他三種材料所用的字——「[illegible]」或「[illegible]」，不見於廣韻，實在是非常罕見，江氏甘脆不提。

瞭解了「借韻轉切圖」之後，對於借韻轉切之法便非常容易明白它的意思了，請看左面：

平：德紅切東　↓　德、丁顛（↓聲母t）↓（加韻母）東

戶公切紅　↓　戶、形賢（↓聲母x）↓（加韻母）紅

陟離切知　↓　陟、貞鱣（↓聲母ʈ）↓（加韻母）知

是支切匙　↓　是、承禪（↓聲母ʒ）↓（加韻母）匙

上：徒總切動　→徒、廷田（→聲母d）→（加韻母）動

去：作貢切粽　→作、精煎（→聲母ts）→（加韻母）粽

入：卑吉切必　→卑、兵邊（→聲母p）→（加韻母）必

這個固然也是一種和射字法相類似的「便捷之法」（註六二），但是它的優點只在於比較容易求得聲母，對於韻母（介音、元音、韻尾）和聲調的理解，並沒有提供任何消息。因此，這個方法比反切法並沒有便利多少，所以江氏才說：「若切法既熟，一轉便是，一見便知者，可不須此矣！」我們也因此不再詳論了。

【附註】

註一　韻鏡的字母等位圖，參見古逸叢書本韻鏡葉四下「三十六字母」圖，本文之圖則爲代韻鏡整理後所製，非原有。

註二　見四聲切韻表凡例第二條、葉一上。

註三　見前引書凡例第三條，葉一上、一下。

註四　見前引書凡例第六條至第九條，第十二條到第十九條。

註五　見龍氏韻鏡校注頁七十四。

註　六　見董氏漢語音韵學第七章第四節。

註　七　參見第五章最後一節。

註　八　此三字，「廢」字與下轉合口重出，「計」字非廢韵，實在霽韵中。

註　九　見四聲切韵表葉四十九下至五十一上。

註一〇　見元至治本通志七音略頁73、74。

註一一　見四聲切韵表凡例第十、十一兩條。

註一二　見廣韵上聲二腫「湩」字下小註曰：「此是冬字上聲」，又「鑶」字非廣韵所有，乃集韵之字音。

註一三　見四聲切韵表凡例第二十八條。

註一四　見前引書凡例第二十九條。

註一五　見四聲切韵表凡例第一條。

註一六　參見陳新雄先生廣韵以後韵書簡介一文。

註一七　見四聲切韵表葉一上。

註一八　見應雲堂藏版四聲切韵表葉十三之後。

註一九　參見傅兆寬四聲切韵表研究第二章第一節。

註二〇　參見前引書，與梁僧寶四聲韵譜與切韵求蒙。

註二一　見四聲切韵表凡例第五十九、六十條。

註二三　〔　〕內表示江永四聲切韻表的韻類名稱，舉平以賅上去入，以下皆同。參見本書第五章、第一節。

註二三　四聲切韻表羅有高眉批以爲是俗字，見貸園叢書本葉六上、葉十下。

註二四　參見傅兆寬四聲切韻研究表第三章第四節。

註二五　見四聲切韻表凡例第六十條。

註二六　見前引書切字母位用字，葉五十四下。

註二七　皆見前引書音韻學叢書本葉五十八下。

註二八　見前引書葉五十七上、五十八上。

註二九　見四聲切韻表前小語後羅有高之言。

註三〇　詳見夏燮述韵，王超鵬音學全書。

註三一　見趙氏等韻源流第四編第一節。

註三二　同前引書表前江永小語。

註三三　見音學辨微辨翻切，葉二十二下、二十三上。

註三四　見前引書葉二十二上、二十二下。

註三五　參見高明先生反切起源論。

註三六　見劉盼遂反切不始於孫叔然辨一文。

註三七　一字二反切者，以二反語計。

註三八　見四聲切韵表凡例第六十一條。
註三九　見陳澧切韵考卷一，葉一上、一下。
註四〇　見音學辨微辨翻切，葉二十三下～二十六下。
註四一　同前註。
註四二　音學辨微作於西元一七五九年，參見本書第二章。
註四三　見董忠司撰顏師古所作音切之研究一書，和反切結構索隱和反切諧和説一文。
註四四　見本書第二章第三節。
註四五　見借月山房彙鈔音學辨微九辨翻切，葉二十三上～二十六下。
註四六　四聲切韵表（貸園叢書本），葉五十三下。
註四七　見董忠司撰顏師古所作音切之研究第五章第五節。
註四八　見四聲切韵表（音韵學叢書本）葉五十九下～六十上。
註四九　見王氏漢語音韵學頁一九一～一九七，與頁二三二～二四一。
註五〇　高明先生手稿本，未刊行。
註五一　見董忠司撰顏師古所作音切之研究附錄二、附錄三。
註五二　見音學辨微九辨翻切。
註五三　見前引書葉二十二下。

註五四　同前註。

註五五　見前引書辨翻切，葉二十六下～二十七下。「櫋」字音韻學叢書本音韻辨微誤作「無邊」字。借月山房彙鈔本不誤。

註五六　見古逸叢書本韻鏡卷首葉四下、五上。

註五七　見歸安姚氏刊咫進齋叢書本四聲等子葉二上。

註五八　見元刻大廣益會玉篇卷首所附新編正誤足註玉篇廣韻指南。

註五九　見姜亮夫瀛涯敦煌韻輯與潘重規瀛涯敦煌韻輯新編。

註六〇　同註58。

註六一　此爲姜氏抄本，其中第二行倒數第四字宜爲「張」第三行第五字宜爲「添」，倒數第四字宜爲「倀」，第五行第五字宜爲「拈」，第十一行第二字宜爲「囚」。

註六二　參見周祖謨射字法與音韻，在問學集葉六六三。

第八章　餘論

在本書第二章，曾經以圖表提出江永的聲韻學體系，而在三、四、五、六、七各章，分別評述了他的聲、韻、調等學說的系統，再加上等韻與反切之學，對江永的聲韻學可以說已經敍述了十分之九以上，限於才智，窮於時間，所陳述的，每覺未能盡符於心。但於江氏之善于分析，廣及方言，已略略隨文表出了。

江氏論學，曾提出「淹博」「識斷」「精審」三難（後來常被戴震引用）（註一），可見其學術的三個指標也在此。而所謂「精審」與「識斷」，正是從「分析」得來。江氏在古韻標準中提到「分析其緒」（註二），提到「音韻精微，所差在毫釐間」（註三），提到「條分縷析」（註四），提到「剖析毫釐、審定音切、細尋脈絡、曲有條理」（註五）。在四聲切韻表也提到「條分縷析」，提到「凡分韻之類有三：一以開口合口分，一以等分，一以古今音分。」，提到「審音定位，分類辨等」。在音學辨微一書，十二章的標題都以「辨」字開頭，如「辨清濁」「辨七音」，所謂「辨」就是「分析」，其書名「辨微」，正是分析至微的意思。從江氏聲韻學三書看來，江氏研究聲韻學的基本態度便是「分析」。由於重分析，我們才瞭解江氏何以能拿審音工夫去研究古韻，才明白他何以要作四聲切韻表，才明白他是怎麼去搜集各地方音而洞見其是非的，才明白他的反切法研究得如此精細的原因，……他的學問，實在是從「分析」得來的。因爲有「分析」的意念，所以江氏在學例說明聲韻問題時，便常常運用「最小差別法」，例如：

非　夫　風　方　分　府

｜　｜　｜　｜　｜　｜

菲　敷　豐　芳　芬　撫

江氏在學例之後說：「此類之字，音切不同，皆非、敷之分，其辨在唇縫輕重之異，毫釐之間，若不加細審，則二母混爲一矣！」（註八）他所舉的例子，韻尾、主要元音、介音完全相同，而且都是輕唇音，發聲部位與方法絕大多數相同，只有送氣的多寡微有差異，眞是析入毫釐了。這類的例子，在音學辨微中隨處可見。江氏對於這樣的處處分析是很有自覺意識的，他說：

「蓋愚意主分析，吾友主合併，是以齟齬而不相入。……吾輩讀書窮理，皆辨析毫釐，聲音一事，愈細則愈精。」（註九）

這樣的話，簡直是建立語音分析學的宣言，甚至把分析法推廣到一切讀書和窮理之事，說得實在很中聽。

江氏的分析法，可以說是「盡精微」之學，而他，也能「致廣大」的運用音理到今音、古音、方言之學上面。前述諸章，已提到今音、古音、以及方言在江氏聲韵學上的運用了。江氏甚至知道方音中既有古音，而可以自方音中運用比較方法，以三十六字母爲綱而求得其音讀。江氏說：

「五方風土不同，言語習俗不同，人之稟賦，牙舌唇齒又各有不同，或呼之而清正，或呼之而混雜，饒於此者乏於彼，故天下皆方音，三十六位未有能一一清析者，勢使然也，必合五方之正音呼之，始爲正音。」（註一〇）

「……而方音唇吻稍轉，則音隨而變，試以今音證古，以近證遠，……」（註一一）

這樣的擬測古音的方法，是今人得之西洋歷史語言學才有的，不意江永在二百多年前便已經說出來了。

不僅能精微，能廣大，江氏還能從客觀材料的研究中，提出形而上的理論。

本來江氏在刻板的考據工作中，便能常常提出一些原則性的言論，上文論「分析」時已可看出，此外還有：

「考古貴原情立論，貴持平焉耳。」（註一二）

「聲音之理，異中有同，同中有異，不變中有變，變中有不變。」（註一三）

「……考之偏旁而可知，證之它書而皆合。」（註一四）

「按：凡一韻之音變，則同類之音皆隨之而變，雖變而古音未嘗不存，各處方音往往有古音存焉。……大抵古音今音之異，由唇吻有侈弇，聲音有轉紐，而其所以異者，水土風氣爲之，習俗漸染爲之，人能通古今之音，則亦可以辨方音，入其地，聽其一兩字之不同，則其他可類推也。」（註一五）

這裏所引的第二、四條，簡直是非常進步的音變理論，第四條所謂「入其地，聽其一兩字之不同，則其他可類推也。」噫！這不就是今人所追求的對應規律已存在於江氏腦中才能辨到的嗎？今日之趙元任，恐怕都比不上他了呢！

除了這些理論之外，江氏還有「嬰童之音爲人之元聲說」，江氏道：

「人聲出於肺，肺脘通於喉，始生而啼，雖未成字音，而其音近乎影喻二母，此人之元聲也。是時不能言，言出於心，其竅在舌，心之臟氣未充，舌下廉泉之竅未通，則舌不能掉，西南火金未交也。及其稍長，漸有知識，心神漸開，火金漸交，於是舌亦漸掉而稍能言，能呼媽，脣音明母出矣，能呼爹，舌音端母出矣，能呼哥牙音見母出矣，能呼姐，齒音精母出矣。由此類推之，亦可借嬰童之音以辨字母，而人常忽之，

所謂百姓日用而不知也。」（註一六）

他雖然用了一點陰陽五行的術語，意思乃在說嬰兒初生的生理結構未適合於發出所有的語音，然後指出嬰兒語音的發展爲：「喉音→唇音→舌音→牙音→齒音」，這種觀察也許需要討論和證實，而他從生理、心理的眼光來研究語音，有些理論，眞値得後人繼續去研究。

江氏的「五十音圖」，也許是有見於邵雍皇極經世四十八聲、潘耒類音中五十音的訛謬而提出，但基本上，我們從他對清濁相配的討論上，知道他是基於大自然的整齊相配而想建立語音中的整齊性。他的五十音圖是這樣的：

五十音圖

字在圓圈者淸聲，在方圈者濁聲，黑圓圈者有音無字之淸，黑方圈者有音無字之濁。

(見)	■	(端)	■	(知)	■	(邦)	■	(非)	■
(溪)	[羣]	(透)	[定]	(徹)	[澄]	(滂)	[並]	(敷)	[奉]
●	[疑]	●	[泥]	●	[孃]	●	[明]	●	[微]
●	●	(影)	(曉)	(審)	(穿)	(照)	(心)	(淸)	(精)
[日]	[來]	[喩]	[匣]	[禪]	[牀]	■	[邪]	[從]	■

他說：「合有字無字共得五十位，符大衍之數，亦出於自然也。」（註一七）可見江氏是有理論建構思想的人，其理論之基點，正在於人類思維中必然存在的兩分法—陰陽之相對與相配。本來三十六字母已有相對相配的趨勢，只是在整齊中有不整齊，江氏則提出了一個理想的整齊架構，他當然知道是現實語言所沒有的，因爲他是主張三十六字母不可增刪移易的人（註一八）。

由於江氏善於易學，有河洛精蘊一書，深知易經、河圖洛書、陰陽五行之關係，故在河洛精蘊與音學辨微二書，都提出了「圖書爲聲音之源」的說法，其文甚長，由於大多是無法驗證的語言，不錄，只錄他的〔字母配河圖之圖〕：

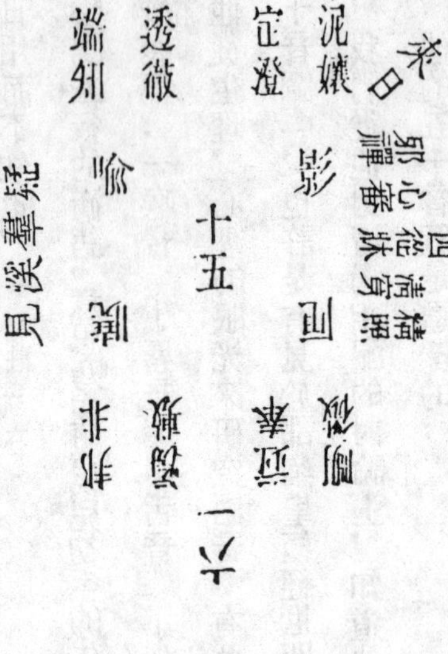

四九
精照 清穿 從牀 心審 邪禪

來日
泥孃 定澄 透徹 端知
二七

影 匣
十五
喻 曉

明微 並奉 滂敷 幫非
一六

三八
見溪羣疑

（註一九）

這一個說法是江氏所有理論中最抽象，而且最弱，最被視爲附會河圖洛書而爲玄虛不實的，我們因爲它缺乏分析性，是不嚴謹的說法，而認爲是江永的聲韻學理論過度膨脹，以致於空洞的產物，不必深論。

總而言之，除了「圖書爲聲音之源」以外，江氏的聲韻學體系和他的理論，都是基於能以科學證驗的客觀分析法而建立起來的，他的體大思精，在清代初葉是坐第一把交椅的，無怪乎後來的江有誥、梁僧寶、陳澧、夏燮等人要接他的棒子，走他的路數，而使清代的聲韻學愈來愈蓬勃了。

【附註】

註一　見古韻標準例言第二條。

註二　見前引書例言第一條、第十一條。

註三　見前引書例言第五條。

註四　見註3。

註五　見前引書例言第十條。

註六　見四聲切韻表凡例第十一條。

註 七 見前引書凡例第二十一條。

註 八 見音學辨微辨疑似。

註 九 見善餘堂書札答戴生東原書。

註一〇 見音學辨微辨嬰童之音。

註一一 見古韻標準第一部總論。

註一二 同註11。

註一三 見前引書第三部總論。

註一四 見前引書第六部總論。

註一五 見前引書第八部總論。

註一六 見音學辨微十一辨嬰童之音。

註一七 見前引書十辨無字之音，亦見河洛精藴卷七。

註一八 見第四章。

註一九 見音學辨微十二，河洛精藴卷七。

參考書舉要

（先分「普通」「聲韻學專著」「聲韻學單篇論文」等三大類，每大類中或再分出小類，每類中依書名、論文名稱首字之筆劃序列。）

壹、普通書目部份

一、江永之著作

古韻標準　江永　四庫全書本、貸園叢書本、墨海金壺本、守山閣叢書本、粤雅堂叢書本、安徽叢書本、音韻學叢書本、叢書集成本、百部叢書集成本

四聲切韻表　江永　應雲堂刊本、貸園叢書本、粤雅堂叢書本、安徽叢書本、音韻學叢書本、叢書集成本、百部叢書集成本

周禮疑義舉要　江永　皇清經解本、四庫全書本

近思録集註　江永　四庫全書本

河洛精蘊　江永　大千世界

春秋地理考實　江永　皇清經解本、四庫全書本

律吕闡微　江永　四庫全書本

律呂新論　江永　四庫全書本
音學辨微　江永　借月山房彙鈔本、澤古齋重鈔本、式古居彙鈔本、指海本、安徽叢書本、
音韻學叢書本、叢書集成初編本、百部叢書集成本
深衣考誤　江永　皇清經解本、四庫全書本
鄉黨圖考　江永　皇清經解本、四庫全書本
群經補義　江永　皇清經解本、四庫全書本
算學　江永　四庫全書本
儀禮釋宮增註　江永　皇清經解續編本、四庫全書本
儀禮釋例　江永　皇清經解續編本
禮記訓義擇言　江永　皇清經解本、四庫全書本
禮書綱目　江永　四庫全書本
善餘堂書札　江永　制言半月刊第七期

二、經部

十三經注疏　孔穎達等　藝文
詩集傳　朱熹　中華

毛詩傳箋通釋　馬瑞辰　藝文（續經解本）
毛詩傳疏　陳奐　世界
禮記集解　孫希旦　商務
三禮鄭氏學發凡　李雲光　嘉新

三、文字訓詁

小學考　謝啓昆　藝文
方言　揚雄撰、郭璞注　國民
方言校箋附通檢　周祖謨校、吳曉鈴編　鼎文
中國訓詁學史　胡樸安　商務
中文字根孳乳表稿　周何等　國字整理小組
同源字典　王力　文史哲
匡謬正俗　顏師古　商務
匡謬正俗校注　秦選之　商務
急就篇（元後至元刊玉海附刻本）　顏師古注、王應麟補注　大化
急就篇注　校定皇象本急就章附攷證音略及音略攷證　史游撰・顏師古注・王應麟補注・錢保塘補音・鈕樹玉校定

商務
急就篇　王應麟校　小學彙函本
訓詁學概論　齊佩瑢　廣文
倉頡篇　孫星衍　商務
許學考　黎經誥　華文
新方言　章炳麟　章氏叢書本
經義述聞・經傳釋詞　王引之　鼎文
說文通訓定聲　朱駿聲　京華、商務
說文解字詁林　丁福保等　鼎文
說文解字約注　張舜徽　木鐸
漢字語源辭典　藤堂明保　學燈社
漢簡文字類編　王夢鷗　藝文
漢語古文字字形表　文史哲
廣雅疏證　張揖撰、曹憲音釋、王念孫疏證　新興、鼎文
讀書雜志　王念孫　廣文

四、史部

四庫全書總目　紀昀　藝文

史記會注考證　瀧川龜太郎　藝文

史略　高似孫輯　商務

宋書　沈約　鼎文

後漢書（附錄：補後漢書藝文志各家後漢書綜述）　范曄撰、李賢等注　宏業

清朝碑傳全集　錢儀吉等　大化

清史　國防研究院　樂天出版社

（新校標點）漢書　班固撰、顏師古注　宏業

漢書補注（附廿二史考異卷六）　王先謙補注、錢大昕考異　新文豐

國故論衡　章炳麟　廣文

論戴震與章學誠　余英時　華世

顏師古年譜　羅香林　商務

五、子部

中國哲學史　勞思光　三民

清儒學案　徐世昌　世界
漢學商兑　方東樹　商務
漢學師承記　江藩　商務　河洛

六、集部

十駕齋養新錄　錢大昕　華江、商務
中國歷代文論選　郭氏　木鐸
文心雕龍　劉勰　開明
文鏡秘府論　弘法大師　河洛
全唐詩　清康熙四十二年敕編　明倫
楚辭章句　王逸　藝文
楚辭補注　洪興祖　世界
楚辭集注　朱熹　藝文、世界
夢溪筆談　沈括　商務
潛研堂集　錢大昕　商務
戴東原集　戴東原　商務（國學基本叢書）

顏氏家訓注　趙曦明注　藝文
顏氏家訓彙注　周法高　中研院史語所專刊

貳、聲韻學專著

一切經音義　玄應　商務
一切經音義　慧琳　大正新修大藏經
十韻彙編　學生
入聲表　江有誥　廣文
九經直音韻母研究　竺家寧　文史哲
干祿字書　顏元孫　商務
三十六字母辨　黃廷鑑　藝文（百部叢書集成）
上古音韻表稿　董同龢　臺聯國風
五經文字　張參　商務
五音集韻　韓道昭　四庫全書本
四聲切韻表研究　傅兆寬　自印本
大廣益會玉篇　梁顧野王撰、唐孫強加字、宋陳彭年等重修　新興、商務

比較語音學概要　劉復譯　商務
六十年來之聲韻學　陳新雄　文史哲
六書音均表　段玉裁　世界、廣文
文字聲韻訓詁筆記　黄季剛口述　黄焯筆記　木鐸
文字學音篇　錢玄同　學生
文學與音律　謝雲飛　東大
互註校正宋本廣韻　余迺永　聯貫
中原音韻研究　趙蔭棠　新文豐
中華音韻學　王氏　泰順
中國字典史略　劉葉秋　漢京
中國音韻學史　張世祿　商務
中國音韻學研究　高本漢著、趙元任、李方桂譯　商務
中國中古文學史等七書　劉師培等　鼎文
中國語之性質及其歷史　高本漢著、杜其容譯　中華叢書編審委員會
中國語文研究　章炳麟等　中華

中國語文論叢　周法高　正中
中國語文學論叢　張以仁　東昇
中國語言學史　王氏　泰順
中國語言學論文集　周法高　崇基
中國音韻學論文集　周法高　中文大學出版社
中國古音學　張世祿　商務
中國語言學論集　幼獅文化事業公司
中國語音韵論　藤堂明保　江南書院
中國聲韵學　潘重規與陳紹棠合撰　新亞中文系出版
中國聲韵學　姜亮夫　文史哲
中國聲韵學大綱　高本漢著、張洪年譯　中華叢書編審委員會
中國聲韵學通論　林　尹　世界
方師鐸文史叢稿　方師鐸　大立
比較語音學概要　保爾巴西著、劉復譯　泰順
毛詩古音考　陳第　四庫全書本　廣文

切韻考內外篇　陳澧　學生

切韻音系　李榮　鼎文

切韻蒙求　梁僧寶　廣文

古今韻考　李因篤　廣文

古今通韻　毛奇齡　四庫全書本

古音叢目　楊愼　四庫全書本

古音獵要　楊愼　四庫全書本

古音餘　楊愼　四庫全書本

古音附錄　楊愼　四庫全書本

古音略例　楊愼　四庫全書本

古音說略　陸志韋　學生

古音表　顧炎武　四庫全書本

古音系研究　魏建功　北京大學出版組

古今韻會舉要　黃公紹編、熊忠舉要　四庫全書本

古韻通　柴紹炳　乾隆刊本

古韻論　胡秉虔　藝文（百部叢書集成）
古音學發微　陳新雄　師大國文研究所博士論文
四聲韻譜　梁僧寶　廣文
四聲等子音系蠡測　竺家寧　自印本
玉篇零卷　顧野王　商務
玄應一切經音義反切考附册　玄應一切經音義　周法高編　中研院史語所專刊
玄應反切字表　周法高　崇基
伸顧　易本烺　藝文（百部叢書集成）
言語（中國文化叢書）　牛島德次・香坂順一・藤堂明保編集　大修館
李元音切譜之古音學　林平和　文史哲
明本排字九經直音　撰人不詳　商務
兩周金石文韻讀　王國維　廣倉學宭叢書
定本觀堂集林　王國維　世界
奇字韵　楊愼　百部叢書集成本
屈宋古音義　陳第　四庫全書本、廣文

易韻　毛奇齡　四庫全書本
易音　顧炎武　四庫全書本
周禮釋文問答　辛紹業　商務
洪武正韻　明太祖敕撰　四庫全書本
恬庵語文論著甲集　羅常培　香港書店
泝韻　夏燮　番易官廨本
音略證補　陳新雄　文史哲
音韻學初步　王力　大中
音韻闡微　李光地等　四庫全書本
音韻泝微　乾隆三十八年敕撰　四庫全書本
音論　顧炎武　四庫全書本
音韻學通論　馬宗霍　泰順
唐韻正　顧炎武　四庫全書本
許世瑛先生論文集　弘道
高郵王懷祖先生訓詁音韻書稿　王國維　國學季刊一卷三號

高明文輯　高明　黎明
晉書音義　何超　藝文
唐五代西北方音　羅常培　中研院史語所單刊
唐寫本王仁昫刊謬補缺切韵　廣文
唐寫全本王仁昫刊謬補缺切韵校箋　龍宇純　崇基
問學集　周祖謨　中華
修訂增註中國聲韵學通論　林尹著林炯陽注釋　黎明文化
現代吳語的研究　趙元任　清華大學
國音學　高元　商務
國音沿革　方毅　商務
國音中古音對照表　廣文編譯所編　廣文
國劇音韵及唱念法研究　余濱生　中華
清代韵圖之研究　應裕康　弘道文化
悉曇輪略圖抄　日本　了尊　大正新修大藏經
悉曇字記　智廣　大正大藏本

梵字悉曇字母并釋義 空海 大正大藏本
悉曇藏 日本・安然 大正新修大藏經
英語語言學 佘光雄 復文
集韵 顧廣圻補刊 中華
集韵（附考正）丁度等撰、方成珪考正 商務
黃侃論學雜著 黃侃 中華
孳生音韵學 黎明光譯 文鶴
等韵五種 藝文
等韵述要 陳新雄 藝文
等韵叢説 江有誥 廣文
等韵源流 趙憩之 文史哲
詩文聲律論稿 啓功 明文
等韵一得 勞乃宣 光緒戊戌吳橋官廨刊本
詩本音 顧炎武 四庫全書本
詩古韵表二十二部集説 夏炘 廣文

詩音表　錢坫　廣文
詩韵譜　陸志韋　鼎文
詩經韵譜　江學謙　東海大學
詩聲類　孔廣森　藝文（皇清經解本）
新加九經字樣　唐玄度　商務
董同龢先生語言論文選集　丁邦新編　食貨
經典釋文（附校勘記）　陸德明撰、孫毓修校　鼎文
經典釋文考證　盧文弨　商務
經典釋文序録疏證　陸德明撰、吳承仕疏　新文豐
漢字古今音彙　周法高　香港中文大學
漢語方言詞匯
漢語方言概要　袁家驊
漢語方音字匯
漢語史稿　王氏　泰順
漢語史論文集　王氏

漢語音韻　王氏　弘道
漢語音韻學　董同龢　臺灣學生書局
漢語音韻學導論　羅常培
漢語音韻學常識　唐作藩　中華
漢語語音學研究　王天昌　國語日報出版部
漢語詩律學　王氏
漢語研究小史　王立達　商務
漢語論叢　文史哲雜誌編輯委員會
漢語音韻十論　謝雲飛　大風
漢魏晉南北朝韵部演變研究（第一分册）　羅常培、周祖謨撰
說文篆韵譜之源流及其音系之研究　王勝昌　自印本
說文諧聲譜　張成孫　藝文（續經解本）
說文古韵譜　劉至誠　龍泉出版社
說文解字音均表　江沅　藝文（續經解本）
說文聲系　姚文田　邃雅堂集本

說文聲類　嚴可均　新興
語言問題　趙元任　商務
語言學論叢　林語堂　文星
語言學大綱　董同龢　中華叢書編審委員會
語言學史　林柷敔　世界
語音學大綱　謝雲飛　蘭臺
廣韵校勘記　周祖謨　世界
廣韵研究　張世祿　商務
廣韵探賾　林炯陽　師範大學博士論文
臺灣語言源流　丁邦新　臺灣省政府新聞處編印
慧琳一切經音義反切攷　黄淬伯　中研院史語所專刊
實驗語言學序說　蘇義彬　美亞
篆隸萬象名義　日本、釋空海　臺聯國風出版社
聲類表　戴震　廣文
聲韵考　戴震　廣文

聲韻叢說　毛先舒　廣文（古今詩話叢編內）、百部叢書集成本
聲韻學表解　劉賾　菁華文化傳播公司
聲韻學論文集　陳新雄　于大成博士主編　木鐸
聲韻學講義　高明　政大民國五十七年
聲類新編　陳新雄　學生
鍥不舍齋論學集　陳新雄　學生
戴東原學記　鮑國順　政治大學博士論文
禮記鄭注音讀與釋義之商榷　林平和、文史哲
顏師古所作音切之研究　董忠司　政治大學博士論文
轉注古音略　楊慎　四庫全書本
魏晉音韻研究　丁邦新　中研院史語所專刊之六十五
魏晉詩韻考　林炯陽　自印本
羅常培語言學論文選集　羅常培　九思
瀛涯敦煌韻輯　姜亮天　鼎文
瀛涯敦煌韻輯別錄　潘重規　文史哲

瀛涯敦煌韻輯新編　潘重規　文史哲
類音　潘耒　遂初堂刊本
韻鏡校注　龍宇純　藝文
韻鏡研究　孔仲溫　政治大學碩士論文
韻補正　顧炎武　四庫全書本
韻學源流　莫友芝　聯貫
藤堂明保之等韻說　陳弘昌　文津
韻學指要　毛奇齡　百部叢書集成
續一切經音義　希麟　大正新修大藏經
續通志七音略　嵇璜等　新興

叁、聲韻學單篇論文

七音略「重」「輕」說及其相關問題　董忠司　中華學苑第十九期
入聲考　胡適　遠東（胡適文存內）
上古音研究　李方桂　清華學報新九卷第一、二期合刊
上古漢語和漢藏語　周法高　香港中文大學（在中國音韻學論文集內）

上古韵母系統研究　王力　清華學報十二卷三期
大徐本説文反切的音系　嚴學窘　北京大學國學季刊第六卷第一期
三四等與所謂喻化　陸志韋　燕京學報二十六期
三國六朝支脂之三部東中二部演變總説　王越　文史學研究所月刊第一卷第二期
三等牙喉音反切上字分析　杜其容　臺大文史哲學報第二十五期
三等韵重唇音反切上字研究　周法高　中研院史語所集刊第二十三本下册
元白詩韵考　蕭永雄　中國文化學院中國文學研究所碩士論文
六十年來之聲韵學　陳新雄　文史哲
六朝唐代反語考　劉盼遂　清華學報九卷一期
中古漢語的聲調與上聲的起源　梅祖麟著、黄宣範譯　幼獅月刊第四十卷第六期
中國古音研究上些個先決問題　魏建功　國學季刊三卷四期
中國音韵學導論自序　羅常培　恬庵語文論著甲集
中國歷代韵書的韵部分合　高明　華岡文科學報十二期
王石臞先生韵譜合韵譜遺稿跋　陸宗達　北大國學季刊三卷一期
王石臞先生韵譜合韵譜稿後記　陸宗達　北大國學季刊五卷二期

反切以前中國字的標音法　高明　中華學苑第四期
反切起源論　高明　慶祝毛子水先生包明叔先生齊鐵恨先生丁治磐先生八秩華誕文集
反切起源新證　李維棻　淡江學報五期
反切解釋上編　黃侃　論學雜著內
反切語八種　趙元任　中央研究院史語所集刊第二本第三分
反切結構與反切諧和說　董忠司　新竹師專學報第十三期
反語反音辨　潘尊行　國立中山大學文史研究所輯刊第一卷第二册
切韵â的來源　李方桂　中研院史語所集刊三本一分
切韵五聲五十一紐考　曾運乾　東北大學季刊一期
切韵的性質和它的音系基礎　周祖謨　問學集
切韵閉口九韵之古讀及其演變　羅常培　史語所集刊外編
切韵魚虞之音值及其所據方音考　羅常培　中研院史語所集刊二本三分
切韵魚虞之音讀及其流變　周法高　中國語言學論文集
切韵與吳音　周祖謨　問學集
切韵韵類考正上　林尹　師大學報第二期

平仄新考　丁邦新　中研院史語所集刊四十七本一分
北平方音析數表　劉復　北京大學國學季刊三卷三期
古音中的三等韵兼論古音的寫法　周法高　中研院史語所集刊第十九本
古陰陽入三聲考　魏建功　北大國學季刊二卷
古代濁聲考　敖士英　輔仁學誌二卷一期
古等呼說　湯炳正　史語所集刊第十一本
古韵分部異同考　王力　語言與文學第一期
史記索隱・正義音韵考　大島正二　東洋學報五十五卷三號
史記索隱・正義音韵考——資料表　大島正二　北海道大學文學部紀要21—2
四聲三問　陳寅恪　清華學報九卷二期
四聲繹說　夏承燾　中國中古文學史等七書之一　鼎文
四聲五音九弄反紐圖簡釋　殷孟倫　漢語論叢
四聲五音及其在漢魏六朝文學中之應用　詹鍈　中國中古文學史等七書之一　鼎文
四聲別義釋例　周祖謨　漢語音韵論文集（又見於問學集）
玄應反切考　周法高　中研院史語所集刊第二十本

由韻書中罕見上字推論反切結構　杜其容　臺大文史哲學報二十一期
全本王仁昫刊謬補缺切韻的反切下字　董同龢　史語所集刊十九本
全本王仁昫刊謬補缺切韻的反切上字　董同龢　史語所集刊二十三本
如皋方言的音韻　丁邦新　史語所集刊36下
求進步齋音論　張煊　聲韻學論文集內
守溫三十六字母排列法之研究　劉復　國學季刊一卷三號
有關古韻分部的兩點意見　龍宇純　中華文化復興月刊十一卷四期
米德論語言的起源與功能　張家銘　美國研究十四卷二期
初唐四傑詩用韻考　陳素貞　輔仁大學中文研究所碩士論文
初唐詩人用韻考　許燈城　中國文化學院中國文學研究所碩士論文
宋元等韻源流考索　于維杰　成大學報三期
宋元等國韻圖序例研究　于維杰　成大學報人文篇第七期
佛教東傳對中國音韻學之影響　周法高　中國語文論叢內
例外反切的研究　龍宇純　史語所集刊三十六本上册
東晉南朝之吳語　陳寅恪　史語所集刊七本一分

明沈寵綏在語音學上的貢獻　劉復　國學季刊
知徹澄娘音值考　羅常培　史語所集刊三本一分
英倫藏敦煌切韵殘卷校記　龍宇純　史語所集刊外編第四種下册
音位理論與漢語語音系統之分析　王天昌　東海學報十七卷
音略　黄侃　論學雜著内
珂羅倔倫考訂切韵韵母隋讀表　林語堂　語言學論叢内
洪武正韵聲母音值之擬訂　應裕康　中華學苑六期
晉書音義音韵考　大島正二　東洋學報五十六卷
梁顧野王玉篇聲類考　翁文宏　師大國文所集刊十五號
徐邈音義考——韵類を中心に　坂井健一　東洋學報五十卷
唐宋兩系韵書體制之演變　魏建功　國學季刊三卷一號
梵文t·d·的對音　周法高　史語所集刊十四本
梵文顎音五母之藏漢對音研究　羅常培　史語所集刊三本二分
從元音的性質説到中國語的聲調　王力　清華學報
從史實論切韵　陳寅恪　北京大學五十週年紀念論文集

從說文入聲語根論析上古字調演變　江舉謙　東海學報七卷一期
從玄應音義考察唐初的語音　周法高　中國語文論叢
從顏師古所作音切略論三等韵喉牙唇音反切上字　董忠司　屏東師專六十七學年度研究報告
彙編
國語上輕唇音的演化　張世祿　暨南學報一卷二號
陳澧反切說申論　杜其容　書目季刊八卷四期
陳澧切韵考辨誤　周祖謨　問學集下册
通志七音略研究　羅常培　羅常培語言論文選集
黃輯李澄聲類跋　高明　中華學苑七期
曹憲博雅音之研究　董忠司　國立政治大學中國文學研究所碩士論文
喻三入匣再證　葛毅卿　史語所集刊八本一分
喻母古讀考　曾運乾　古聲韵討論集內
景印元至治本通志七音略序　羅常培　恬庵語文論著甲集
曾氏古音三十攝表正補　蔡信發　女師專學報第十二期
敦煌寫本守溫韵學殘卷跋　羅常培　史語所集刊三本二分

等韻研究導言 高明 高明小學論叢內
等韻門法通釋 董同龢 史語所集刊十四本
集韻研究 邱棨鐊 自印（文化學院中國文學研究所博士論文）
集韻聲類考 白滌洲 史語所集刊三本二分
集韻聲類表述例 黃侃撰、潘重規述例 新亞學術年刊六期
隋韻譜 昌厚 中國語文
與人論治小學書 黃侃 論學雜著內
試論上古字調研究 江學謙 東海學報五卷一期
詩音上作平證 黃侃 論學雜著內
詩經例外現象論析 江學謙 東海文薈八期
經典釋文所見早期諸家反切結構分析 何大安 臺大中文所碩士論文
經典釋文和原本玉篇反切中的匣于兩紐 羅常培 史語所集刊八本一分
經典釋文徐邈音之研究 簡宗梧 政大中文所碩士論文
萬象名義中之原本玉篇音系 周祖謨 問學集
漢語研究的方向——音韻學的發展 李方桂 幼獅月刊四十卷六期

說平仄　周法高　中國語言學論文集內
說清濁　趙元任　史語所集刊三十本下册
嘉吉元年本韵鏡跋　高明　南洋大學學報創刊號
鄭樵與通志七音略　高明　包遵彭先生紀念論文集
廣韵四十一聲紐聲值的擬測　陳新雄　文化中研所木鐸第八期
廣韵重紐音值試論——兼論幽韵及喻母音值　龍宇純　崇基學報九卷二期
廣韵重紐研究　周法高　史語所集刊十三本
廣韵重紐試釋　董同龢　史語所集刊十三本
廣韵集韵切語上字異同考　應裕康　師大國文研究所集刊四號
廣韵聲紐韵類之統計　白滌洲　女師大學術季刊二卷二期
廣韵聲勢及對轉表　黄侃　論學雜著內
廣韵韵類分析之管見　陳新雄　中華學苑十四期
廣韵韵類考正　康世統　師大國文研究所碩士論文
論上古音　周法高　香港中文大學（中國音韵學論文集內）
論上古音和切韵音　周法高　香港中文大學中國文化研究所學報

談反切　趙少咸　漢語論叢
論中古音與切韵之關係　張琨著、張賢豹譯　書目季刊八卷四期
論中古聲調　杜其容　中華文化復興月刊九卷三期
論中國字音的「聲值」的擬測　高明　静宜學報三期
論文選音殘卷之作者及其方音　周祖謨　問學集內
論照穿牀審四母兩類上字讀音　龍宇純　中研院國際漢學會議論文集
論切韵音　周法高　香港中文大學中國文化研究所學報
論古代漢語的音位　周法高　史語所集刊二十五本
論韵的四等　高明　輔仁學誌九期
論開合口　王静如　燕京學報二十九期
慧琳一切經音義反切考韵表　黄淬伯　國學論叢二卷二期
論陰陽對轉　陳新雄　東吳中文季刊創刊號
論語孟子及詩經中並列語成分之間的聲調關係　丁邦新　史語所集刊四十七本一分
論篆隸萬象名義　周祖謨　北京大學國學季刊三卷四期
慧琳一切經音義反切聲類考　黄淬伯　史語所集刊一本二分

聲韻通例　黃侃　論學雜著內
聲韻略說　黃侃　論學雜著內
關於唐代方言中四聲讀法之一些資料　周祖謨　問學集內
顏氏家訓音辭篇注補　周祖謨　問學集內
顏師古急就篇注音韻考　大島正二　北海道大學文學部紀要22—1
顏師古漢書音義韻類考　大島正二　言語研究四十九
證廣韻五十一聲類　陸志韋　燕京學報二十五期
藏漢系語言研究法　李方桂　中華文化復興月刊七卷八期
韵鏡研究　高明　中華學苑五期
釋內外轉　羅常培　史語所集刊四本二分
釋內外轉名義　杜其容　史語所集刊四十本上册
釋重輕　羅常培　史語所集刊二本四分
「讀如」「讀若」「讀爲」「讀曰」與「當爲」　張以仁　大陸雜誌四十一卷三期